Nas voragens do pecado

Yvonne A. Pereira

Nas voragens do pecado

Romance da mesma série de
O drama da Bretanha e *O cavaleiro de Numiers*

Pelo Espírito
Charles

Copyright © 1960 *by*
FEDERAÇÃO ESPÍRITA BRASILEIRA – FEB

12ª edição – 15ª impressão – 2,5 mil exemplares – 3/2024

ISBN 978-85-7328-778-3

Todos os direitos reservados. Nenhuma parte desta publicação pode ser reproduzida, armazenada ou transmitida, total ou parcialmente, por quaisquer métodos ou processos, sem autorização do detentor do *copyright*.

FEDERAÇÃO ESPÍRITA BRASILEIRA – FEB
SGAN 603 – Conjunto F – Avenida L2 Norte
70830-106 – Brasília (DF) – Brasil
www.febeditora.com.br
editorial@febnet.org.br
+55 61 2101 6161

Pedidos de livros à FEB
Comercial
Tel.: (61) 2101 6161 – comercial@febnet.org.br

Adquirindo esta obra, você está colaborando com as ações de assistência e promoção social da FEB e com o Movimento Espírita na divulgação do Evangelho de Jesus à luz do Espiritismo.

Dados Internacionais de Catalogação na Publicação (CIP)
(Federação Espírita Brasileira – Biblioteca de Obras Raras)

C475v   Charles (Espírito)

         Nas voragens do pecado / pelo Espírito Charles; [psicografado por] Yvonne do Amaral Pereira. – 12. ed. – 15. imp. – Brasília: FEB, 2024.

         336 p.; 23 cm – (Coleção Yvonne A. Pereira)

         Romance da mesma série de *O drama da Bretanha* e *O cavaleiro de Numiers*.

         Inclui referências

         ISBN 978-85-7328-778-3

         1. Romance espírita. 2. Obras psicografadas. I. Pereira, Yvonne do Amaral, 1900–1984. II. Federação Espírita Brasileira. III. Título. IV. Coleção.

CDD 133.93
CDU 133.7
CDE 80.02.00

SUMÁRIO

Aos que sofrem — 7

PRIMEIRA PARTE:
OS HUGUENOTES — 11

1. Otília de Louvigny — 13
2. Uma família de filantropos — 25
3. O capitão da fé — 45
4. Pacto obsessor — 59
5. Seu primeiro amor... — 73
6. Eva e a serpente — 89
7. Perfídia — 109

SEGUNDA PARTE:
UM CONSÓRCIO ODIOSO — 129

1. Estranhos projetos — 131
2. Núpcias — 149
3. Consequências de um baile — 163
4. Anjo das trevas — 183
5. Fim de um sonho — 193

Terceira Parte:
  Mas a vida prossegue... 211

  1 Um crime nas sombras 213
  2 O destino de um cavaleiro 231
  3 Parcelas do mundo invisível 245
  4 Como nos contos de fadas... 265
  5 Almas supliciadas 273

Quarta Parte:
  A família espiritual 287

  1 A família espiritual 289
  2 Glória ao amor! 301
  3 O antigo pacto 309

  Conclusão:
  A magna carta 317
  Referências 331

Aos que sofrem

No dia 23 de abril de 1957, um acidente ocorrido em minha residência fez-me fraturar o braço esquerdo. Imobilizada durante vários dias, a sós com meus estudos e meditações, que de panoramas espirituais se desvendaram às minhas possibilidades mediúnicas, assim favorecidas por um estágio propício! Se, então, me foi dado o reconforto da presença dos meus companheiros de jornada terrena, que fraternalmente me visitavam, frequentes igualmente foram as visitas recebidas do mundo invisível, consoladoras e inefáveis, testemunhando às minhas convicções a intensidade faustosa, prodigiosa, dessa pátria que é nossa e a qual estamos perenemente ligados por laços de sagrada origem!

No terceiro dia após o acidente, um acontecimento verdadeiramente majestoso desenrolou-se diante de minhas percepções mediúnicas poderosamente exteriorizadas do âmbito físico-carnal. Apresentara-se à minha frente, encontrando-me eu ainda perfeitamente desperta, a querida entidade espiritual Charles, meu guia e mestre da Espiritualidade, amigo desvelado desde o berço, porque já o era também na vida espiritual. Reflexos de um luzeiro branco azulado, que o envolvem, despejam-se então sobre mim, emprestando ao meu recinto um suave palor como de santuário espiritual... Suas mãos belíssimas, esguias, que um lindo anel com radiosa esmeralda enfeita, estendem-se sobre minha fronte, causando-me enternecido choque... E ele sussurra aos meus ouvidos a doce tonalidade de uma vibração encantadora, ordenando-me:

— Vem!...

Submisso, meu espírito segue-o, enquanto o corpo, sobre uma cadeira de balanço, o braço envolto em faixas, se abandona a reconfortadora letargia... Pairamos no ar... Tudo em torno é luar azul, neblinas suavemente lucilantes, perfumes de violetas — a essência que Charles prefere —, encantamento e emoção... Não distava muito do local, onde jazia meu fardo, a estância azul onde pairávamos. Eu tinha a impressão de que gravitávamos pouco acima do telhado de minha casa, pois que o via, assim como o panorama da cidade de Belo Horizonte, onde residia então, que se estendia entre a penumbra do crepúsculo. Ouvia mesmo os debates de meus pequenos sobrinhos que, na sala de jantar, preparavam os deveres escolares para o dia seguinte...

E eram 19h30...

De súbito, um como tumultuar de cores e de sons melodiosos envolveu o local onde eu me encontrava... Tons rosados, de variações inauditas, misturaram-se às tonalidades azuis que me envolviam, tal se eminentes químicos celestes preparassem algo muito grandioso, servindo-se dos elementos dispersos pela natureza nas camadas invisíveis do Infinito... Charles tomou-me da mão com vigor e disse:

— Narrar-te-ei a triste história de um coração que ainda hoje não conseguiu perdoar e esquecer integralmente a dor de uma ofensa grave... Ofereço-a àqueles que sofrem, aos que amam sem serem amados, aos que tardam em compreender que o segredo da felicidade de cada um e da humanidade em si mesma encontra-se na capacidade que possua cada coração para as virtudes do amor a Deus e ao próximo...

Então as primeiras frases deste livro repercutiram em meu ser espiritual como se forças ignotas as decalcassem a fogo em meu cérebro. Charles falou... E as cenas do drama intenso que aqui transcrevo se moveram à minha visão sob sua palavra, entre tonalidades azuis e rosa, variadas ao indescritível, mostrando-me, entre outros acontecimentos, o terrível massacre de protestantes do dia de São Bartolomeu, durante o reinado de Carlos IX,[1] na França, massacre cujos aspectos verdadeiramente infernais jamais poderá conceber o cérebro que os não haja presenciado!

Como, porém, poderia Charles ter criado tais cenas com tantos e tão estranhos detalhes, para a minha visão espiritual?...

É que, certamente, ele existiu na Terra e na França durante aquela época... De outro modo, os Espíritos evoluídos possuem mil possibilidades magníficas de reviverem o passado, tornando-o presente com todas as nuanças da realidade de que se rodeou... O certo foi que, sob o ardor da sua palavra, a tudo eu assisti e presenciei intensamente, com nitidez e encantamento, como se estivesse presente aos fatos, por vezes possuída de terrores, angústias e ansiedade, de outras embalada por deliciosas emoções de enternecimento e reconforto... E hoje, quando já ele voltou novamente a mim para guiar a minha mão e o meu lápis na transcrição do drama entrevisto então, no estado espiritual — entrego-o, em seu nome, aos corações que sentem dificuldades na concessão do perdão ao desafeto, aos que sofrem e choram no aprendizado redentor, a caminho do amor a Deus sobre todas as coisas e ao próximo como a si mesmo...

Yvonne A. Pereira
Rio de Janeiro (RJ), 30 de outubro de 1959.

---

[1] N.E.: Carlos IX da França, filho de Henrique II e de Catarina de Médici. Foi rei da França de 1560 a 1574.

Primeira Parte

Os huguenotes[2]

O amor é de essência divina e todos vós, do primeiro ao último, tendes, no fundo do coração, a centelha desse fogo sagrado. É fato, que já haveis podido comprovar muitas vezes, este: o homem, por mais abjeto, vil e criminoso que seja, vota a um ente ou a um objeto qualquer viva e ardente afeição à prova de tudo quanto tendesse a diminuí-la e que alcança, não raro, sublimes proporções.[3]

---

[2] N.E.: Confederados, ligados por juramento. Designação depreciativa dada pelos católicos franceses aos protestantes, especialmente calvinistas.

[3] KARDEC, Allan. *O evangelho segundo o espiritismo*, cap. XI, it. 9.

1

OTÍLIA DE LOUVIGNY

Naquela manhã de 20 de outubro de 1572, Paris se apresentava envolvida em brumas pesadas, prenunciando aguaceiro e frio intenso provindos das correntes geladas dos Alpes, recobertos de neve, como sempre. Desde a véspera, uma chuva fria, impertinente, caía sem interrupção para alagar as enormes lajes que calçavam as ruas e as praças principais, engrossando sempre mais as torrentes que transbordavam das sarjetas ou formando atoleiros nas vielas e travessas que ainda não haviam merecido as atenções do Sr. Governador da cidade para o aristocrático luxo do calçamento...

Com a chuva constante e o presságio dos ventos portadores de longas nevascas, esvoaçava pelos ares da velha e lendária metrópole vaga sensação de terror. Silêncio impressionante, qual quietação traumática, estendia apreensões desoladoras, de choque e pavor, pelos quatro cantos da capital dos Valois-Angoulême, que então reinavam na França, silêncio apenas alterado, de espaço a espaço, pelo bulício de marcha lenta da cavalaria dos homens de armas do Sr. Duque de Guise,[4] chefe da Santa

---

[4] N.E.: Henrique I, príncipe de Joinville, duque de Guise, é um dos beneficiários políticos do Massacre de São Bartolomeu, em 1572, chefe da "Liga Católica" (1576) durante as Guerras Religiosas na França.

Liga, os quais, à plena luz meridiana, inspecionavam bairros, ruas, habitações, zelosamente verificando se algo desagradável não se tramaria contra o governo e a Igreja, esta desagravada, havia dois meses apenas, dos supostos ultrajes da Reforma Luterana, que lhe fazia sombra às ambições com a superioridade dos conceitos sobre as Sagradas Escrituras. Vezes havia que nem só a ronda do Sr. de Guise fazia ressoar pelos lajedos das ruas as patadas dos cavalos cuidadosamente calçados de ferro e aço ou o tacão dos seus mercenários, cujas espadas e lanças também tiniam belicamente, para alarme dos habitantes de Paris que se enervavam atrás das rótulas e das persianas, temerosos de novos morticínios como os verificados dois meses antes. Também os archeiros[5] e alabardeiros[6] de Carlos IX iam e vinham, reforçando a vigilância, ao mesmo tempo que demonstravam ao povo a força sempre vigorosa do governo que a rainha-mãe — Catarina de Médici — dirigia, atrás da inépcia do seu enfermiço filho Carlos IX de Valois-Angoulême, rei da França.

Dois meses antes dessa manhã penumbrosa de outubro, verificara-se em Paris o grande massacre dos "hereges" denominados huguenotes, levado a efeito por um conluio político-partidário mascarado de fé religiosa, ao qual a Igreja, sob a responsabilidade do papa Gregório XIII, anuíra por instâncias do governo francês, ou antes, por exigências da política opressora da rainha Catarina, interessada muito mais nas conveniências pessoais ou dinásticas, do que nas da própria Igreja, mas para a realização do qual se tornava indispensável o apoio do poder espiritual, dadas as desculpas religiosas que para atingir os fins a que se propunha houvera ela por bem apresentar.

O massacre desumano, verificado ao romper do dia 24 de agosto de 1572, ficaria célebre na história mundial sob o nome de Matança de São Bartolomeu, justamente por ser o dia dedicado ao culto desse

---

[5] N.E.: Soldado armado de *archa*, arma antiga, de feitio do machado de carniceiro.
[6] N.E.: Soldado armado de *alabarda*, arma antiga idêntica à primeira, diferindo apenas do feitio do machado. Na França, os *alabardeiros* constituíam quase sempre a guarda de honra dos reis e dos príncipes.

santo venerado pela Igreja Católica Apostólica Romana — um dos doze Apóstolos de Jesus Cristo.

Nessa data, pois, os adeptos da Reforma, os protestantes, alcunhados por escárnio, na França, huguenotes, foram trucidados em massa, na cidade de Paris, pelos soldados da chamada Santa Liga, na ocasião ainda apenas esboçada, mas já em atividades, cujo chefe, o duque Henrique I de Guise, príncipe da Lorena, se aliara às tropas do Rei a fim de dirigir o movimento, em conluio macabro de ideias, crueldades e ambições. Quase totalmente indefensos, os huguenotes, ou "protestantes", pouco puderam reagir, atacados que foram de surpresa. Seus lares violados por tropas prévia e ardilosamente incitadas pelo ardor da religião malsentida e ainda menos orientada; suas esposas e filhas ultrajadas antes de sucumbirem sob os punhais e cutelos assassinos; suas crianças trucidadas ao estrepitar de gargalhadas que o álcool e o cheiro acre do sangue humano excitavam até os excessos de uma semiloucura; suas propriedades arrasadas pelo incêndio ou depredadas pela picareta dos fanáticos adeptos da Rainha, do Príncipe ou da Igreja; seus corpos arrastados pelas ruas em desordem de pandemônio e atirados ao Sena, ainda quentes e arquejantes; seus cadáveres profanados, mutilados entre alaridos de blasfêmias e insultos soezes, pelos soldados endoidecidos de maldade e pelos próprios oficiais da nobreza, que entenderam por bem se nivelarem a baixezas de que se envergonhariam os próprios cães — e todo esse implacável destroçamento humano pretensiosamente realizado à sombra da cruz do imaculado Cordeiro de Deus; tais violências, inconcebíveis ao raciocínio do homem moderno, haviam feito correr o sangue humano pelos declives da velha cidade do grande rei São Luís,[7] dela fazendo vasta necrópole que para sempre a estigmatizaria!

Durante três dias Paris fora assistente indefesa dessa avalanche de sangue e morte. A população aterrorizada não lograra serenidade sequer para as refeições e o repouso noturno, porque a tragédia, sem precedentes

---

[7] N.E.: Luís IX de França ou São Luís de França (1214–1270) foi rei de França de 1226 até a sua morte.

na História, irrompia a cada esquina da cidade com impetuosidade diabólica! A ansiedade geral resumia-se nas calamidades seguintes: Matar os huguenotes! Ver morrer os huguenotes! Fugir das hordas de celerados da rainha Catarina! Aplaudir, sob terror, os excessos do Sr. de Guise, que, no entanto, era amado pelo povo! Furtar-se às crueldades dos bandos assassinos, cuja sanha já não respeitava nem mesmo os próprios adeptos de Roma, matando-os também, de qualquer forma, aproveitando-se do momento para desforras e vinganças pessoais, incluindo-os entre os desgraçados luteranos e calvinistas. E a desordem por toda parte, e a morte, e a dor, e o sangue, e o luto, e a maldição, e o terror, e a blasfêmia abatendo-se sobre os ares da cidade num sopro de tragédia inesquecível e indescritível... enquanto sinos dobravam afinados angustiosamente, do alto das torres das igrejas; procissões se sucediam a par do morticínio, cânticos subiam aos espaços em louvores aos Céus, porque os "hereges" eram exterminados... e as naves dos templos regurgitavam de fiéis que batiam nos peitos em meas-culpas fervorosas, satisfeitos ou consternados, afetando homenagens a Deus por haver auxiliado, de um modo ou outro, o extermínio dos "malditos"!

Grandes e generosos franceses de alta linhagem moral e social sucumbiram nesse dia inolvidável. Dentre eles o almirante Coligny,[8] cujos feitos náuticos atingiram as plagas sul-americanas, recém-descobertas então... e, por tudo isso, de um extremo ao outro da França, nessa data de 20 de outubro, que evocamos, estremecia-se ainda de horror e revolta, ante a recordação de tais abjeções.

Não só Paris fora infelicitada, porém. As províncias, os feudos, as herdades, os casais, as quintas, tudo era invadido pelas forças do Rei e do Sr. de Guise e seus proprietários, se suspeitos de reformistas, trespassados seriam pela espada ou decapitados, pois convinha à politicagem mórbida da poderosa Catarina de Médici que nem mais um

---

[8] N.E.: Gaspard de Châtillon, mais conhecido como Gaspard de Coligny (1519-1572) foi um almirante francês e líder huguenote. Foi assassinado em Paris em 1572, durante o massacre da noite de São Bartolomeu. Foi um influente estadista e líder dos calvinistas franceses, os huguenotes.

só protestante florescesse no solo da França — chamada então a *filha predileta da Igreja*!

A defesa da religião e da fé era a desculpa apresentada para o desumano extermínio cujas consequências ainda hoje não se detiveram na perseguição consciencial aos seus propulsores e executores, por intermédio da reencarnação, muito embora quatro longos séculos se sucedessem nas voragens do tempo!

Ora, naquela manhã a que nos referimos acima, justamente ao soar das nove horas nos sinos da Igreja de Saint-Germain l'Auxerrois, que não distava muito, atravessava a ponte da Praça Rosada uma carruagem pintada de azul e ouro com escudo e coroa de conde e uma pequena escolta de quatro cavaleiros montados e bem armados. A carruagem atestava conforto e certa abastança financeira de seus proprietários, dado o requinte da pintura, o luxo e o bom gosto das cortinas de seda e rendas, os estofos de pelúcia e os tapetes do interior e o capricho da libré da guarda... não se cuidando dos cavalos, cujo pelo luzidio e ancas arredondadas respondiam pelo melhor trato. A guarda, composta dos quatro cavaleiros acima citados e mais um pajem e o cocheiro, trazia no braço esquerdo laços com as cores do Sr. de Guise e, preso ao pescoço, e caindo sobre o peito, uma espécie de cordão de seda com escapulários, então muito em voga, cordão que o altivo duque fazia distribuir entre seus apaniguados políticos e suas tropas, e laços e berloques que teriam o condão de indicar que os respectivos portadores não pertenciam à Reforma Luterana ou Calvinista, mas sim aos "piedosos" partidos daquele Príncipe e da sua potente aliada, a Rainha-mãe.

Na portinhola da carruagem, além do escudo, viam-se um L e um R muito artisticamente entrelaçados, iniciais que indicariam os condes de Louvigny-Raymond, antigos nobres que, na ocasião, estariam reduzidos apenas ao jovem coronel Artur de Louvigny-Raymond, dos exércitos do Rei, no momento em tarefas mui melindrosas pela Espanha, e sua irmã Otília, de apenas 21 primaveras.

Atravessando a ponte, pequena e pesada edificação sobre um afluente do Sena, a dita carruagem entrou com estrépito na Praça Rosada e parou à frente de um pequeno palácio pintado em cores vivas, rodeado de pequeninos torreões graciosos, ao estilo medieval, balcões e ogivas igualmente pequeninos, mas muito aristocráticos com seus vitrais com assuntos bíblicos. Larga alpendrada à porta da entrada principal emprestava certo tom majestoso a esse palácio, cujas colunas e pilastras de suporte exterior eram revestidas de uma composição como granito vermelho, e tão lisa e brilhante como o esmalte e a porcelana. Quatro lampiões de azeite alumiavam essa entrada à noite — tom de requintado luxo numa época em que os parisienses viviam em escuridão constante, não apenas ao saírem à rua, obrigados por possíveis circunstâncias, mas até mesmo em seus próprios domicílios, que somente eram iluminados por luz de velas!

Os quatro lampiões, desse modo, clareavam não só a entrada do dito palácio como ainda o seu nome, gravado em bronze polido no alto da porta principal — porque as residências nobres possuíam também os seus nomes — e o escudo dos seus proprietários, colado no madeiramento da porta, o que seria de bom aviso numa atualidade de trucidamentos coletivos e invasões de domicílios... A graciosa habitação chamava-se, portanto, Palácio Raymond.

A praça, espaçosa e clara, via-se contornada de pequenas edificações pintadas a cores um tanto vivas, de preferência o vermelho cor de barro, o que, realmente, à luz do sol, lhe emprestava um tom rosado algo agressivo à visão, daí então advindo a sua alcunha de Praça Rosada, concedida pelo parisiense, que em todos os tempos preferiu viver à revelia de leis e convenções...

À porta do Palácio Raymond parou a aristocrática carruagem e o pajem desceu para estender o tapete de fibras impermeáveis sobre a calçada molhada, e abrir a portinhola. Uma dama de idade madura, cujos trajes severos indicavam tratar-se de uma aia de distinção, ou uma preceptora, desceu do carro, auxiliando em seguida a descida de uma jovem de invulgar formosura, trajada em veludo azul forte, com um pequeno chapéu da mesma cor, ornado de plumas brancas, luvas de camurça preta, de canos altos, e manto negro muito longo, com colarinhos de rendas de flandres brancas.

Abriu-se discretamente a porta do palácio e as damas penetraram o interior. Três criados cumprimentavam-nas respeitosamente, fazendo menção de se ajoelharem, enquanto a jovem estendia a mão enluvada para que a beijassem, dizendo:

— Folgo em vê-los com saúde e ânimo forte para com a nossa fé, Gregório, Raquel, Camilo...

E o servo de nome Gregório, de nacionalidade alemã, idoso e calvo, respondia por todos, traindo o linguajar francês carregado, das margens do Reno:

— Sede bem-vinda, *mademoiselle* de Louvigny... Esperávamos com angústia... temerosos de que algo desagradável adviesse... Desde ontem pela manhã aguardávamos atrás destas janelas...

— Fizemos boa viagem, meu caro Gregório... O atraso verificou-se devido às chuvas, que alagaram as estradas... Pernoitamos em Nancy e em Chalons...

— E ninguém vos reconheceu?...

A linda recém-chegada sorriu de modo enigmático e provocante, e declarou brejeira, como falando a si mesma:

— Oh! Quem se atreveria a suspeitar algo da irmã do coronel Artur de Louvigny-Raymond, companheiro de infância do grande Sr. de Narbonne?... Oh, de Narbonne?!... O fiel servidor da grande Rainha, o devoto estudante de Teologia, amigo dos Srs. de Guise, Capitão da Fé?!...

Gregório fez uma vênia, como atemorizado, tornando-se pálido, e depois sussurrou, ao mesmo tempo que ensaiava um gesto para fechar a porta de carvalho chapeada de bronze, que permanecia entreaberta:

— Perdão, *mademoiselle*... Porém, ouso prevenir-vos de que, desde nossa chegada aqui, há sete dias, deliberamos que minha filha Raquel passasse a se chamar Genoveva... em honra à Santa Padroeira de Paris...

Uma risada cristalina e displicente foi a resposta da singular jovem, a qual ia retorquir, talvez servindo-se de um remoque... quando significativo bulício de tropa militar em marcha lenta ressoou pela praça com seus característicos tinir de espadas, tilintar de rédeas de cavalo chapeadas de metal polido e as inconfundíveis patadas das montarias calçadas de ferro e aço sobre o lajedo rústico do chão...

O servo espionou com susto para o exterior, empurrando em seguida a pesada porta, que se fechou com estrondo, e exclamou vivamente, o semblante alterado pelo terror:

— O Sr. de Narbonne!...

— Sim! — sussurrou o jovem Camilo, seu filho, rapaz de 17 anos, louro e rotundo como o pai, mas de belos olhos castos como os de sua irmã, enquanto palidez súbita respondeu pela emoção que dele se apossara. — Sim! A cavalaria macabra do Sr. de Narbonne em visita aos bairros suspeitos de heresia e revolta!... Reparai, *mademoiselle*, por estes interstícios da janela, que trazem o estandarte da eucaristia de envolta com lanças, machados e arcabuzes...

Otília de Louvigny dilatou os lindos olhos cor do firmamento e seu peito arfou precipitadamente, enquanto as faces se purpurearam de forte emoção e gotas de suores frios lhe rorejaram a fronte e as mãos... Ela mobilizou, ali, toda a galhardia dos seus antepassados, que se cobriram de glórias desde as primeiras Cruzadas, serviu-se de toda a altivez de que a um aristocrata seria possível na época, ergueu a fronte em sinal de intimorato desafio e valor pessoal, e murmurou como para si mesma, enquanto se desfez do chapéu:

— Luís de Narbonne!... Vou, finalmente, defrontá-lo face a face!...

Voltou-se para o servo impressionado e ordenou:

— Abre a porta, Gregório!... Abre-a de par em par, em homenagem ao "piedoso" Capitão da Fé, que, ao que parece, me traz as boas-vindas em nome da nobreza de Paris...

— *Mademoiselle*... Por quem sois!... Perdoai-me... porém, vos suplico... Sois tão jovem... Não vos arrisqueis tanto... Renunciai ao vosso temerário intento... Quantas desgraças poderiam advir ainda... Fujamos para a Alemanha... Ainda está em tempo... Eu tremo por vós...

Sem responder, Otília dirigiu-se para a enorme porta e, porque fizesse menção de abri-la com as próprias mãos, Gregório e Camilo interferiram, atendendo-lhe os desejos.

Era tempo. A centúria do fidalgo enunciado já não distava dos alpendres senão dez passos, arrastando com insólita provocação a sua imponência bélico-religiosa, que tinha o poder de fazer tremer toda a população da grande cidade...

Valendo-se do poder da beleza incomum de que sabia ser dotada, Otília atravessa o terraço e posta-se altivamente no balcão, de olhos fitos no cavaleiro que vem após o estandarte, indicado por Gregório como o príncipe-conde Luís de Narbonne. Todavia, jamais um semblante feminino apresentara graça tão perfeitamente ingênua; jamais um sorriso de mulher adquirira mais adoráveis expressões e um olhar externara mais candura e surpreso encantamento do que os dessa angelical jovem que parecia absorver a Praça Rosada e a sua beligerante ronda num amplexo de satisfação e ternura!

Notando-a, desenvolta e linda, Luís de Narbonne estacou involuntariamente o cavalo, fazendo, com isso, parar também o séquito, o que resultou um choque de ruídos típicos de uma tropa que se detém inesperadamente...

De cenho carregado o Capitão da Fé contempla a jovem, medindo-a com o olhar, como tentando reconhecê-la. Uma vênia respeitosa é-lhe dirigida com suprema elegância pela bela desconhecida... Distingue-lhe ele, inspecioso, os escapulários pendentes do cordão, fornecidos pelo Sr. de Guise aos católicos franceses... Os olhos de ambos se cruzam... e uma centelha indelével, que se tornaria em chama imortal sacudindo-lhes a alma através do porvir, como que ofuscou, pela primeira vez, a inalterável placidez do sangue das veias daquele aplicado servidor do Rei e da Igreja, daquele estudante de Teologia católica, que pretendia para breve a honra de ser aceito entre o número dos seus sacerdotes...

O cenho carregado descerrou-se então... E um esboço de significativo sorriso floresceu em seus lábios habituados tão somente ao comando de soldados e às orações de cada dia...

O fato seria singular, verdadeiramente inacreditável! Por trás das rótulas e das persianas vizinhas, pessoas que espreitavam timidamente a cena comentavam a medo, temerosas de que o próprio ar levasse seus pensamentos aos ouvidos do Capitão da Fé:

— Uma invasão a mais!... A dama apenas chega ao Palácio desabitado e logo será presa e arrastada à condenação, talvez à morte!... O Palácio é suspeito e torna suspeito todo o bairro, por isso visitam-no os senhores da Igreja... Nele passaram longa temporada, há alguns anos, aqueles de Brethencourt de La-Chapelle, os reformistas, amigos dos de Louvigny-Raymond...

Com surpresa de todos os vizinhos e até dos criados do mesmo Palácio, tal não se deu, porque Luís de Narbonne, caindo em si da divagação a que a linda menina o arrastara, estugou o cavalo, como que se surpreendendo em falta grave; prosseguiu na marcha comum, até que, entrando na ponte, fez alto inesperadamente pela segunda vez, torceu as rédeas do seu belo normando e voltou-se displicentemente para verificar se a desconhecida permanecia no seu posto de observação...

Permanecia, com efeito, e outra vênia, tirada em cerimônia idêntica à primeira, concedida pela recém-chegada ao Capitão da Fé, que agora sorri sem constrangimentos, surpreende Gregório, Raquel e Camilo, os quais a si mesmos confessam não mais saberem se deverão sentir terror ou confiança, em virtude do que acabam de presenciar...

À tarde, para surpresa dos tímidos habitantes da Praça Rosada, o séquito por ali mesmo retornou, em vez de observar o itinerário costumeiro por outros bairros afastados. Luís de Narbonne modera a marcha diante do Palácio Raymond e investiga indiscretamente, com o olhar interessado, as janelas de vitrais com motivos bíblicos... Otília de Louvigny assoma ao balcão, sorridente e arrebatadora, os cabelos cor de ouro inteiramente desnastrados, qual aparição celestial ou figura lendária das margens do Reno... e, audaz e inconsequente, atira ao estudante de Teologia um botão de rosa-rubra...

Desmonta-se o escudeiro do encantado fidalgo, apanha a preciosa dádiva, a um sinal do amo, entrega-lha... e o cortejo, precipitando a marcha e enchendo a Praça do bulício bélico, desaparece em uma curva, mais além...

Otília de Louvigny-Raymond, então, volta-se para sua aia e preceptora e exclama, arquejante, as feições duras:

— Arpoei a fera, dama Blandina!... E juro pela honra da minha crença de reformista luterana e pela memória de meus pais e irmãos, trucidados sob suas garras, que não escapará aos meus tentáculos vingadores!...

Em seguida cai desalentada numa cadeira de ébano torneado e, cobrindo o rosto com as mãos crispadas, prorrompe em pranto violento.

Dama Blandina aproxima-se, tentando confortá-la...

2

UMA FAMÍLIA DE FILANTROPOS

No extremo nordeste da França, às margens do baixo Reno e mui próximo de terras da velha e sugestiva Alemanha, existia uma antiga família de autênticos nobres, os quais, segundo os próprios pergaminhos comprovavam, descendiam de um fidalgo francês de origem alemã por linha materna, coparticipante das primeiras Cruzadas, um certo cavaleiro da fé que para a Terra Santa marchara à frente de pequeno exército por ele próprio organizado — o conde Filipe Carlos Eduardo de Brethencourt.[9] Pela época que evocamos, ou seja, nos tempos de Catarina de Médici, essa família possuía ainda o seu Castelo nas mesmas terras, com a diferença, porém, de que a construção deste datava apenas do século XIV, sendo, portanto, relativamente novo no século XVI. A família, cujos ancestrais viveram sempre às margens do Reno, muito adaptada aos costumes alemães, na época do rei Francisco I[10] e de Henrique II,[11] da França, havia frequentado, no entanto, o centro deste país, com longas

---

[9] N.E.: Os nobres que descendessem de heróis das Cruzadas eram mais dignos de apreço e consideração por parte da nobreza e mesmo da realeza.

[10] N.E.: François I de Angoulême, ou Francisco I da França (1494–1547) foi rei da França e governou o país até a sua morte em 1547.

[11] N.E.: Henrique II de França (1519–1559) foi rei da França de 1547 até sua morte. Em seu reinado, vivia-se na França o apogeu do Renascimento.

temporadas em Paris, porquanto o conde de Brethencourt fizera guerras com Francisco I e com seu filho Henrique II, merecendo destes, por isso mesmo, certa estima e consideração. Com a morte de Francisco, porém, e, principalmente, com a tragédia de Henrique nos exercícios de um torneio, a família desaparecera da sociedade parisiense, encerrando-se em suas terras das fronteiras renanas.

Já por esse tempo os condes de Brethencourt haviam acrescentado ao próprio nome o apelido de La-Chapelle, e no seu escudo outros símbolos se apuseram, resultado de alianças matrimoniais muito honrosas desde dois séculos antes. Na época, por assim dizer áurea, da rainha Catarina, isto é, depois da morte de seu esposo, Henrique II, a família de Brethencourt de La-Chapelle encontrava-se praticamente arruinada economicamente, por isso que vivia apenas dos labores agrícolas, sem outros rendimentos. Diziam dela que desde o advento da Reforma, surgida na Alemanha com Martinho Lutero,[12] em 1517, seus últimos avós a ela se haviam de boa mente convertido, o que a fizera cair no desagrado de grande parte da nobreza, muito embora Francisco I e Henrique II houvessem fechado os olhos ao feito, ou por conveniências políticas e militares ou por lealmente estimarem seus antigos e fiéis servidores. O certo era que, na ocasião que levantamos do olvido, viviam os Brethencourt de La-Chapelle vida muito austera e trabalhosa entre o amanho da terra, estudos e meditações acerca das Santas Escrituras e da nascente Teologia protestante, e dedicados a obras piedosas em favor dos infelizes que transitavam por seus terrenos e para além deles, até as fronteiras do Reno. Reputavam-nos portadores de costumes severos e edificantes qualidades morais. Seus jovens militares haviam deposto as armas, dispensando-se dos serviços do Rei, a fim de evitarem os assassínios nas guerras, procurando, assim, honrar o 5º mandamento da Lei,[13] preferindo às batalhas o uso do arado, sendo as suas mulheres dignas e virtuosas a toda prova. Seus representantes do momento eram as

---

[12] N.E.: Martinho Lutero, em alemão Martin Luther, (1483–1546) foi um sacerdote católico agostiniano e professor de Teologia germânico que foi figura central da Reforma Protestante.

[13] N.E.: Não matarás.

personagens da presente narrativa: o velho casal condes Carlos Filipe de Brethencourt de La-Chapelle e Carolina de Clairmont; seus filhos varões Carlos Filipe II, o primogênito, médico e teólogo luterano (espécie de pastor moderno, das Igrejas Protestantes); Clóvis Filipe e Filipe Eduardo, oficiais militares que abandonaram a espada pelo amanho da terra; Filipe Rogério e Paulo Filipe, jovens estudantes de Ciências Médicas, como o irmão, e uma menina, jovem de radiosa formosura, angelical e graciosa qual uma figura de lenda, cuja firmeza de caráter e elegância de maneiras seriam o seu maior atrativo, porquanto raros eram tais predicados entre as damas da França por esse tempo.

Essa menina, encantamento dos pais e dos cinco irmãos varões mais velhos do que ela, anjo bem-amado da família, que nela preferia enxergar a estrela protetora que irradiava alegrias e doces promessas no velho e pacato solar, chamava-se Ruth Carolina e nascera quando maior era o entusiasmo de seus pais e irmãos pela crença da Reforma.

A existência decorria feliz para esses pacientes luteranos, muito mais cristãos do que verdadeiramente reformistas, que, bondosos e sinceros, se rodeavam de suavidades e expressões fraternas ao enlevo dos ecos amorosos do Sermão da Montanha, o qual estudavam diariamente, sedentos de uma aprendizagem eficiente de assuntos celestes sob a proteção do Mestre da Galileia, dedicando-se igualmente ao cultivo das Artes e da Música, tanto quanto a época poderia comportar, pois estava-se na Renascença, e a França, desde os dias de Francisco I, despertava para realizações brilhantes. Eram, portanto, intelectuais de elevada formação, estudiosos, cultos, mental e moralmente avançados para a época em que viviam. Carlos Filipe II, o primogênito, além de médico graduado por escolas alemãs, era também delicado poeta e sabia criar versos dolentes e enternecidos, inspirados no bucolismo das lides cotidianas da velha habitação da família, os quais sua mãe — coração e mente igualmente ilustres — adaptava às comovidas melodias do Reno, que em todos os tempos até o presente tão sugestivas se conservaram. Carlos, porém, que se graduara em Medicina na Alemanha, retornando ao lar paterno, transformara sua vida em um hinário de realizações benemerentes à luz do Evangelho do Senhor, pois, estudando-o com amor e desprendimento, adquirira capacidades morais para atrair inspirações das forças protetoras do Alto, as quais o tornaram pregador eficiente da Boa Nova do Cristo de Deus, doutrinador emérito e judicioso, propagandista intimorato e lúcido da Reforma, à base do evangelho, assim distribuindo consolo e esperança entre as almas entristecidas pelos sofrimentos e a opressão que descobria em cada dia ao redor dos próprios passos. O ensino evangélico, tal como Jesus o concedeu ao povo humilde e de boa vontade, constituía suprema atração para a sua alma. Com que espiritual satisfação explicava aos grupos de ouvintes as leis judiciosas e encantadoras do Sermão da Montanha, desdobrando-as em análises e fecundas explicações para o bom entendimento daqueles corações ávidos de esclarecimentos e socorros celestes! E com que paciência e ternura lhes falava das parábolas elucidativas, desenvolvendo-as, tornando-as porventura mais atraentes sob o impulso da palavra vigorosa e inspirada, e para todo o ensinamento despertando as atenções e o raciocínio dos que, com ele, examinavam a chocante diferença existente entre as exposições confusas do ensino romano e as simples e doces leis do evangelho expostas pelo Messias de Deus! Por esse apostolado renunciara o jovem pregador à sociedade e aos bens do mundo, pois que, podendo faustosamente viver no bulício de cortes como a da Alemanha e da Inglaterra, onde a Reforma já assentara bases sólidas para os avanços do progresso, preferia a convivência dos humildes e sofredores das margens do Reno e o dúlcido ambiente da família, que para ele seria oásis celeste nas calcinadas paragens terrenas. Viam-no, assim, frequentemente acompanhado do pai, visitando as aldeias e lugarejos pobres do Reno, à procura de enfermos do corpo e de sofredores do espírito, a fim de lhes suavizar as amarguras com as atenções de médico e as solicitudes de evangelizador, como pastor e pregador que era do testamento do divino Mestre. Rodeavam-no os pobres, os velhos, as crianças, humildes mulheres, a fim de ouvi-lo pelas ruas ou nos recintos domésticos, como outrora o faziam os primeiros discípulos do evangelho. Então lhes falava daquilo que jamais fora franqueado a um aprendizado eficiente para o povo, isto é, da personalidade real e não lendária do Redentor dos homens, de sua doutrina de amor e de esperança, de suas teses e sentenças edificantes, as quais dessedentavam aqueles corações contristados pelos infortúnios, apresentando-lhes um mundo novo a conquistar por meio da observância e prática de tão enaltecedoras quanto sublimes lições. A par disso, eis a numerosa família dos Filipes distribuindo entre os pequenos e pobres da região o que as suas searas produziam além do necessário para o equilíbrio da Mansão, pois as colheitas dos campos agrícolas dos Brethencourt de La-Chapelle eram famosas pela abundância dos seus produtos, colheitas que cresciam de ano para ano quais bênçãos dadivosas dos Céus, explodindo do seio da terra cultivada, como se o Criador desejasse premiá-los pela dedicação ao trabalho e ao bem para com os que nada tinham. Seus tributários, considerados homens livres, mais não eram que colonos judiciosamente recompensados pelos serviços prestados ao patrimônio, e não raro o próprio chefe do solar, o velho conde Filipe, com um ou outro dos filhos, lá estava, no campo ou nas oficinas, nos apriscos ou nos moinhos, colaborando com os servos, animando-os com o seu valor pessoal ou ensinando-lhes novos métodos de trabalho trazidos da Alemanha ou da distante Inglaterra, sempre mais progressistas do que a Renânia pobre e pacata. Os servos domésticos, por sua vez, considerados mais como amigos do que como meros serviçais, eram admitidos à mesa das refeições comuns da família. E era belo e cristão, recordando os primeiros tempos da fraternidade apostólica, contemplar o conde Filipe à cabeceira da grande mesa com a esposa, os filhos à direita e à esquerda, em escala decrescente, as noras e os netos, e depois os servos, todos irmanados na oração da mesa, quando se rendia graças ao Criador pela abundância que desfrutavam sob a perfeita comunhão de sentimentos e ideais.[14]

Pelos casais, herdades e castelos, até para além do Reno, era o jovem teólogo huguenote requisitado com instâncias para exercer seus mandatos de médico e missionário evangélico. E lá se ia, cavalgando a sós com o pajem fiel, Gregório, levando como única arma o livro precioso — a *Bíblia*,

---

[14] N.E.: Esse hábito, na ocasião já em franco declínio, datava da Idade Média, mas só se verificava pelas províncias e entre os nobres mais democratas.

onde horizontes novos e prometedores se revelavam aos entendimentos humanos, e como defensores os instrumentos da Medicina de então. Por isso mesmo, ao seu redor cresciam os adeptos do Evangelho, decrescia o fanatismo romano, a luz das Escrituras se difundia pelos recantos mais distantes do Reno, pelas choupanas e pelos palácios; os corações vencidos pela indiferença da fé sem apoio sólido eram revigorados pelos brados de uma nova esperança, as almas abatidas pelas misérias e injustiças humanas sentiam novos vigores impelindo-as ao triunfo, porque a personalidade augusta do Nazareno melhor se apresentava aos seus raciocínios e à sua confiança, o analfabetismo desaparecia, arrastando o seu triste cortejo de ignorância para ceder lugar ao estudo e à meditação, um ressurgimento impetuoso acendia coragem nova em cada personalidade, impunha-se o trabalho como sacrossanto dever, surgia a aurora do progresso!

Amado e respeitado como um segundo pai, Carlos Filipe se impunha à própria família, especialmente pelo trato afetivo que concedia aos seus. Nutria, porém, pela irmãzinha menor extremos de verdadeiro pai; nem mesmo procurava ocultar aos demais irmãos, todos varões, a predileção sublime que, antes de agastar aqueles corações também interessados nos seus afetos, os edificava sobremodo. Educava ele a irmã com esmero e vigilância dignos de um consciencioso mestre. Ensinara-lhe, desde os primeiros passos pelos imensos corredores do Castelo, o balbucio das primeiras palavras até as letras e a música. E ingressava-a num curso todo cuidadoso sobre as Escrituras, quando as forças do destino se interpuseram entre ele e os gratos sonhos relativos à pessoa da irmã. Quisera, no entanto, dela fazer um modelo de cristalinas prendas, um padrão de virtudes e belezas morais, e não regateava esforços para que tais aspirações se convertessem em triunfantes realidades. Por sua vez Ruth Carolina amava e respeitava o irmão como a seu próprio pai, a ambos confundindo no mesmo hausto de afetos de seu coração. Curvava-se, submissa, às exigências de Carlos a seu respeito e gloriava-se, risonha e feliz, sempre que uma lição bem assimilada, um trabalho perfeitamente executado, uma canção entoada com graça obtinham daquele mestre querido um aceno de louvor ou um beijo de sincero aplauso...

Ruth era, com efeito, o anjo do lar, o encantamento da nobre família de La-Chapelle. As cunhadas queriam-lhe como aos próprios filhos. Estes, por sua vez, adoravam-na, pois que, bondosa e folgazã, divertia-os frequentemente em correrias loucas pelos terraços e corredores da grande habitação, ou lhes embalava os berços pequeninos ao som de dolentes nênias que em sua boca dir-se-iam melopeias angélicas adormecendo querubins... E, pelas tardes dos domingos, estando a casa repleta de visitas e de colonos das imediações e do próprio solar, interessados todos no conhecimento das Escrituras Santas à luz da Reforma, após o dever sacrossanto do culto doméstico, no qual as mais belas lições de fé e de moral eram estudadas pelo jovem pregador, secundado pelo pai, retirava-se a família para outras dependências a fim de homenagear e distrair seus hóspedes. Então, Carlos Filipe, desejando comprovar os progressos da educação social fornecida à irmã, apresentava-a aos próprios familiares, aos servos e vizinhos que os visitassem, qual se o fizesse numa sala de teatro ou numa recepção custosa. Ruth Carolina cantava então qual menestrel celeste ao som da cítara[15] ou de pequena harpa as belas canções escritas pelo mano querido e adaptadas às dolentes melodias do Reno, sugestivas e apaixonadas. Ela o fazia com galhardia e alta classe, à espera da aprovação do irmão, levando o encantamento aos corações presentes, os quais aplaudiam, findo o ensaio, entre beijos e sorrisos de satisfação, vendo-a tão linda e inteligente, anjo querido que distribuía sonho e alegria sobre os que a amavam... De outro modo, pretendendo consorciá-la com um jovem príncipe alemão, educavam-na para viver na Corte alemã, que sabiam seleta, exigente, severa.

Entretanto, Carlos Filipe possuía uma noiva e suas bodas, conquanto adiadas por um tempo indefinido, eram do agrado da família de La-Chapelle. Ruth Carolina amava a futura cunhada, pouco mais velha do que ela própria, conhecendo-se ambas desde a infância, pois não distavam muito as terras do conde Filipe da propriedade em que vivia a meiga prometida do jovem doutor huguenote. Tiveram as

---

[15] N.E.: Instrumento de corda, melodioso e delicado, muito antigo, hoje ainda usado nas pequenas cidades e aldeias alemãs e austríacas.

duas meninas, certa vez, a mesma preceptora. Ao se tornar órfã, aquela passara longas temporadas em La-Chapelle, datando daí o romance de amor que envolveu o coração de Carlos. Chamava-se essa jovem Otília de Louvigny-Raymond, havendo o velho conde Filipe e o antigo Sr. de Louvigny entretido excelentes relações de amizade.

Não obstante, uma vez órfã, contando apenas 18 primaveras, Otília passara à tutela de seu irmão Artur, herdeiro do título, o qual, a despeito de ser igualmente admirador da família de La-Chapelle, opusera-se veementemente ao consórcio da irmã, quando do pedido da mão desta pelo jovem doutor luterano, pois Artur de Louvigny pertencia à alta camada social, servindo junto do próprio trono como oficial militar, e, assim sendo, temeu a inconveniência de uma aliança matrimonial com huguenotes. Encerrou a irmã num convento de religiosas, em Nancy, com ordens severas para que não a deixassem sair, assim esperando vê-la esquecer-se da primeira impressão do coração, após três longos anos naquele local.

No entanto, criterioso e comedido, à frente de ideais arrebatadores para a sua alma de sonhador, tais como a difusão do Evangelho da Verdade e o combate à ignorância das massas pela alfabetização das camadas sociais e a reforma individual da criatura à base da evangelização cristã, Carlos Filipe deteve-se nos seus anseios de pretendente ao matrimônio, ante a violência exigida pela displicência de Artur, preferindo reanimar a jovem prometida com conselhos e protestos de fidelidade, por meio de pequenas cartas que lhe enviava a despeito da vigilância conventual, deixando assim de tentar o rapto por ela sugerido, prometendo, todavia, à própria Otília, desposá-la na Alemanha, uma vez atingisse ela a maioridade. Esta, porém, espírito frágil e muito impressionável desde a infância, de constituição física enfermiça, desgostou-se tão profundamente no exílio acerbo que a votavam, que veio a adoecer e definhar, adquirindo grave moléstia do peito, reconhecida incurável pelos médicos de então. A conselho destes, porém, deixara o convento a fim de procurar alívio aos próprios males, a despeito das ordens do irmão e em virtude de já haver atingido a maioridade. Regressou pois ao Solar de Louvigny, onde passou a reger os próprios bens, auxiliada por sua preceptora Blandina d'Alembert, e onde Carlos passou a visitá-la frequentemente, tentando minorar-lhe o estado de saúde, angustiado ante as perspectivas apresentadas pela querida enferma.

Esta era a situação geral quando, uma tarde, chegou ao Castelo de La-Chapelle um correio oficial da casa de Guise, seguido de uma guarda de quatro cavaleiros armados. Recebido cortesmente pelos dignos senhores da Mansão, altivamente declarou o correio — um oficial cujo nome era Reginaldo de Troulles — que somente se desincumbiria da missão de que fora investido, perante o conde Carlos Filipe II. Carlos, porém, encontrava-se ausente, atento aos seus trabalhos de médico e elucidador evangélico, peregrinando pelas povoações próximas. Fora necessário ao correio aguardar sua volta. Aguardou-a paciente e impenetrável. Durante os três dias de espera que lhe foi indispensável suportar, fraterna e cortesmente tratado pelo conde Filipe e sua família, observou, por entre prevenções religiosas e intenções malsãs, que ali ousavam tratar do Evangelho de Jesus Cristo durante o serão da noite, o que certamente seria abuso sacrílego; que não se submetiam a nenhum dogma ou práticas religiosas recomendadas pelo rito romano; que não existia capela ou campanário no Castelo, o que seria um acinte ou desrespeito, não obstante se apresentar a Mansão como edificação extensa e confortável; que não havia um capelão oficiante e sequer vestígios do culto católico, o que seria heresia; que o solar era frequentado diariamente por vizinhos e colonos que iam estudar a *Bíblia* e aprender as letras com a família reunida em assembleia, como escola, e a qual se arvorava em preceptora das massas, visando a atraí-las para o culto da Reforma, e que, portanto, os Brethencourt de La-Chapelle eram positivamente nocivos não apenas ao governo de Carlos IX, como principalmente à Igreja!

À noite viam-no escrever longas páginas, como alguém que fizesse minuciosos relatórios a seus superiores. Não se expandia, porém, em conversações, não correspondia à amabilidade dos donos da casa, que procuravam cativá-lo por todas as formas. Todavia, aceitara convite para um passatempo em família, numa tarde de domingo, durante o qual a angelical menina de La-Chapelle cantara ao som de uma harpa várias das belas canções que seu irmão para ela compunha, destacando-se dentre todas uma, intitulada "As Rosas", que a ele próprio, Reginaldo de Troulles, impressionara vivamente, pelo encanto e emotividade com que a cantora soubera desempenhar-se. Ruth aparecia apresentando farto braçado de rosas preso a uma cesta de contas, como pérolas, distribuindo-as com os assistentes enquanto cantava, com os sons do instrumento, alternando tão graciosos gestos.

Na tarde do quarto dia, apresentara-se Carlos de volta do seu humanitário mandato. O correio — oficial da circunscrição de Guise, mas na ocasião comandado por Luís de Narbonne — examinou-o com impertinência, altivo e desdenhoso, reparando em seus trajes severos e simples, de cor negra, indicando sua qualidade de doutor e filósofo, ao mesmo tempo que lhe entregava volumoso rolo de pergaminho, onde se lia:

"De parte de Sua Alteza, o príncipe Luís de Narbonne, conde de S... — a Sua Senhoria, o Sr. conde Carlos Filipe II de Brethencourt de La-Chapelle."

Carlos contava então 32 anos. Possuía feições regulares, serenas, olhos de um azul forte, grandes e perscrutadores, atitudes comedidas, sorriso amável e discreto, palavra fácil, mas ponderada. Seria belo se as longas meditações noturnas à luz de pequenos candelabros, sobre textos de Ciências, Filosofia e Religião, não o houvessem já fatigado, empalidecendo-lhe as faces e o brilho do olhar, e criando, na fronte ampla e pensadora, rugas prematuras. De uma bondade incontestável, tolerante, paciente, portador de qualidades raras para a sociedade da época, que o recomendavam como fiel seguidor do Evangelho, era também tão simples e de coração humilde e manso como o não seria o último dos serviçais do velho solar paterno. E, felicíssimo no lar, pela família inteira amado e respeitado como o segundo chefe que realmente era, dizia, prazenteiro, que o Céu se transportara para junto dele próprio, nas pessoas de seus pais e irmãos, aos quais adorava. Otília de Louvigny, porém, transformara-se em motivo de grande pesar para os dias suaves que levava entre os afazeres impostos pela sua fé e o amor da família. Deplorava os infortúnios da pobre menina prisioneira de férreos preconceitos, lamentava a enfermidade que a tolhera, a ambos decepando as esperanças para dias risonhos de verdadeira felicidade, procurando, no entanto, suavizar-lhe a situação quanto possível, visitando-a frequentemente, agora, em seu Castelo, e versando-a nas normas do Evangelho segundo os conceitos da Reforma. Todavia, Carlos Filipe não era verdadeiramente inclinado aos arroubos do matrimônio, asseverando frequentemente aos seus familiares que sua alma aspiraria de preferência ao Amor divino, ao ensejo de se consagrar definitivamente aos ideais evangélicos, pelos quais se sentia arrebatar, tal como o fizeram os Apóstolos do Mestre Nazareno, cujos feitos procurava imitar tanto quanto as próprias forças o permitissem: amar a humanidade, e não somente a uma esposa; servir aos pequeninos e infelizes recomendados pelo Senhor, e não apenas a uma prole oriunda do seu sangue. Mas sabia que era vivamente amado por Otília... e não poderia, de forma alguma, desgostá-la, furtando-se ao enlace que ele próprio desejaria espiritualizado até o ideal... Nascido e educado sob os princípios da Reforma, deu-se a essa digna causa — na época a mais nobre, arrebatadora e venerável que o mundo poderia comportar — com todas as renúncias da sua alma sincera e fervorosa, talhada para os grandes feitos do Espírito, sem se perturbar à ideia dos ultrajes e represálias, tão frequentes na ocasião, contra aqueles que pensassem em desacordo com o fanático despotismo da Igreja de Roma.

Foi, pois, a esse jovem huguenote, investido de tão delicadas tarefas entre os seus compatriotas, que Luís de Narbonne, fanático religioso a quem chamavam Capitão da Fé, escreveu a seguinte epístola, datada de 10 de agosto de 1572:

"Acaba de chegar às nossas mãos gravíssima denúncia a vosso respeito e a respeito de vossa família, apontando-vos como dos mais ativos propagandistas da seita sacrílega de Martinho Lutero e João Calvino[16] em

---

[16] N.E.: João Calvino (1509–1564) foi um teólogo cristão francês. Calvino teve uma influência muito grande durante a Reforma Protestante.

solo francês, sendo todos vós considerados, no momento, verdadeiros revolucionários e instigadores do povo. Por deferência aos vossos ancestrais, desde os leais cavaleiros das Santas Cruzadas e todos antigos servidores da França e amigos da realeza, assim como por leal admiração às vossas qualidades pessoais, de quem se ouvem reiterados elogios, aconselho-vos prudentemente a vos retirardes da França com toda a vossa família, logo após o recebimento desta epístola, ou a relegardes a Reforma, aceitando o batismo da Igreja Católica Apostólica Romana, acompanhado de vossa família, em presença das autoridades civis e eclesiásticas de Paris, as quais estarão prontas a jubilosamente vos receber em seu seio. Mais alguns dias e será tarde... porque severas reações se iniciarão contra a heresia luterana e calvinista... Agradecei esta advertência à lealdade do nosso comum amigo Artur de Louvigny-Raymond, o qual, partindo agora em missão do governo para o estrangeiro, generosamente intercedeu por vós..."

Leu-a o jovem huguenote numa atitude de quase impaciência, e, com um sorriso sereno, passou-a ao pai, que o fitava em silêncio:

— Teremos perseguições, Sr. conde! Provam-nos que reconhecem valor no movimento que empreendemos... — exclamou com bonomia, excessivamente honesto e pacífico para acreditar que não se trataria simplesmente de perseguições, mas de massacres que ficariam registrados na História como das maiores calamidades perpetradas sob a luz do sol.

— Será necessário responder ao Sr. conde, meu filho, agradecer-lhe em nome da família o interesse e a bondade com que nos prova sua cavalheiresca lealdade — ponderou o velho titular prudente e quiçá impressionado.

— Sim, responderei, meu pai!...

Carlos era moço, entusiasta do seu caro e arrebatador ideal. Por um momento deixou-se vibrar por um sentimento chocante... Sorrindo, virou-se para o correio que esperava em atitude militar, e, sem se dignar retribuir a epístola, disse:

— Dizei ao vosso capitão que Carlos Filipe II de Brethencourt de La-Chapelle agradece o favor da advertência... mas que considera os seus arrazoados demasiadamente impertinentes para serem aceitos por um homem de honra!

O oficial empertigou-se, não podendo ocultar o assombro de que se sentiu possuído ante tão temerárias e descorteses palavras, impróprias daquele que as proferia.

— Que fazes, meu filho? Enlouqueceste, porventura?!... — intervinha o conde Filipe impressionado. — De Narbonne é um príncipe, é poderoso e rígido!

Enquanto o correio acrescentava:

— Correrá sangue, senhor! Refleti a tempo na resposta que haveis de dar!...

— Já vos dei a resposta, Sr. oficial! — concluiu secamente, e afastou-se.

À noite reuniu-se a família em conselho, exceção feita de Ruth Carolina, a quem ordenaram recolher-se mais cedo, a fim de deliberar sobre os preságios advindos com a carta do conde de Narbonne.

A condessa Carolina, como boa mãe, opinava para que fosse abandonado o Castelo sem tardança e toda a família transportada para a Alemanha, conforme sugerira o próprio missivista, furtando-se todos, destarte, ao que mais adviesse. Os varões, porém, insistiam para que apenas as mulheres e as crianças atravessassem o Reno, pedindo temporária hospitalidade aos irmãos na fé, dentre estes o príncipe Frederico de G., com quem se firmara um contrato de aliança matrimonial para Ruth Carolina. As propriedades de La-Chapelle não poderiam ser abandonadas assim tão ingenuamente, à primeira ameaça de um fanático, pois que ali estavam todos os recursos da família. Ficariam portanto os homens para a defesa do patrimônio e da honra dos antepassados, e que partissem as mulheres e as crianças, mesmo as servas... Luís de Narbonne era homem culto e a retidão do seu caráter não lhes era desconhecida... Saberia bem compreender que os Brethencourt de La-Chapelle seriam úteis à região, prestativos e progressistas... Ademais, sua circunscrição era Paris... e seus tentáculos não poderiam abranger a província, de cujo governador desfrutavam os de La-Chapelle boa consideração...

No entanto, as mulheres declararam que não abandonariam de modo algum seus maridos a perigos imprevisíveis e difusos... voltando a condessa a declarar que, se ninguém se retirasse, ela tampouco o faria, preferindo permanecer ao lado do esposo e dos filhos queridos...

Carlos Filipe fora o último a emitir opinião:

— Ide todos vós — insistia veemente —, porque de Narbonne, apesar de ser um caráter leal, como o provou com a sua epístola a nós outros, é também fanático religioso, e um fanático de qualquer espécie poderá cometer monstruosidades! Quando respondi à sua missiva com a descortesia que vos impressionou, meu pai, quis provar a esse jovem teólogo de Roma que um verdadeiro crente em Deus jamais transigirá com imposições humanas, uma vez se sentindo sob o amparo da justiça... Pois ficai sabendo que, de qualquer forma, seremos combatidos e perseguidos, respondesse eu ou não à sua atrevida e injustificável imposição! Ide, portanto, vós outros... mas eu ficarei, porque, como médico, não poderei abandonar os meus pobres doentes ao sabor dos próprios achaques... e como pastor de almas hei de oferecer-lhes o exemplo da fé e da honra do Evangelho, na hora dos inevitáveis testemunhos...

Lágrimas dos olhos amorosos de toda a família, ali reunida em hora tão solene, acolheram a resolução do seu amado primogênito. O conde Filipe e sua esposa abraçaram-se ao filho, desfeitos em pranto:

— Não, meu filho! Se preferes ficar, como será dever, teus pais permanecerão contigo! Se, efetivamente, correr o nosso sangue, que seja pelo amor do Cristo de Deus e em defesa do seu Evangelho que ele se derrame! Não! Ninguém te abandonará neste Castelo desguarnecido e indefenso, aguardando as investidas dos inimigos da Luz!...

Concordaram todos com a resolução do chefe, abraçando, um por um, aquele jovem segundo pai, tão amado, sem cuja proteção e conselhos não saberiam viver. Todavia, alguém exclamou ainda, em meio do silêncio da madrugada que avançava:

— Verifiquemos a mensagem conselheira que nos fornecerão as páginas do Novo Testamento do Senhor... Consultemos Jesus... a ver se aprovará a nossa decisão de resistirmos à pressão de Luís de Narbonne...

Carlos aquiesceu. Autoridade máxima no assunto, entre a família, levantou de sobre a mesa o Livro Sagrado, sempre ao alcance da mão de todos. Abriu-o ao acaso e, pálpebras cerradas e pensamento fervoroso voltado para o Alto, enquanto as pessoas presentes, concentradas em prece, suplicaram ao Mestre divino se dignasse favorecê-las com a bênção da sua palavra elucidativa na emergência difícil, correu o dedo indicador da mão direita pelas colunas do texto aberto à sua frente, até que, de súbito, estacou, como se o influxo superior, que o impelia, agora se retraísse. Então, no silêncio augusto do velho solar, sob o encantamento espiritual da respeitável reunião, em que o amor e a palavra do Senhor e Mestre eram evocados com fé e veneração, entre dulçorosas vibrações de preces, como que a voz sedutora do Rabi da Galileia ressoou docemente pelo recinto, por intermédio do murmúrio verbal do seu servo Carlos Filipe, o qual leu, comovido e respeitoso, a mensagem apontada nos próprios versículos do Evangelho: "Se alguém quiser vir nas minhas pegadas, renuncie a si mesmo, tome a sua cruz e siga-me; porquanto, aquele que se quiser salvar a si mesmo, perder-se-á; e aquele que se perder, por amor de mim e do Evangelho, salvar-se-á."[17]

---
[17] N.E.: Lucas, 9:23 e 24; Mateus, 10:39; João, 12: 25.

Ao se recolherem para repousar das fadigas do dia, deliberado ficara que apenas Ruth seria retirada da velha mansão, por evitarem, assim, que a menina, ainda muito jovem, se impressionasse demasiadamente com algo chocante que pudesse advir. Decidira Carlos que, já no dia imediato, fosse a irmã querida preparada para uma viagem longa; que ele próprio e alguns servos, dentre outros — Gregório, o intendente alemão, fiel e prestativo, seu filho Camilo e sua filha Raquel acompanhassem Ruth até a residência de Otília de Louvigny; que a esta ele próprio, seu prometido, pediria hospitalidade para a irmã durante alguns dias, a título, porém, de visitá-la e distraí-la das apreensões da enfermidade que a minava, pois nem Otília e tampouco Ruth deveriam ser cientificadas das ameaças entrevistas na epístola de Luís de Narbonne, não obstante haver sido Gregório posto a par dos acontecimentos.

Três dias depois, efetivamente, pequeno cortejo seguia viagem sobre o dorso de ágeis animais, com destino às terras de Louvigny, levando Ruth Carolina acompanhada do pai e do irmão e de alguns criados fiéis, em visita à sua muito querida amiga de infância e futura cunhada.

Os dias passados ao lado da prometida amorosa e gentil se escoaram rapidamente, dias amenos e felizes que marcariam uma como despedida secular para os seus Espíritos, em virtude dos acontecimentos que se sobrepuseram. Otília parecera reviver com a presença daqueles entes tão caros ao seu coração. Atingia ela agora as 22 primaveras e confessara ao noivo o seu formal desejo de se converter à crença luterana, antes dos esponsais, rogando-lhe ainda que apressasse as bodas, porque o seu coração, exausto de solidão e amargura, ansiava pelo evento feliz do consórcio tão santamente almejado.

Comoveu-se Carlos ante aquela afeição que se revelava tão resignada e leal, e entre ambos e o conde Filipe, que se encontrava presente, ficara estabelecido que se consorciariam tão depressa quanto lhes permitissem as circunstâncias, isto é, quando voltassem ao Castelo a fim de levarem Ruth de retorno ao lar paterno. Quanto a Artur de

Louvigny, irmão impiedoso e egoísta, que não vacilara em sacrificar os sentimentos da irmã, não seria consultado, porquanto acabara de partir para o estrangeiro, a serviço do país. Não obstante, afirmara Carlos que, ao seu regresso, procurá-lo-ia em Paris a fim de participar o acontecimento e apresentar escusas, certo de que a paz presidiria tão importantes movimentos.

Radiante, a jovem Otília despediu-se do bem-amado prometido, o peito estuante de esperanças fagueiras em dias compensadores e risonhos, entregando-se de boa mente aos preparativos das bodas, auxiliada por sua antiga preceptora Blandina d'Alembert, que lhe fazia as vezes de verdadeira mãe, e também pela gentil irmã de Carlos, a quem agora hospedava.

Durante a viagem de regresso aos seus domínios, porém, dir-se-ia que apreensões insólitas, angústias dominantes nublavam as disposições geralmente bem-humoradas do jovem doutor huguenote e seu venerando pai. Marchavam silenciosos e como que aturdidos sobre o dorso dos cavalos, tal se partissem para um futuro que se lhes prenunciasse contristador ou decepcionante. Súbito mal-estar íntimo difundiu-se pelos seus corações, tolhendo-lhes as salutares expansões costumeiras.

— Dir-se-ia, meu Carlos — queixou-se tristemente o velho conde —, que abandono para sempre nossa pequena Ruth, sem possibilidades de jamais reavê-la... Sinto pesarem em minha alma cruciantes apreensões... Algo penoso me desola o coração...

— É a primeira vez que nos separamos da nossa querida menina, meu pai... e a ausência dos seus risos e travessuras, que tanto nos alegram o coração, já se faz sentir... Espero na proteção dos Céus retornarmos muito breve a Louvigny, a fim de levá-la novamente para junto de nós... e mais aquela pobre Otília, cujo estado de saúde me inquieta profundamente... Todavia... Impressões amargurosas igualmente se difundem pelo meu espírito... Quisera encontrar-me com todos vós, bem distante das opressões da senhora Catarina... Esforço-me por afastar pressentimentos sombrios, indefiníveis... e confesso que, ao me despedir de ambas, o coração me advertiu de que as beijava pela última vez...

— Tens razão, querido filho! Luís de Narbonne, com seu fanatismo de pupilo de padres, a rainha Catarina, com sua política hipócrita e astuta, e Guise, com as suas pretensões, encarnam constantes ameaças para os pobres huguenotes! Quem sabe andaríamos bem passando o Reno, para nos furtarmos a possíveis surpresas?...

— Sim, quisera poder fazê-lo... No entanto, ainda está em tempo... Ide todos vós para a Alemanha... essa há sido a minha opinião desde o primeiro dia...

— Mas... E tu, meu Carlos?...

— Ficarei, Sr. conde, como será dever... Não poderei abandonar meus pobres doentes, já vo-lo disse, nem as ovelhas do rebanho do Senhor, tão necessitadas são do estímulo e do reconforto do seu Evangelho... Deverei, ademais, testemunhar aos nossos fortes e poderosos adversários o amor por nossa crença em Jesus Cristo e a fé nos poderes divinos...

— Ficaremos todos, então, a teu lado, já to afirmamos também... Nós outros igualmente gostaremos de testemunhar nossa dedicação e desprendimento por aquele que, por nosso amor, se deixou padecer e morrer numa cruz...

E pelo resto da viagem nada mais disseram senão monossílabos sem importância.

Já no recinto doméstico, alguns dias mais se passaram sem alterações. Os acontecimentos diários se sucediam sob rotina comum, entre os labores do campo, as lides domésticas e os deveres impostos por uma crença religiosa que se revelava ciosa da boa conduta dos seus adeptos para consigo mesmos, o próximo e a sociedade. Esbatera-se a impressão causada pelo correio de Paris e já se inclinava a generosa família para a suposição de que a epístola do príncipe de Narbonne traduzisse antes a fanfarronada de um jovem cercado de poder que se desejava insinuar no conceito da sociedade propalando as próprias possibilidades. E por isso mesmo, já se preparavam para as bodas de Carlos e Otília e para o retorno de Ruth, cuja ausência a todos enervava de saudades e inquietações.

3

O CAPITÃO DA FÉ

Luís de Narbonne era um jovem de apenas 25 primaveras, de belos olhos vivos e grandes, azuis-escuros, de longos franjados castanhos. Moreno e atlético, o seu porte não era desagradável à vista, conquanto impressionasse pela dureza das feições e severidade das atitudes. Muito jovem ainda fora cavaleiro da Guarda Real. Era o último conde do nome, senhor de uma fortuna imensa, e, no momento em que o chamamos às nossas narrativas, estudante de Teologia — o que a uma personalidade da época emprestava um valor todo especial —, tornando-se ele, por isso mesmo, duplamente respeitável, apesar da idade. Pessoas achegadas ao trono diziam-no filho bastardo do falecido rei Henrique II de Valois com certa senhora de Narbonne, o que seria muito justificável na época... Mas outros afirmavam, antes, que seria produto adulterino de certa rainha ou princesa espanhola com um luminar do clero, o que também na mesma época seria muito razoável... Somente a rainha Catarina de Médici, porém, viúva de Henrique II, comentavam ainda outros, conheceria ao certo a paternidade desse jovem, por quem, afirmavam outros mais, nutria um sentimento particularmente hostil, não obstante as boas maneiras com que o tratava e a consideração que ele parecia desfrutar no próprio palácio real, o Louvre. O certo era, porém, que esse jovem moreno e forte, soberbo e de costumes rígidos, era também príncipe, mas fora criado num convento. Que recebera educação muito destacada para a sociedade em que vivia. Que sua fortuna e seus títulos lhe foram doados por Henrique II a instâncias do clero. E que também fora, por entre perfumes de incenso, badalar de sinos e campainhas e abluções em água benta, que obtivera a sua instrução militar, digna, por todos os motivos, dos varões da sua raça, pois diziam-no, acima de tudo, descendente dos primeiros cavaleiros da fé ou Cruzados.[18] Chamavam-lhe Capitão da Fé os seus comandados e admiradores, alcunha que os acontecimentos do dia de São Bartolomeu popularizaram, não apenas evocando a honra dos seus antepassados, mas ainda porque, conquanto militar valoroso, tanta erudição teológica possuía que tomaria ordens clericais no momento que se dispusesse a visitar Roma, onde prestaria os juramentos decisivos, uma vez que preparado estava para o fecundo e honroso ministério.

— Tomarei ordens — propalava, zeloso, o hercúleo e belo oficial do Rei — no dia em que não mais existir no solo francês a só memória destes renegados huguenotes! Trucidá-los-ei primeiro, para que minha alma se eleve, tranquila, nas asas da fé, servindo a Deus e a sua Igreja!

Jamais soubera alguém que fosse dado a aventuras galantes. Numa idade em que as maiores displicências amorosas eram cultivadas pela própria nobreza, Luís de Narbonne conservava-se casto de costumes, não se permitindo sequer inclinar-se para a aspiração máxima do matrimônio. Não se fazia galanteador entre damas, não lhes prestava mesmo sequer atenções de cortesia. Respeitava-as, porém, meio tímido, meio atemorizado, porque, acima de tudo, o que ele prezava era o decoro próprio, a reputação inatacável de si mesmo, desprezando-as, por isso mesmo, no seu sentido genérico, sem se deter em nenhumas outras considerações. Da mulher saberia ele, quando muito, desde a infância, que perdera o gênero humano reduzindo-o a réprobo, pois desde os dias enfadonhos e sem alegrias vividos nos conventos, dias e anos

---

[18] N.E.: Cada um dos que tomaram parte nas Cruzadas, ou seja, nas expedições militares, organizadas nos países cristãos, na Idade Média, a fim de libertarem, do poder dos infiéis, o túmulo do Cristo.

soturnamente suportados entre monges domínicos e disciplinas verdadeiramente férreas, diziam-lhe os mestres e dirigentes que, devido à perfídia e ao instinto satânico da mulher, fora que a humanidade herdara a condenação atroz que a desfigurava, condenação que somente a Igreja teria o poder de anular com as miraculosas águas do batismo... Eva e a serpente que, no paraíso terrestre, haviam levado à perdição o infeliz pai da humanidade, Adão, jamais abandonavam suas ingênuas preocupações! Desejando, a todo custo, evitar os terríveis perigos de uma tentação feminina, obsidiava os próprios pensamentos com multidões de ideias sobre a mulher, e como que forjava correntes magnéticas poderosas entre os próprios sentimentos e a possibilidade de amar, assim se predispondo ao amor passional. Entre a mulher e a tentação que acreditava caminhar com ela, porém, valia-se do escudo que a Igreja fornecia. E, atrás desse terrível princípio, que aceitava com todo o fanatismo das suas 25 primaveras ricas de energia e vontade, era que se apoiava para apresentar à sociedade em que vivia aquela incorruptível diretriz social, o padrão de decências de hábitos de que tanto se orgulhava. Tratavam-no ainda, por zombaria, "Incorruptível Capitão". E tal alcunha era tão acertada e veraz que, desinteressadas de sua pessoa para marido ou amante, as damas da Corte de Carlos IX já não se preocupavam com ele.

 Outras ambições que não a supremacia da Igreja jamais perturbavam o misticismo de que forrava o próprio caráter. "A fé acima de tudo!" — eis a divisa do seu brasão, no qual mandara acrescentar, ao lado das armas da família, pois passava por sobrinho do ilustre religioso que o criara, não a cruz, símbolo do amor abnegado que redime o homem, mas um dogma da Igreja Romana, ou seja, o sigma eucarístico, ao qual amava com todas as veras da alma! De outro modo, era aliado sincero do duque de Guise e também fiel servidor do trono e da rainha Catarina, a qual, no fanatismo religioso dele mesmo, cedo observou instrumento dócil para os próprios intentos. Houve, pois, de participar ativamente — e o fez com toda a alma e todo o coração — do grande massacre de protestantes do dia 24 de agosto, dirigindo-se depois para as províncias com a sua centúria de cavaleiros como um mero fiscal religioso, mas em verdade a fim de ativar a luta, encorajando os indecisos governadores das mesmas, que deveriam zelar pela supremacia da Igreja.

Luís de Narbonne, porém, nem seria um homem perverso nem um crente hipócrita. Sincero até os meandros da alma, não passava, tal como o vemos, de um fruto da época, em que a fé, desassociada do amor do Cristo de Deus e do respeito pela pessoa do próximo, pretendia impor-se pela violência. Era um fanático religioso bem-intencionado, como também o fora Paulo de Tarso antes do redentor encontro com a Verdade na estrada de Damasco, e que, apartado daquele dogmatismo absorvente, seria individualidade útil à sociedade em que vivesse, à família e à pátria, capaz dos mais nobres testemunhos a favor do próximo.

Uma grave denúncia, no entanto, chegara ao seu conhecimento por religiosos de certa instituição existente não longe de La-Chapelle. O despeito, o rancor e a inquietação provindos da espionagem determinaram a ida de um emissário da dita Abadia a Paris, o qual narrara a Luís de Narbonne — como fiscal religioso que na ocasião era este — a ameaça imprevisível que representava para os interesses da Igreja a obra singular que os filantropos de La-Chapelle realizavam, a popularidade adquirida entre o povo por meio de suas atividades consideradas benemerentes, as quais levavam católicos a renegar a Igreja para se converter à Reforma... Por intermédio de tal relato, o Castelo de La-Chapelle surgia qual antro demoníaco onde a corrupção e a heresia, o desrespeito e a revolução, a traição e a conspiração se propagavam para a ruína social e religiosa.

Impressionado, porém, assaz conscencioso em suas atribuições, Luís de Narbonne, que acatava o clero com as mais expressivas demonstrações de apreço, ponderou sereno:

— Minhas atribuições não se estendem às províncias, senhor! Deveríeis antes encaminhar vossas queixas e observações ao governador da circunscrição em apreço...

— Já o fiz, Sr. Conde! Mas não levaram em consideração as nossas justas exposições... declarando-nos que os Brethencourt de La-Chapelle são humanitários e inofensivos, elementos justos, úteis a Deus e amigos do bem e das populações necessitadas... quando a verdade é que, tais como são, perseguem a Igreja de forma incansável, desviando nossas ovelhas do verdadeiro redil...

Luís era encarregado de vigilância severa sobre os huguenotes prometera a Guise e à Rainha-mãe cumpri-la judiciosamente, para bem do trono e da Igreja. Por isso mesmo, ouvindo o interlocutor, comprometeu-se a examinar o caso e despachou-o disposto a cumprir a palavra. Conhecendo, no entanto, as relações de amizade existentes entre as famílias de La-Chapelle e de Louvigny, não obstante ignorar o romance de amor que enlaçava Otília e Carlos, visto que Artur, cauteloso, jamais se confidenciara sobre o caso com quem quer que fosse, e não desejando agir arbitrariamente, prendendo-se às primeiras impressões, a seu antigo companheiro de infância dirigiu-se solicitando detalhes sobre os acusados. Ponderado, respondeu Artur de Louvigny:

— Sim, são reformistas convictos, luteranos e não calvinistas, pautando-se, portanto, por normas e costumes alemães, o que suponho uma incongruência... Não creio, no entanto, seja fato para uma condenação... Os Brethencourt de La-Chapelle são pessoas de altos princípios morais, excelentes patriotas, pacíficos, honestos, probos a toda prova, e úteis, finalmente, a qualquer sociedade ou país em que viverem, uma vez que também são perfeitos filósofos, cultos e ilustres... Rogo-te, meu caro conde, em nome de nossa velha estima, poupá-los a quaisquer perseguições, pois que bem o merecem...

— São eles, portanto, teus amigos?...

— Não! Apenas exponho o que de justiça, pois que é a verdade...

— Mas... Se se prendem a costumes alemães e são luteranos, por que não se exilam para a Alemanha?... — perquiriu agastado o jovem capitão.

— Possuem vasta propriedade em solo francês, não longe das terras de meu condado... e acima de tudo são franceses natos, meu caro de Narbonne!...

— Levarei em conta a tua intercessão, caro Artur... Farei o que for possível...

Todavia, não o contentara o entendimento com o jovem de Louvigny. Incômoda apreensão angustiava-lhe o coração, perturbando-o sensivelmente. Consultou, por isso mesmo, a monsenhor de B., superior do convento em que se criara e educara, seu mestre e pai adotivo, ao qual se prendia por profundos laços de estima e respeito. Monsenhor de B., porém, homem experiente, coração habituado a longas ponderações no silêncio dos claustros, respondeu pensativo, enquanto o claro sol do mês de julho se extinguia no poente, enchendo de revérberos róseos e quentes a sala ampla onde se realizava a audiência:

— Luís, meu filho! Desgostam-me sobremodo os compromissos que assumiste com Guise e Catarina para uma perseguição a huguenotes... Prevejo consequências calamitosas para esse empreendimento estranho... e observo que existem aí mais interesses políticos e dinásticos que mesmo religiosos... Detém-te, por quem és! E deixa em paz, no seu rincão, os inofensivos de La-Chapelle...

— Senhor! Mas são perigosos revolucionários!... A denúncia partiu da própria Abadia de... O que praticam ali é a destruição da própria fé católica...

Monsenhor levantou-se apreensivo, replicando:

— Conheci o conde de La-Chapelle, o velho, e jamais considerei revolucionárias as suas ideias... Faze o que entenderes... Todavia, declaro-te que isso me desagrada e eu tremo pelo futuro...

Forçando-se ainda a uma atitude ingrata, atestado significativo da inquietação que o caso lavrava em sua consciência, procurou ele a própria

Catarina de Médici, esquecendo-se de que não era pela mesma estimado, mas insistindo na procura de alguém que o incitasse à perseguição aos pacatos renanos, perseguição que a sua consciência e o seu coração muito intimamente reprovavam. Indiferente e orgulhosa, sobrecarregada de problemas num dia de múltiplas audiências, às vésperas da inesquecível data do São Bartolomeu, a grande soberana respondeu irritada:

— Os Brethencourt de La-Chapelle foram amigos do trono e seus leais servidores, ao tempo de SS. MM. Francisco I e Henrique II. Sois o fiscal da Igreja, conde... Compete-vos investigar e deliberar...

Disse e virou-lhe as costas, encerrando o assunto para atender outro delegado. Narbonne, então, após mais um dia de indecisão, escreveu a Carlos Filipe a carta que conhecemos, aguardando o relatório do emissário, em cuja hombridade confiava, e a resposta do destinatário, para novas deliberações.

* * *

Por uma tarde de domingo, alguns poucos dias depois do terrível massacre verificado em Paris, e antes da possibilidade de quaisquer noticiários chegarem às províncias afastadas, encontravam-se, toda a família e a criadagem do Castelo de La-Chapelle, reunidas no salão de pregações — ou Igreja doméstica —, recordando as primeiras tentativas apostólicas para a difusão da verdade evangélica, realizando o seu culto vesperal domingueiro. Repleto o salão, graças à presença dos colonos e de alguns pequenos proprietários de herdades vizinhas, simpatizantes da causa, dir-se-ia antes um templo verdadeiramente cristão, simples e eficiente, onde a presença do Senhor se fizesse sentir pelo respeito de cada um e das vibrações dulcificantes que, quais cascatear de bênçãos reanimadoras, se diluíam sobre os corações dos congregados.

O Sol da tarde, brando e nostálgico, atravessando os vitrais multicores das ogivas amplas, emprestava ao recinto uma suave transparência de santuário, enquanto unção piedosa estendia blandícias espirituais até mesmo sobre os campos, as searas e os apriscos... Baliam docemente as ovelhas, já recolhidas, o gado mugia sonolento e bonachão; esvoaçavam, irrequietos, à procura dos ninhos entre os beirais e as cornijas do venerando solar, os pombos ariscos e vistosos, ao passo que voltavam as andorinhas em bandos, para o aconchego noturno... e, como que enternecidos, todos os animais, ante a solenidade augusta do entardecer, esperavam, solidários, as primeiras nuanças do crepúsculo...

Carlos Filipe, o fiel pregador evangélico, representante, ali, da reforma religiosa que se operaria pelo mundo inteiro, com Lutero, Calvino e seus adeptos, explicava aos fiéis humildes e atentos, como lhe era dever, as letras das Escrituras Santas. Era ainda o Sermão da Montanha, que ele, de preferência, dava aos pequeninos e simples de coração, visto que nessa exposição sublime de toda a moral cristã se encontrava o segredo da paz entre os homens, porque eram normas para o cumprimento dos deveres morais de cada um perante si mesmo, perante as leis do Criador e perante o próximo. Sua voz enternecida, doce e afável, contagiante de convicção e fé, seria como que o eco das vibrações augustas da Galileia distante, a se derramarem em inspirações sobre ele... e como que dulcificavam o próprio ar da tarde, evocando a epopeia sublime das pregações messiânicas, enquanto predispunha os corações para a comunhão com o Céu, em haustos de inefáveis esperanças:

> Bem-aventurados os que padecem perseguição por amor da Justiça, porque deles é o reino dos céus...[19]

> Bem-aventurados os misericordiosos, porque alcançarão misericórdia...[20]

> ...Assim, luza a vossa luz diante dos homens; que eles vejam as vossas boas obras e glorifiquem a vosso Pai, que está nos Céus...[21]

---

[19] N.E.: MATEUS, 5:10.
[20] N.E.: MATEUS, 5:7.
[21] N.E.: MATEUS, 5:16.

...Amai os vossos inimigos, fazei bem aos que vos têm ódio, e orai pelos que vos perseguem e caluniam...[22]

...Vós sois o sal da Terra. E se o sal perder a sua força, com que outra coisa se há de salgar?...[23]

...E, assim, tudo o que quereis que vos façam os homens, fazei-o também vós a eles. Porque esta é a lei e os profetas...[24]

...Todo aquele, pois, que ouve estas minhas palavras, e as observa, será comparado ao homem sábio, que edificou a sua casa sobre a rocha...[25]

...E todo o que ouve estas minhas palavras, e não as observa, será comparado ao insensato, que edificou sua casa sobre areia...[26]

E, qual o professor emérito, zeloso do progresso dos discípulos queridos, auxiliava os fiéis em análises profundas, guiando-os, nos raciocínios indispensáveis, pelos caminhos encantadores da evangelização dos corações, do que advém a ascensão moral da humanidade.

Subitamente, ecoa até o segundo andar, onde se situa o salão de pregações, o badalar alarmante da sineta do pátio. Rumores confusos, insólitos, aterrorizadores, gritos de alarme e desespero, ladridos de cães, relinchar de cavalos, o ruído característico de patadas apressadas no lajedo, como se uma tropa invadisse a propriedade, entrechocar de ferros, tal se um assalto se improvisasse à pressa, acompanham o alarme da sineta, a qual, em dado momento, silencia como se aquele que a agitasse se visse impedido, inesperadamente, de continuar a fazê-lo... e tudo levando a crer aos fiéis surpreendidos que algo estarrecedor se verificava à entrada

---

[22] N.E.: MATEUS, 5:44.
[23] N.E.: MATEUS, 5:13.
[24] N.E.: MATEUS, 7:12.
[25] N.E.: MATEUS, 7:24.
[26] N.E.: MATEUS, 7:26.

do Castelo. No salão, como de resto geralmente acontecia com as edificações muito antigas, as janelas, conquanto avantajadas, eram inacessíveis, raramente permitindo fácil contemplação para o exterior, não só por apresentarem peitoris muito largos, como ainda por se localizarem em plano muito elevado, quais janelas de prisão, a menos que alguns degraus removessem a dificuldade, visto que, por sua vez, o salão de que tratamos era construído vários degraus abaixo do nível comum do referido andar, dando antes ideia de um anfiteatro, o que impediu alguém de, no momento, espionar para o exterior, a ver do que se tratava.

De início, Carlos procurou não se preocupar com o confuso alarido que até ali chegava amortecido, e continuou com a palavra explicativa, que em seus lábios eram análises maviosas e profundas, a construírem horizontes novos na mentalidade religiosa daqueles que o ouviam. Todavia, elevando-se o bulício, como se machadadas violentas depredassem portas, permitindo arrombamentos, as pessoas presentes se ergueram alvoroçadas e pávidas, estabelecendo-se, então, incontida desordem, porquanto aterrorizantes suposições, que ninguém se encorajava de definir, estamparam-se nos semblantes transfigurados e lívidos de todos. Ele suspendeu então a exposição sublime do Sermão da Montanha, que fazia, e pelos seus olhos espirituais, ou por meio dos refolhos da sua mente harmonizada com o bem e o dever, uma visão singular desenrolou-se. A cena patética do Calvário, onde o Mestre Nazareno expirava, como que se desenhou no âmago das suas sensibilidades psíquicas, e um doce murmúrio, provindo dos confins do Invisível, repercutiu harmoniosamente em suas próprias vibrações, assim restabelecendo a serenidade em seu espírito: "Se alguém quiser vir nas minhas pegadas, renuncie a si mesmo, tome a sua cruz e siga-me..."[27]

Então, descendo os degraus da tribuna, que tão honrosamente ocupara, exclamou, sereno, para os que o rodeavam:

---

[27] N.E.: MATEUS, 16:24.

— Tende bom ânimo, irmãos! Jesus estará conosco!... Soou o momento do nosso supremo testemunho! Lembremo-nos dos primeiros cristãos, que por amor à palavra do Mestre morreram sorrindo e cantando, à frente dos leões... O Senhor honra-nos com a glória do martírio por seu nome... Conhecemos a sua verdadeira palavra! Estaremos, portanto, preparados para sabermos morrer perdoando àqueles que nos ferem!...

Voltou-se por um momento em direção a Louvigny e murmurou como para si mesmo, os olhos alagados de pranto:

— Minha pobre Ruth, que será de ti?...

Não concluíra, porém, tão tocantes palavras com o próprio pensamento e um pajem da portaria entrou na sala desvairadamente, aterrorizado, bradando:

— O Castelo está invadido pela soldadesca!... Tropas do governo e da Igreja, em busca de huguenotes!...

No entanto, antes mesmo que Carlos ou outro qualquer circunstante pudesse pronunciar uma única palavra, eis que soldados entram no recinto, tornado sagrado daquele momento em diante, tendo à frente um jovem capitão, hercúleo e belo, com as insígnias da Igreja de Roma e do Sr. de Guise, e cuja espada se conservava desembainhada. Dez, quinze, vinte oficiais militares, com uma cruz branca aplicada ao peito, entram no salão, bradando em rebuliço:[28]

— Será para a glória de Deus e honra da Igreja!

Muito pálido, mas sereno, certo de que viviam, ele e seus fiéis, os últimos instantes sobre a Terra, Carlos Filipe avança para o jovem que

---

[28] N.E.: Os oficiais e soldados implicados no Massacre de São Bartolomeu traziam como distintivo uma grande cruz branca aplicada sobre o peito.

se destaca como chefe da tropa e exclama com brandura, mas revelando também alto cunho de dignidade:

— Senhor! Eu, Carlos Filipe de Brethencourt de La-Chapelle, sou o responsável por esta assembleia, dirigente que sou deste núcleo de aprendizes do Evangelho do Cristo de Deus! Deixai que sigam em liberdade estes pequeninos, que nenhum mal praticaram, e prendei-me a mim, que sou o responsável...

Por um instante fugaz, o belo capitão cruzou o olhar com o jovem doutor huguenote e pareceu indeciso, como se algo em sua alma ou em sua subconsciência o detivesse em advertência suprema... O mesmo olhar, breve e desvairado, relanceou ele pela família de La-Chapelle agrupada em torno do seu amado primogênito... detendo-se, porém, um instante, na condessa Carolina... Carlos, esperançado, ia tentar algumas palavras, na expectativa de mercês para quantos o rodeavam, mas não pudera nem mesmo articular qualquer monossílabo a mais... porque Luís de Narbonne — pois era ele o comandante da tropa invasora — já levantara o braço empunhando a espada em sinal a seus sequazes, bramindo na convicção de que cumpria um sagrado dever religioso:

— Cumpri o vosso dever, irmãos! Será para a glória de Deus e honra da Santa Igreja de Roma!...

Uma espada trespassou o coração do jovem pastor reformista, que cai banhado em sangue, a expressão serena, os olhos como deliciados numa visão celeste! E, como se os Céus desejassem simbolizar, naquele instante, o móvel augusto do martírio, a *Bíblia*, que ele trazia em mão, cai aberta sobre seu peito, tingindo suas páginas o sangue quente e palpitante que de seu coração aberto corre em borbotões, alagando os tapetes...

Gritos desesperados ouvem-se então. Estabelece-se pavoroso pânico, todos desejando, em vão, escapar do salão, furtando-se às atrocidades que adivinham nas fisionomias alteradas dos invasores cruéis. Ao lado de Carlos caem seus pais, que correram a socorrê-lo... Um trucidamento macabro fere-se naquele amplo recinto, que momentos antes se beneficiava ante as dulcíssimas vibrações evocadas pelo Sermão da Montanha, e em cuja atmosfera parecera deslizar, distribuindo bênçãos e encantamentos espirituais, o vulto amoroso e protetor do Nazareno, por meio da pregação eficiente do servo fiel sacrificado no cumprimento do dever!

Um por um tombam mortos, trespassados por lanças, machados ou espadas, os irmãos de Carlos Filipe, suas cunhadas, seus sobrinhos, os visitantes do dia, os tributários e vizinhos que haviam acorrido ao dever dominical para com o Criador! Todos desarmados, incapazes de empunharem armas assassinas, por bem quererem observar as recomendações do Evangelho, que respeitavam; aprisionados num recinto de difícil escoamento, cercados em todas as saídas por uma soldadesca feroz, aqueles pobres huguenotes, mais verdadeiros cristãos do que mesmo adeptos de Lutero ou de Calvino, não lograram, aliás, tempo sequer para raciocinarem sobre os meios de se furtarem aos massacradores. Uma cunhada de Carlos, abraçada aos dois filhos de tenra idade, prostrada de joelhos pede misericórdia para aqueles rebentos de seu coração, os quais, aterrorizados, se agarram ao seu pescoço, chorosos e trêmulos, enquanto veem o pai carinhoso também ao lado, varado por uma lança. Como resposta, porém, a tão patética súplica, a infeliz mãe vê perfurados pela mesma lança os dois filhinhos amados, antes de ela própria, sobre seus corpos ainda em convulsões, tombar igualmente trespassada, louvando a Deus pela felicidade de com eles também morrer, pelo amor de Jesus Nazareno!

E a tais horrores presidindo o belo Capitão da Fé, impassível, pálido, talvez emocionado, cenho carregado, uma grande cruz branca aplicada ao peito, os escapulários da eucaristia sobre ela, fanático religioso na verdadeira expressão do termo!

Duas horas depois abandonava o Castelo com sua tropa de fanáticos mercenários, prosseguindo a caçada aos huguenotes pelas demais povoações vizinhas, fiscalizando sempre se os "trabalhos" corriam normalmente... Atrás, porém, ficavam a morte, a depredação, o incêndio, searas e moinhos devastados, trágico escarmento a quantos ainda ousassem pretender sobrepor a Reforma aos dogmas e imposições de Roma...

E permaneceriam as consequências de tantos horrores estigmatizando sua consciência através dos séculos... até que expungidas fossem as máculas de tantas iniquidades sob méritos penosamente adquiridos pelas vias dos sofrimentos e do verdadeiro bem...

4

PACTO OBSESSOR

Efetivamente, impossível seria uma defesa no Castelo contra a invasão de Luís de Narbonne. Completamente desguarnecido de homens de armas, apenas alguns serviçais ou guardas permaneciam pelos pátios, os quais, colhidos de surpresa, nada mais puderam tentar em defesa dos seus senhores senão o desesperado alarme da sineta ao perceberem que a cavalaria deixava a estrada real tomando a direção do Castelo.[29] De outro modo, nenhum grupo de aldeões da cercania ousaria medir forças com tropas organizadas ou legalistas, e por isso mesmo seria inevitável o massacre, tal como o foi. Acresce a circunstância de que se estava num domingo, à tarde, e que os vassalos e senhores vizinhos haviam acorrido aos ofícios dominicais na Igreja organizada que Carlos Filipe mantinha no próprio domicílio paterno.

Dentre os fidalgos das imediações, no entanto, um havia cujas propriedades limitavam bem próximo com as terras de La-Chapelle. Amigo leal da digna família trucidada, esse fidalgo, que, conquanto não fosse declaradamente huguenote, simpatizava com o movimento diante das

---

[29] N.E.: Alguns governadores de províncias não concederam licença para o massacre de huguenotes nas terras sob sua jurisdição.

nobres qualidades morais mantidas por aquele, assistiu ao longe, aflito e estarrecido, a invasão do Castelo e as depredações das searas dos seus bons vizinhos de La-Chapelle, concedendo mesmo refúgio em sua casa a mais de um colono que conseguira escapar durante o ato da invasão, os quais, no momento desta, não se encontravam presentes à cerimônia religiosa dirigida pelo moço pastor.

Impressionado ante a violência da legalidade, e, acima de tudo, revoltado e aterrorizado, nada lhe fora possível tentar, com efeito, em defesa das vítimas. Todavia, nobre gesto tivera ele indo, com outras personalidades da redondeza, organizar a remoção dos cadáveres do salão de pregações, a fim de lhes dar sepultura condigna. Fez mais o referido fidalgo, pouco impressionado com a temeridade do gesto que executava. Sabendo que Ruth Carolina se encontrava ausente e conhecendo o local onde os pais a haviam deposto, fez um mensageiro especial a fim de lhe comunicar a tragédia inominável, da qual ela própria somente escapara por se encontrar ausente. Galopou, portanto, o emissário, sem descanso, até o Castelo de Louvigny, onde entregou a comovente missiva do amo.

Ora, prevenida da desgraça irremediável que assolara sua casa, destruindo-lhe toda a família, Ruth voltara precipitadamente ao berço natal, constatando, em desespero, a veracidade da notícia e também que suas terras haviam sido depredadas, as messes incendiadas, conquanto os bens que se encontravam no interior da nobre residência permanecessem intactos, pois era voz corrente que a cavalaria macabra do Sr. de Narbonne, conquanto trucidasse huguenotes, não se permitia o saque, visto que ele, o seu comandante, ufanava-se de não admitir quaisquer espécies de roubos ou outros atentados entre seus soldados. Então, inteirara-se Ruth de que o oficial que comandara o ataque — Luís de Narbonne — procurara-a afanosamente pelas imediações, pois informado fora, pela delação dos fanáticos da região, de que um membro da família se achava ausente com alguns criados, também huguenotes, e seria preciso, portanto, encontrá-los a fim de igualmente os exterminar.

Aterrorizada, a infeliz, indecisa ante a própria inexperiência, não atinava com nenhuma solução viável a favor da própria situação, quando o mesmo vizinho, que mandara ao seu encalço, hospedou-a carinhosamente na emergência dolorosa, aconselhando-a, porém, a retornar ao Solar de Louvigny, abrigando-se ao lado de Otília, cuja proteção lhe seria de valioso escudo contra a sanha das perseguições, ainda porque ninguém suspeitaria de que, para além dos muros residenciais de um amigo de infância de Luís de Narbonne, isto é, de Artur de Louvigny, se pudesse abrigar uma mulher huguenote.

De início, ocorrera à jovem perseguida a ideia de transpor o Reno, procurar o príncipe Frederico de G., ou enviar-lhe um emissário reclamando sua proteção. Seria, com efeito, o mais prudente alvitre a seguir, o qual a teria conduzido a um estado moral compensador e ditoso, quanto o poderia ser o de um coração tão acremente atingido pelos acontecimentos. Refletiu, porém, que sua querida Otília se encontrava gravemente enferma. Que a dor irremediável de haver perdido o noivo querido em tão deploráveis condições, quando apenas alguns dias mais a separavam da realização do mais grato sonho de sua vida, a cruciava tão amargamente que a infeliz não mais se animaria sequer a viver. E que impossível seria, portanto, abandoná-la em momento tão dramático, sozinha e sem consolações na velha mansão onde o luto e a lágrima acabavam de, para sempre, estabelecer morada. Entendeu dever sagrado balsamizar a dor de Otília com sua presença, ao passo que seria um lenitivo, também para ela mesma, o permanecerem juntas, consolando-se mutuamente ao falarem de Carlos, recordando os felizes dias do passado... Não procurou, portanto, Frederico e tampouco lhe enviou emissários, pois, conforme ficou dito, mal conhecia o projeto de casamento estabelecido entre sua família e o Príncipe, envolvendo-a a ela própria. Vergada sob um desalento contra o qual não encontrava defesa, deixara para mais tarde, indiferentemente, a comunicação que lhe devia, contando, para o feito, com os conselhos da própria Otília, com quem esperava entrar em amplos entendimentos.

Assim sendo, sem poder contar com nenhuma outra sólida proteção no crítico momento, desabrigada do seu domicílio, que não mais poderia habitar, arruinada, inconsolável diante do drama acerbo que a surpreendia, revoltada até o âmago da sua pobre alma, que mal saíra da infância e já se defrontava com os mais rudes problemas da existência, entregue a desesperos e lágrimas excruciantes, a infeliz jovem teve a própria alma e o destino comprometidos por períodos seculares, que não se encerraram ainda, nos dias atuais, enredada que se deixou ficar nos clamorosos acontecimentos que se seguiram. Incumbiu, pois, ao fiel servo Gregório, antigo intendente de seu pai — o qual a pusera a par da carta ameaçadora do conde de Narbonne a Carlos Filipe, assim como da verdadeira razão da partida precipitada para a companhia de Otília —, incumbiu Gregório de reunir alguns valores deixados no Castelo depredado, e voltou com Raquel e Camilo, que a não desejaram abandonar, para a Mansão de Louvigny, procurando asilar-se temporariamente nos braços afetuosos da sua amiga de infância, ordenando ao dedicado servo que para lá se dirigisse, uma vez concluída a tarefa que lhe confiara.

A velha habitação de Louvigny ofereceu-lhe, efetivamente, refúgio seguro durante cerca de dois meses. A solidão envolvente do formoso local, que se diria oásis protetor numa época de questiúnculas diárias e insidiosas intrigas; a quietude e a falta de contato com o exterior muito contribuíram para que ela pudesse impor certa disciplina à própria dor, retemperando as energias nervosas para o raciocínio quanto ao futuro que a aguardaria. Não se comunicara com Frederico, de sua pessoa desinteressada, ressentida ademais por não vê-lo chegar à sua procura, como amigo que era da família. E profunda amargura e uma revolta íntima sombreavam sua alma. A sós consigo mesma, invariavelmente, raciocinava ela com os próprios sentimentos:

— Repousai na paz do paraíso, entre os eleitos do Senhor, ó vós que fostes os meus pais bem-amados, os meus irmãos queridos e devotados, a minha família inesquecível, que alegrastes os dias da minha infância e da minha juventude! Recebei o testemunho do meu amor sempiterno, os protestos da minha imorredoura gratidão!... E descansai em paz. Luís de Narbonne perecerá sob minhas mãos! Não sei como o poderei fazer: ele é poderoso e eu insignificante e frágil! Mas estou certa de que a profundidade da minha dor, ao vos perder, e a irremediável extensão do meu infortúnio fornecer-me-ão as armas!...

A alma infeliz que, não sendo bastante generosa e heroica para perdoar e esquecer as ofensas recebidas e voltar-se para o amor do Pai Todo-Poderoso, em cuja crença encontraria refrigério para todas as desgraças e opressões; o pensamento, que, harmonizado com as revoltas do coração descrente, prefere irradiar sinistras correntes transmissoras de sentimentos ímpios, agressivos, necessariamente para si mesmo atrairá correntes outras, afins com as que de si partiram, com estas se enlaçando em conluio de vigorosos incentivos, até as explosões máximas das realizações criminosas, mentalmente criadas em momentos sombrios de desesperações.

Otília de Louvigny, coração frágil que o recalque de muitas dores fizera endurecer para as verdadeiras expressões do bem e do belo, veio ao encontro das inclinações lamentáveis que o sofrimento revoltado produzira no sentimento da infeliz irmã de Carlos Filipe, fazendo-se eco transmissor de sugestões malévolas, sempre prontas a sitiarem aquele que se não entrincheira contra as tentações das trevas, valendo-se das armas impostas pelo desejo sadio do bem.

Necessariamente, Ruth Carolina expôs à desditosa prometida de seu irmão a desgraça que a envolvera, sua ínfima situação do momento. Já muito debilitada pela pertinaz enfermidade, e subitamente agravado o seu estado sob o traumatismo causado pelos nefastos acontecimentos, mas ainda moralmente enérgica e valorosa, como conviria a uma descendente de heróis, a tuberculosa passou vários dias apreensiva, silenciosa, abismada na própria dor, como quem contemplasse a derrocada inapelável de si mesma, parecendo perder-se nos labirintos de profundas meditações. Em certa manhã, porém, depois de alguns dias impressionantes, durante os quais conhecera em silêncio, sem uma queixa, um lamento ou uma lágrima, todos os martírios de um desespero irremediável para o seu coração, com o destroçamento do único móvel pelo qual vivia — o amor de Carlos Filipe —, ela reuniu ao pé de si a preceptora que a educara, Blandina d'Alembert, a infeliz Ruth Carolina e o fiel Gregório, e, estabelecendo um pacto aterrorizador, que seria positivamente satânico se não fora reflexo comum dos prejuízos da época sobre os caracteres frágeis e impressionáveis, apontou esta orientação para o que supunha a honorabilidade pessoal da amiga, sem pressentir que o drama que criaria com sua nefasta interferência traria repercussões seculares, por envolver, no seu ominoso enredamento, aspectos condenados pelas Leis do Criador, as quais absolutamente não poderiam ser falseadas sem graves responsabilidades e contundências lamentáveis para os infratores.

— Minha querida e pobre Ruth! — começou a jovem enferma, presidindo à pequena assembleia. — Sei que dentro de mais alguns dias deixarei de existir, reunindo-me aos entes queridos que me precederam no túmulo, e ao meu amado Carlos, teu irmão, para cujo desaparecimento não encontro consolação possível neste mundo. Não levarei pesares desta vida, antes me congratulo comigo mesma por abandonar para sempre uma sociedade em que a vileza dos costumes, a crueldade dos sentimentos e o egoísmo contagiante atingiram o incompreensível e o insuportável, porque penetrando até mesmo o seio da família! Se algum pesar ou mágoa levar, será por te deixar, a ti, sozinha neste mundo, sem um forte amparo que te resguarde dos perigos e ameaças que te perseguirão deste momento em diante... Oxalá, pobre Ruth, tivesses também sucumbido sob o ferro assassino, ao lado dos teus gloriosos pais e irmãos, que tombaram pela honra do Evangelho! Entrarias como mártir no seio do Senhor, pois que ainda és um anjo, ao passo que doravante te transformarás em demônio vingador!...

"Estás inteiramente só e pobre, pois os de La-Chapelle não eram ricos, e eu sou riquíssima e vou morrer! Engolfado nas seduções do mundo, meu irmão abandonou-me nesta reclusão sem mitigar jamais meus desgostos com sua assistência fraterna... depois de esforços revoltantes para me separar para sempre de meu Carlos, a quem eu tanto quis!... Igualmente muito rico, Artur não cuidará de se intrometer em meus negócios, ao retornar da Espanha, para onde o impeliu mais um capricho da Rainha-mãe... ainda porque, atingida agora a minha maioridade, e sendo nossas fortunas independentes, poderemos ambos legá-las, por nossa morte, a quem bem nos parecer... Presenteio, portanto, com minha fortuna, minhas joias de família, meus utensílios mais preciosos e minha casa de Paris — o Palácio Raymond, da Praça Rosada —, a ti, minha querida Ruth, para que te abrigues da miséria e do dissabor da humilhação de viveres sob tetos alheios, como traste incômodo a quem nenhum respeito será devido! Se, pelo desenrolar dos acontecimentos que te exporei, não puderes permanecer naquela residência, vende-a ou arrenda-a sob o nome do teu intendente e foge para a Alemanha ou a Inglaterra, enquanto houver tempo...

"Sabes que eu me desliguei da Igreja Católica Romana, porque foi baseado em suas imposições que Artur de Louvigny se opôs ao meu enlace com teu irmão... assim como sabes que, por amor a vós outros, me voltei para a Reforma... sendo hoje tão luterana como todos vós...

"Depois de minha morte e durante o espaço de tempo necessário à realização da tarefa que já te exporei, usa meus papéis de família e meu nome, querida amiga! Esquece, temporariamente, que um dia te chamaste Ruth de Brethencourt de La-Chapelle e que és perseguida pelos asseclas de Catarina, para viveres a vida que Otília de Louvigny teria, se os desgostos, a paixão do amor, a doença e a morte não a tivessem subtraído ao mundo! Vive em Paris sob o nome e os papéis de Otília de Louvigny... e vinga-te de Luís de Narbonne por ti mesma e também por mim... pois morrerei chorando pelo meu Carlos, cujo sangue foi derramado por ele... E foge incontinente da França, minha querida, se colimares teus intentos... foge de forma a não deixares possibilidades para que alguém, por sua vez, o vingue... pois Luís é poderoso e conta com amigos altamente colocados... Intriga quanto puderes, Ruth! Intriga, atraiçoa a todos e por tudo, mente quanto possível, guardando o uso da verdade só para mais tarde, quando para sempre deixares a França... porque serás esmagada, se o não fizeres, na Corte de Catarina de Médici...

"Luís de Narbonne é filho de rei ou de rainha, que importa?!... Mas, uma vez em Paris, afirma tu, por toda a parte, em revelações confidenciais aos teus supostos amigos, que teu pai, que no caso será o conde de Louvigny, afirmava durante o serão da noite, à tua mãe, e tu ouvias, que o Capitão da Fé era filho bastardo de Henrique II, sim! e que ele, conde, o vira nascer... até que tal comédia penetre as antecâmaras de Catarina... O conde de Louvigny, meu pai, foi, efetivamente, comparsa de aventuras noturnas do falecido Rei, que nunca amou a sua Rainha e esposa... Conheceu, por isso, seus pequenos segredos de infidelidade conjugal, assim como os grandes... e a Rainha jamais o ignorou, porque Catarina de Médici nada ignora... Por isso mesmo todos te aceitarão a palavra irreverente ou fingirão aceitar, a Rainha inclusive... pois a Corte é ociosa e os ociosos vivem à cata de maledicência e escândalos... Todos tratarão do palpitante assunto, pois que, realmente, a paternidade do Príncipe de Narbonne é segredo que apaixona e que todos gostariam de desvendar... ao passo que ninguém terá coragem de dizê-lo ao respeitável e circunspecto bajulador de padres... Cria um romance de amor pungente a respeito do nascimento desse miserável teólogo, envolvendo Henrique II... e faze-te amar por ele, sem contudo jamais te penalizares de sua pessoa, seja qual for a situação que tua vingança criar para ele... Lembra-te de que, sem ele, tua família teria passado despercebida da perseguição a huguenotes... É Luís um homem fácil de ser conquistado... asseverava Artur, que tem vivido na Corte, que compreende perfeitamente o temperamento masculino e é seu amigo íntimo, justamente dada a sua inexperiência acerca do amor... pois que és frágil, essa será a única arma ao teu alcance... Amando-te ele, procura uni-lo cada vez mais à casa de Guise... e intriga até que a Rainha o perceba e se atemorize, pois os de Guise são conspiradores... e propala entre os cortesãos, com hábeis manobras, que se cogita de derribar os Valois para se coroar um Lorena... ou mesmo um bastardo de Henrique... que tanto poderá ser um filho da bela Diana[30] como o nosso Luís... Catarina teme os Príncipes da Lorena porque sabe que eles espreitam o trono, na presunção de nele se sentarem na primeira ocasião... Dará, portanto, crédito a uma intriga que falar em conspiração... mas ainda que não dê, ser-lhe-á valioso pretexto para perseguir a ambos, pois não estima nenhum dos dois... tornando-se agradecida ao intrigante... Procura Catarina, com ousadia... Se necessário, confessa-lhe tudo, pondo-a a par dos teus projetos... Põe-te a seu serviço, inspira-lhe confiança, serve-a bem, obedece-lhe conforme te ordenar, certa de que, não obstante, por mais amável que se te afigure, ela é má e infiel, capaz de todos os crimes! Conta-lhe, entre mistérios, sonhos fantásticos que tiveste, se algo desejares dela. Fala-lhe de fantasmas que se revelam a teus poderes psíquicos e te indicam isto e aquilo... e um dia, nervosa e assustada, afirma-lhe que teus fantasmas — na ocasião oportuna prometo-te que serei eu esse fantasma — que teus fantasmas exigiram a perda de Narbonne para segurança do trono dos Valois... E Catarina, fingindo-se crédula, ser-te-á submissa... pois assevera Artur que o próprio conde de Narbonne a ele se queixou de que a Rainha-mãe somente espera ocasião propícia para estender-lhe as garras... E, acima de tudo, pobre Ruth, esquece a Reforma, por enquanto! Bajula altares e clérigos, que o caminho da vindita ser-te-á menos penoso... entretanto, se colimares teus desejos, foge de Catarina e do clero, porque estarás perdida se titubeares na fuga... A megera que governa a França tem por hábito devorar os cúmplices das próprias torpezas... Em Paris, estando Artur ausente, e ele não regressará tão cedo, ninguém suspeitará da tua verdadeira identidade... pois jamais fui apresentada à Corte... Luís de Narbonne, por sua vez, se sabe de minha existência, não me conhece pessoalmente, o que facilita a empresa..."

— Mas... — tartamudeou a infeliz irmã de Carlos Filipe, aterrorizada diante da sombria, diabólica trama exposta pela amiga, cuja mente se diria dominada por sinistras falanges das trevas. — Mas... minha Otília... Reflete tu, que tanto amaste o nosso Carlos. Como atraiçoarei a minha fé

---

[30] N.E.: Diana de Poitiers, célebre favorita de Henrique II.

e a honra de minha família, dando-me a uma aventura de tal natureza?...
E como mentirei ao meu próximo, se as Escrituras...

— Se o não fizeres, desgraçar-te-ão mais cedo do que supões, sem que logres ensejos para castigar o massacrador de La-Chapelle... e o menos que te sucederá será a internação para sempre na Bastilha ou noutra qualquer prisão, pois estás perseguida, és procurada pelo infame conde... e para venceres na difícil batalha iniciada em tua terra natal será imprescindível que ataques o inimigo ousada e rapidamente...

— Terei a necessária coragem para representar um drama como o que incitas?...

— Lembra-te de que descendes de valorosos cruzados... Faze-o pelo sangue generoso de tua família inteira, massacrada pelo detestável capitão... Faze-o pelo amor daqueles que te deram o ser e de cujos braços foste arrancada pelo execrado fanático! Faze-o pelo teu Carlos, teu segundo pai, que te amava acima de todos os afetos! Bem sei que não será empresa fácil... Mas não esqueças de que, sem de Narbonne, tua família passaria despercebida como huguenote... Se sucumbires na batalha, que te importará?... Para que desejarás viver se tudo se derruiu ao redor de ti, com o massacre dos teus e o aviltamento da tua casa?... Viver, agora, somente será razoável para destruir de Narbonne!...

Seguiu-se uma pausa, pesada e emocionante. Ruth Carolina prorrompera em pranto cruciante, como pressentindo traçado o seu destino pelas insídias do programa obsessor exposto pela amiga, cujo coração revoltado e mente alucinada pelas exasperações afinavam-se, decididamente, com as forças psíquicas inferiores que bandeiam em torno de cada criatura invigilante e revel.

A enferma agitou-se numa convulsão de tosse pertinaz, emitindo aflitivos gemidos. De pé, dama Blandina ouvia serena e silenciosa, as feições impenetráveis, a face apoiada à mão, enquanto que, recoberta de mantos negros, dir-se-ia o espectro da morte que rondasse... E Gregório, o antigo mordomo de La-Chapelle, pálido e impressionado, fitava sua jovem ama e Otília, simultaneamente...

Tão singular cena desenrolava-se num recanto pitoresco dos jardins do Castelo, para onde fora a doente transportada a fim de se tonificar sob os eflúvios do sol. Alguns pombos mansos saltitavam à procura de migalhas a que estavam habituados, esvoaçando, de vez em quando, para se fazerem notados... E mais além o tanque de águas cristalinas quebrava o silêncio da doce manhã de setembro, com o rumor discreto dos esguichos festivos despenhando-se sem interrupções...

Ruth torcia as mãos, nervosa, enquanto chorava ou fitava os seus acompanhantes com olhares desvairados. Otília, a quem a aproximação da morte tornava odiosa, em vez de contrita e submissa a Deus, prosseguiu na sua deplorável tarefa de conselheira das trevas, entre penoso arfar indicativo da fadiga pulmonar:

— Meu irmão dizia da Corte tudo que repito neste momento, e também madre Vitória, minha antiga e boa mestra do Convento das Ursulinas, que muito se agitou entre os cortesãos e as intrigas palacianas, antes de professar... És bela e muito jovem, pois mal completaste os 18 anos... Foste educada com desveladas atenções... Descendes de caracteres heroicos... És inteligente e perspicaz... e, se fores bastante audaz, colherás rápidos triunfos... Tua boa educação, tuas maneiras angelicais e tua beleza verdadeiramente impressionante e rara serão armas preciosas das quais saberás utilizar com perícia... Não poderás carregar quaisquer parcelas de temor contigo... Não as carregarás, porque teu lema, a partir deste momento, será apenas este: "Destruir Luís de Narbonne!" Não procures, porém, participar a meu irmão de minha morte... e toma sentido, Ruth, em te furtares à sua presença antes que destruas o desgraçado teólogo... ao passo que agirás com rapidez, antes que se descubra o engodo da falsa identidade... Sepulta-me aqui mesmo, nesta aldeia, e não em Nancy, e faze constar controvérsias, asseverando a alguns que foste tu que morreste...

E se fores esmagada sem conseguires vitória compensadora, esmaga igualmente, quanto puderes, antes de tombares... Arrasta de Narbonne em tua queda e serás heroica... Dama Blandina seguir-te-á fielmente, pois confio-te a ela... E fica certa, minha Ruth, de que minha alma te seguirá os passos nesse carreiro vingador, como sombra da tua própria alma... orientando-te as ações contra aquele que destruiu a vida da minha vida, o meu único e caro sonho de felicidade, teu irmão Carlos Filipe...

Em seguida, desfeita em lágrimas, fez que a jovem huguenote ajoelhasse aos seus pés e que, com a destra sobre a *Bíblia* aberta em seu regaço, repetisse este sinistro juramento, o qual ditava para a amiga responder, ao mesmo tempo que a dama d'Alembert empalidecia de emoção, Gregório cobria o rosto com as mãos trementes, e o Céu registrava a blasfêmia cujas deploráveis consequências nem quatro séculos de lutas e confusões repararão, porquanto nos dias atuais envolvem ainda no seu difuso enredamento aqueles que dela se contaminaram:

— Eu, Ruth Carolina de Brethencourt de La-Chapelle, neta de gloriosos Cruzados, que deram suas vidas e o sangue precioso das suas veias pela honra do nome de Jesus Cristo, juro com minha destra sobre a Escritura Santa e a consciência diante de Deus que vingarei a morte de meus pais e irmãos e o sangue profanado de minha família, na pessoa do príncipe Luís de Narbonne, conde de S. e Capitão da Fé; e que não tornarei a abrir o livro sagrado da Lei enquanto tal justiça não se cumprir pelas minhas mãos. Juro ainda que ferirei os sentimentos religiosos do mesmo Luís de Narbonne, conspurcando-os quanto puder e atraiçoando-os, tal como ele próprio fez com a minha fé e a dos meus ascendentes... E em presença de Deus, assim me recomendo e assim juro que farei...

Alguns dias depois, Otília de Louvigny exalava o último suspiro, e Ruth, sua herdeira, de posse dos seus papéis de família para alguma possível eventualidade, saía do generoso abrigo que a protegera na desgraça para a ingrata missão que voluntariamente acabava de aceitar, sob a personalidade da sua amiga de infância, chegando a Paris, como vimos, pela chuvosa manhã de 20 de outubro de 1572, deparando no mesmo instante a famosa cavalaria do Sr. de Narbonne, a mesma que invadira o Castelo de seu berço, massacrando toda a sua família.

E assim foi que, à porta do Palácio Raymond, Ruth de La-Chapelle e Luís de Narbonne travaram conhecimento, tal se as leis caprichosas do destino tivessem pressa de colocá-los em presença um do outro...

5

Seu primeiro amor...

Afastando-se da Praça Rosada, onde acabara de ver pela primeira vez, sem o saber, a sobrevivente do massacre de La-Chapelle, agora transformada em uma dama de Louvigny, murmurava Luís de Narbonne consigo mesmo:

— Quem será tão linda jovem?... Meu Deus! Dir-se-ia a mesma imagem que me vem aparecendo em sonhos ultimamente, qual arrebatadora visão celeste... Sim, é a mesma... cuja silhueta gentil já me alvoroça o coração... Encontra-se no Palácio Raymond... Será uma de Louvigny?... Que seja assim... e Artur auxiliar-me-á os intentos se, porventura...

Chegou a casa, onde residia, fatigado das peripécias impostas pelos deveres militares do momento. Taciturno e quedo, subiu as escadarias do seu Palácio, ocultando algo entre os dedos fechados, e deixando repercutir as passadas pesadas das suas botas nos degraus de pedra. Acima, esperavam-no dois criados de quarto, que, em silêncio, tranquilos, desarmaram-no e despiram-no das suas "cotas de malhas",[31] braceletes

---

[31] N.E.: Espécie de blusa interior, tecida em fios de aço ou ferro, servindo de defesa contra os ataques de espadas e punhais, sempre possíveis na época.

e joelheiras de aço, com que completava o seu armamento individual, depois de se ajoelharem sutilmente à sua frente, para lhe receberem a bênção... pois não ignoravam que, além de senhor, de Narbonne era príncipe e teólogo, um sacerdote, por assim dizer, a quem só faltariam os derradeiros juramentos para se ordenar. Mas tão moroso e magnífico cerimonial fora realizado sob a mais perfeita discrição. Aliás, a existência comum do jovem capitão decorria diariamente sob a dura disciplina de inquebrantável rotina. Raramente lhe ouviam a voz, pois só de longe em longe falava, e ao fazê-lo seria como num murmúrio discreto e breve, hábito conventual que jamais perderia, até os dias presentes.

Naqueles trágicos dias de confusões e homicídios coletivos, suas tarefas eram divididas em duas partes distintas. De sol a sol seria ele o cavaleiro da fé católica romana, na ampla expressão do termo então considerado, o qual, em nome da Igreja, zelava pela sua estabilidade no solo parisiense, obrigando-se aos caprichos da Rainha poderosa, como conviria a um oficial militar comandante de uma força. Então, agia como soldado, conquanto o fizesse sob os auspícios da Igreja. À noite, porém, até as primeiras horas da madrugada, era o devoto fervoroso e humilde, o teólogo apaixonado, aprofundando-se na leitura de pergaminhos e livros, eram os deveres do crente praticante: orações, confissões, penitências, meditações, aulas, debates junto dos luminares eclesiásticos. Geralmente, só se permitia recolher quando a ampulheta das sacristias de Saint-Germain l'Auxerrois, sua igreja preferida, não longe da qual residia, anunciava que novo dia se iniciava. Comungava-se, no entanto, diariamente, às sete horas da manhã, refeitas suas férreas energias por um breve sono, e iniciava atividades às oito, pelo verão, e às nove, quando era inverno. Metódico até o automatismo, deixava-se levar como se a tudo obedecesse por um impulso natural, independente das próprias cogitações. Sua residência, não obstante, era luxuosa e disposta com arte apurada, digna de um filho de rei, como dele diziam que era, mas solitária e impressionante pela vastidão, era também sombria, dado que Luís, servido apenas por homens e desinteressado das mulheres, jamais franqueava seus salões a festas ou reuniões recreativas, senão somente a assembleias solenes do clero. Seus homens de armas acomodavam-se além, num quartel de sua propriedade, para os lados da Bastilha de Santo Antônio,[32] apenas permanecendo no Palácio reduzido número de guardas.

Nessa tarde de 20 de outubro, seus criados o notaram porventura ainda mais preocupado. Nem mesmo durante o banho abandonara o objeto que ocultava na mão fechada. Passava-o de uma para outra mão ao ser lavado e esfregado pelos criados, na grande bacia de cobre em feitio de tina, que, então, fazia as vezes de excelente banheira, luxo principesco no século XVI, que nem todas as casas abastadas logravam possuir... E, à mesa da ceia, à qual se sentava comumente só, depôs o mesmo objeto sobre o linho do atoalhado, cobriu-o com o seu barrete, a fim de que não fosse surpreendido pelos serviçais...

Esse objeto era o botão de rosa-rubra, símbolo do sangue derramado, que a suposta Otília lhe atirara ao vê-lo passar sob suas janelas...

Comia muito o jovem Capitão da Fé, mas bebia pouco, servindo-se geralmente apenas de água pura. E vestia-se, fora das obrigações militares, como de uso entre os alunos de Teologia das classes mais nobres da sociedade, espécie de uniforme muito honroso, que implicaria o militar e o religioso, e o qual envergava com orgulho: calções curtos, que iam aos joelhos, de cor escura. Meias de seda forte e botas finíssimas, que igualmente seguiam, aproximadamente, até os joelhos. Túnica ampla, espécie de saia ou sotaina curta, que também não passava dos joelhos, ornada de gola virada. Capa ampla, esvoaçante, com um colarinho idêntico, branco. Um barrete quadrado, em pequenas dimensões, porém, destituído de enfeites e borlas, completava a curiosa indumentária que nem a todos seria permitido envergar.[33]

---

[32] N.E.: Famosa e terrível prisão de estado, em Paris, destruída pelo povo, a 14 de julho de 1789, no início da chamada Revolução Francesa, e denominada Bastilha de Santo Antônio, por se achar localizada nas proximidades da porta do mesmo nome, ou barreira, que dava ingresso à cidade.

[33] Nota da médium: Depois de muita meditação e preces, convenho em conservar a descrição da presente indumentária, tal como foi ditada do Espaço e como foi por minha vidência alcançada, em quadros que me foram mostrados. Não obstante, é sabido que, mesmo no século XVI, o uniforme dos alunos de Teologia católica não era bem esse, e sim sotaina comprida com uma gola virada, capa ampla, esvoaçante, com colarinho, e um barrete quadrado sem borlas. Consultado o Espírito autor do livro sobre o caso, insistiu para que transcrevesse conforme fora ditado o trecho, o que obedeci.

Após o repasto dirigiu-se Luís, em liteira, para a Igreja de Saint-Germain, a fim de meditar, confessar-se e entregar-se às devoções diárias, pois tal uniforme não permitiria ao seu ocupante cavalgar.

Não seria muito provável que, em Paris, por essa época, existissem homens, principalmente jovens, que apresentassem maior ardor religioso, mais difusa circunspeção nos atos praticados dentro e fora da religião. E esse homem, modelo de juventude moralizada e séria, incapaz de uma deslealdade em qualquer setor a que emprestasse suas energias; esse jovem de 25 primaveras, cuja honradez inatacável seria certamente rara em todos os tempos; esse caráter elevado e reto até a admiração e o louvor, não seria também tão só um crente fanático, selvagem em matéria religiosa, tornando-se feroz diante de adversários da Igreja que supunha absolutamente a única divina, mas ainda um dúlcido coração, afetuoso e veemente para com aqueles a quem amasse, pronto a todos os sacrifícios pelo objeto da sua estima!

Quando soaram as dez horas nos sinos de Saint-Germain, o Capitão da Fé, que se mantinha ajoelhado em seu genuflexório da capela-mor, não longe do altar, como príncipe que era, e que, naquela noite, parecia inquieto durante as orações, retirou do bolso da túnica um retalho de papel em branco, traçou algumas linhas com a pena de pato retirada do estojo de estudos, que à noite nunca o abandonava, e, voltando-se, ainda ajoelhado, a ver o seu escudeiro, que rondaria pelas proximidades, disse-lhe num murmúrio:

— Vai à Praça Rosada... Chama a guarda do Palácio Raymond... e faze chegar à dama dos cabelos de ouro, que hoje à tarde nos presenteou com uma gentileza, a mensagem que aí tens... Vai depressa... Espero-te neste mesmo lugar, meu bom Rupert... Vai... Não reveles, todavia, o meu verdadeiro nome, ainda que to perguntem...

E, enquanto Rupert se retirava, ele fixava o altar com as mãos unidas, em súplica, e murmurava, comovido, nas profundidades do coração:

— Meus Deus! Praza a ti que a felicidade do amor ilumine os dias de minha vida, tão sombrios foram eles sempre, sem jamais me concederem a oportunidade, desde a infância, de sentir um coração devotado pulsando junto do meu... Meu coração anseia, Senhor, por amar e ser amado... não obstante o receio que me oprime de ser atraiçoado pela mulher... e apesar da máscara de rígida indiferença que me vejo obrigado a afivelar ao rosto... Todavia, tenho medo, muito medo, do amor!... E creio que muito mais me conviria dedicar-me inteiramente a ti! Tem, pois, piedade de mim, teu humilde e pobre servo, neste instante em que o meu futuro está em jogo, dependendo da resposta de uma carta...

Galopou, rápido, o escudeiro, e, como a Praça Rosada não distasse muito da célebre Igreja, em menos de dois quartos de hora entregou a Gregório, que o recebeu cheio de susto, o papel disposto em canudo, que um pequeno anel prendia.

Gregório subiu ao primeiro andar, impressionado e pávido, a participar à jovem ama da inesperada visita, enquanto Rupert se detinha à espera no saguão iluminado por dois pequenos lampiões, galhardamente apoiado em sua espada e em amigável palestra com Camilo.

Ruth Carolina — ou antes, Otília de Louvigny — recebeu das mãos trêmulas do servo o documento inesperado, com um sorriso singular, que não se saberia se de satânico triunfo, julgando prestes a execução dos planos que trazia em mente ou se de gloriosa emoção de amor, sentindo-se requestada por aquele que lhe inflamaria o coração. Sentada em sua grande poltrona de fino lavor e alumiada por um candelabro que a dama Blandina sustinha, a formosa provinciana leu estas expressões, escritas em caligrafia trêmula, que revelavam emoção e nervosismo de quem as escrevera, e as quais à juventude dos dias atuais se afigurarão piegas e muito primitivas, mas que na época em que foram traçadas seriam sensacional documento, que nenhuma dama desdenharia receber, quando provindas de um cavaleiro bem-posto na sociedade:

"Linda princesa dos cabelos de ouro. Quem és tu?... És, porventura, um anjo exilado dos Céus?... Ou antes serás a fada dos meus sonhos, tantas vezes entrevista pelos anseios do meu coração, durante a solidão das minhas horas ou em meio das minhas genuflexões, nos recintos sagrados da Igreja, onde costumo procurar paz e esperanças para as aflições diárias?... És com certeza solteira?... Ou, para infelicidade minha, serás esposa de um venturoso mortal?... Quem é ele?... Sejas quem for, uma verdade desejo confessar-te: estou louco de amor por ti, desde esta manhã!... e mais enlouquecido ainda desde esta tarde... pois eu, que te escrevo, sou o cavaleiro feliz, que de tuas mãos mereceu o mimoso botão de rosa, dádiva preciosa que aqui está, junto do meu coração... Não descansarei enquanto não permitires que te fale... Dize, pois, ao meu jogral,[34] qual a santa missa que frequentas todas as manhãs, para que se me torne possível orar a Deus junto de ti... Sou, eu, o teu cavaleiro desta manhã e desta tarde..."

Que se passaria no íntimo do ser dessa menina de 18 primaveras, inexperiente e apenas saída dos braços maternais, para que se portasse, diante do exposto, com uma naturalidade, uma serenidade que perturbaram dama Blandina, a qual juraria vê-la radiante se compreendendo assim requestada, como que plenamente alheia aos votos feitos à agonizante de Louvigny?...

Dama Blandina observou-a em ação: encontrava-se em pequena e aprazível sala, a qual escolhera para passar as suas melhores horas, desde aquela manhã, e, enrolando a missiva e depositando-a na gaveta de um móvel, voltou-se para Gregório, risonha:

— Acompanha até aqui o jogral de Sua Alteza, meu caro Gregório... Será prudente prestar homenagens ao escudeiro, que representa o amo...

Diante do jogral, estendeu-lhe a mão a beijar, cumprimento que ele fez com um joelho em terra, galantemente. Ordenou que lhe servissem

---

[34] N.E.: Espécie de palhaço. Músico, que tocava por salário.

um copo de bom vinho, já descoberto pelo fiel Gregório nas adegas do Palácio. Depois do que perguntou ao emissário de Luís, valendo-se de encantadora simplicidade:

— A carta que me trazes sensibiliza-me profundamente... Porém, não traz assinatura... Dize, escudeiro: Quem é o teu amo?... Quem é o amável cavaleiro que me dá a honra desta carta?...

Extasiado ante a beleza incomum da jovem que tinha à sua frente, e com a simplicidade dos seus modos, que ia ao extremo de lhe falar confidencialmente, gaguejou o servo de de Narbonne contrafeito:

— Senhora... Não me é permitido revelar o seu nome... o que sinceramente me conturba...

— Como então poderei confiar para responder a missiva, que tão docemente me toca o coração?...

— Confiai, senhora, como se confiásseis no próprio Céu! E respondei à carta, porque meu amo é digno do vosso apreço e da vossa confiança! Trata-se de um dos mais nobres e honrados cavalheiros da França!... Admiro-me como não o conheceis... Paris inteira o conhece...

— Acabo de chegar da província, escudeiro... e jamais visitara Paris... Contudo, escreverei...

Retirou-se... Mas, passados alguns minutos, tornou à presença de Rupert, entregando-lhe um rolo idêntico ao que recebera.

* * *

Excitado, trêmulo, Luís tomou das mãos do servo sorridente a almejada resposta à sua mensagem, cujo elo de segurança trazia as armas de Louvigny. E então leu, arregalando os olhos de satisfação a cada palavra apreendida, ao mesmo tempo que o sorriso se dilatava invadindo-lhe a fisionomia, de ordinário severa e triste:

"Gentil cavaleiro desta manhã e desta tarde. Faço minha a pergunta que acabo de ler em tua amável carta: Quem és tu?... Serás o amigo fiel que o Céu envia para minha proteção nos dias solitários da minha orfandade?... Ou serás aquele, justamente, por quem meu coração suspira entre sonhos encantadores de um amor sem ocasos?... Sejas quem for, uma verdade desejo confessar-te: tua carta foi a promessa de felicidade apresentando-me as boas-vindas à minha entrada em tua bela cidade... Manda tu mesmo dizer-me, ainda hoje, a Igreja que devo frequentar, o horário das santas missas a que deverei assistir ao teu lado... e já amanhã ter-me-ás genuflexa, orando por tua e nossa felicidade... Sou eu a tua "princesa dos cabelos de ouro..."

Incontinente, tornou Rupert ao Palácio Raymond, com missiva nova. Recebeu-a Gregório, que ficara em expectativa por ordem da singular menina huguenote. E porque já a hora estivesse avançada, voltou, rápido, para junto do amo, que o aguardava genuflexo na capela-mor.

Otília leu, mas dessa vez suas impressões fisionômicas eram duras e odiosas:

"Ó anjo celeste, que guiará os dias do meu futuro! Amanhã, à missa das sete horas, na Igreja de Saint-Germain, não longe da tua residência, encontrarás o teu cavaleiro — o teu escravo — de joelhos, à tua espera. Sou o teu cavaleiro confiante e feliz..."

Gregório e Blandina, notando-lhe a atitude excitada, aproximaram-se da desditosa descendente dos honrados Filipes de Brethencourt:

— *Mademoiselle*, por quem sois, detende-vos!... Lembrai-vos de vossos pais! Que diriam eles, tão bondosos e perdoadores, vendo-vos enredada em tão perigosa aventura?... Esquecei *mademoiselle* de Louvigny...

A dor e a enfermidade dementaram-na... Ainda é tempo! Partamos ainda hoje, agora!... e amanhã estaremos na Alemanha, abrigados de qualquer perigo!... Dar-nos-ão amparo e consolo os irmãos da nossa fé!... Com o salvo-conduto que possuímos, nenhum mal nos sucederá...

— Calai-vos, Blandina! Calai-vos, Gregório!... Jurei sobre as Sagradas Escrituras, em presença de uma agonizante, que amava a mim e aos meus, desgraçar Luís de Narbonne!...

— Senhora! As Sagradas Escrituras ensinam a perdoar setenta vezes sete...

— Mas também proclamam o "Olho por olho, dente por dente..."[35]

— São ensinamentos profundos, figurados, sutis, sobre que nos cumpre meditar muito, suplicando aos Céus as luzes da inspiração para que os possamos compreender na sua verdadeira essência, *mademoiselle*, antes do que praticá-los ao pé da letra...

— Prometi, Blandina...

— O Nazareno mandou-nos amar os inimigos, perdoar aos algozes...

— Eu perdoaria, se a ofensa fosse dirigida somente a mim... Aliás, Luís de Narbonne, que pretende ordens clericais, não perdoou sequer o fato de amarmos a Deus de modo diverso do que ele próprio ama, Gregório...

— Sois tão jovem!... Muitas desgraças poderão advir se perseverardes no intento funesto da vindita...

— Todas as desgraças já advieram com o massacre dos meus entes mais amados! Morreram todos, Blandina, todos!... Foram martirizados, Gregório! Correu o seu sangue amado pelo meu coração, o sangue generoso

---

[35] N.E.: Sentença contida nas leis estatuídas por Moisés (Êxodo, 21:24), que a Doutrina Espírita admiravelmente explica e esclarece com a exposição da lei da reencarnação.

dos Brethencourt de La-Chapelle!... Seus corações foram trespassados por lanças e espadas... Somente eu sobrevivi a tanta ruína e derrocada!... E foi Luís de Narbonne que tudo destruiu... E falais em perdoar?!...

— Que pretendeis fazer, levando-o a amar-vos?...

— Desgraçá-lo! É a arma que possuo...

— Assim sendo, devereis, porventura, desgraçar igualmente o Rei, a Rainha e o duque?...

— Não me queixo destes, não os acuso...

— Como assim?!... Foram os promotores!...

— Ordenaram a matança de huguenotes, não o trucidamento dos Brethencourt de La-Chapelle, em particular. A estes, quem procurou para trucidar foi Luís de Narbonne...

— O conde descobrirá o engodo e vos esmagará...

— Enganas-te, Blandina! Sofrerá!... E amar-me-á porventura com mais intenso fervor...

— Como o podereis prever?...

— É a minha Otília, a amiga fiel, que mo assegura! Vejo sua alma lacrimosa ao pé de mim, neste momento... Diz que me guiará os passos na obra vingadora...

Acabrunhados ante a persistência daquela a quem até então conheceram angelical, e alarmados com a possibilidade da presença da alma defunta de Otília de Louvigny entre eles, os dois servos se afastaram temerosos e decepcionados, compreendendo inaceitados os conselhos apresentados.

Nas voragens do pecado

A areia da ampulheta caía mansamente, caminhando para a alvorada. Ela, Ruth Carolina, a falsa Otília, não procurou o leito, a fim de repousar, a despeito das instâncias de Blandina d'Alembert. Deixou-se permanecer em sua poltrona de alto espaldar, pensativa, apreensiva, os olhos vagos como que fixos no Invisível, a atitude desalentada, o coração sangrando de dor a cada pulsação da saudade dos seres amados massacrados, a alma vibrante de ódio e revolta... apenas alumiada por uma tristonha luz de vela do candelabro de ouro que jazia sobre a mesa... plenamente adaptando-se às inspirações das trevas, que a infelicitariam através dos séculos...

* * *

Rupert, escudeiro, meio soldado, jogral divertindo seu amo, se necessário, poeta quase sempre, conhecido trovador entre as rodas boêmias da cidade dos sombrios Valois, músico, sentimental, espadachim, que tanto empunhava a espada como dedilhava a espineta[36] e a bandurra,[37] admirado sempre pela Paris de então, ajoelhava-se junto do amo, sobre o tapete da capela-mor, enquanto este continuava genuflexo, aguardando, pela segunda vez, sua volta do Palácio Raymond.

A noite avançava, mas Luís não cogitava de regressar à sua residência para o necessário repouso. Resolvera amanhecer ali, esperando falar, no dia seguinte, àquela que seu coração acabava de eleger. Suas impressões eram fortes, avassaladoras, chocantes. Dir-se-ia conhecer a jovem de cabelos de ouro desde muitos séculos, tão ligado a ela, agora, se reconhecia! Sentia que a amara sempre, desde a infância! Ela vivera continuamente nas aspirações mais gratas da sua alma! Esperava-a! Desejara-a em todos os instantes de sua sombria vida, certo de que a qualquer momento a encontraria em seus caminhos! E foi, realmente, assim que aconteceu!... O

---

[36] N.E.: Instrumento de música, de cordas e de teclado, semelhante ao cravo, em uso do século XVI ao século XVII, precursor do piano.

[37] N.E.: Instrumento muito antigo, usado pelos menestréis, espécie de viola ou bandolim de cabo curto e cordas.

que não compreendia é como pudera viver sem ela até agora, passar sem a sua companhia durante tão dilatado espaço de tempo, a contar do próprio dia em que nascera! E sentia-se loucamente apaixonado por aquela visão lendária, trajada em veludo azul, sublime de graça e beleza, que o cumprimentara tão galhardamente, dos alpendres do seu Palácio, à passagem da sua cavalaria pela Praça Rosada!... Por que não se desmontara, ele mesmo, não se ajoelhara diante dela, osculando-lhe as mãos, ou não a arrebatara nos braços qual audacioso aventureiro do amor, levando-a consigo, para sempre, para sempre?...

Seu coração alvoroçado, contornado por todos os anseios insensatos, palpitava indômito, inquieto, ali, diante do altar, mas já não era por Deus que palpitava, e sim por uma mulher, uma menina mal saída da infância, com a qual o Céu o presenteava... certamente recompensando-o, com tal felicidade, por sua imensa dedicação à Igreja, a qual, supunha, tanto soubera servir e respeitar! Todo ele era uma chama ardente e insopitável, uma agitação intensa e quase dolorosa às suas potencialidades nervosas; o seu ser um brado de entusiasmo pela vida nova que começava a entrever através do vulto gentil que se declarara em suas retentivas deslumbradas, uma emoção perene, absorvente, uma expansão deliciosa e indomável, de amor e paixão! Naquela noite, não conseguia orar... Sequer pudera examinar a consciência para o "sacramento da confissão"... E quisera correr, cavalgar pela cidade inteira, bradando pelo nome dela, que ainda desconhecia, participando ao mundo todo que amava e era amado, que era feliz como um deus... e passar a noite à sua porta qual mendigo à espera de um supremo bem: sua companhia para as orações da santa missa!... Mas esperá-la-ia ali mesmo — oh! ela prometera vir! — em penitência fervorosa, para que os Céus se apiedassem do seu coração e o favorecessem no amor...

Tinha os olhos úmidos, a alma dolorida e ditosa a um mesmo tempo, os nervos trementes... Jamais conhecera uma carícia feminina! Nem mesmo de sua mãe, que o rejeitara, ou de quem fora arrebatado ao nascer... Mas agora desejava conhecer essa carícia... Desejava amar, ser amado, padecer por amor, exaltar-se de alegria e felicidade pelo amor, dar-se inteiramente, fervorosamente, apaixonadamente, àquela celestial beleza que lhe atirara, graciosa e infantil, um botão de rosa-rubra, sorridente...

Acariciou, comovido, o botão de rosa, que ocultara no bolso interior da túnica, sobre o coração, com a sua mão robusta, que melhor andaria movimentando os copos de uma espada, e do seu peito hercúleo um profundo suspiro exalou-se...

Rupert, ajoelhado a seu lado, sobre o tapete, aguardava, silencioso, ser interrogado.

— Rupert?... — murmurou, baixinho, o belo capitão, como em oração.

— Meu senhor...

— Viste-a?...

— Sim, meu senhor...

— Conta-mo...

— Homenageou Vossa Alteza na pessoa humilde do seu escudeiro... Deu a mão a beijar... Ofereceu um copo de velho Borgonha pela saúde de Vossa Alteza... Interrogou seu nome... Sensibilizou-se e comoveu-se com as expressões da mensagem enviada, e que considera generosa...

— Como é ela?...

— Senhor! É linda como um anjo dos Céus! Altiva como as deusas do Olimpo! Simples como as flores dos jardins do Éden... e bem-educada como talvez não o sejam todas as princesas da França!...

— Seus olhos?...

— Azuis e cintilantes como duas nesgas do firmamento alumiadas por um raio de sol...

— Seus cabelos?...

— Fios de seda pura, perfumados...

— Sua voz?...

— Ah, meu senhor! As melodias dos anjos, no paraíso, deverão ter a doçura da sua voz!...

— Seus dentes?...

— Fragmentos de estrelas, senhor! que o bom Deus colocou em sua boca...

— Suas mãos?...

— Rosas brancas, que o sol da manhã suavemente coloriu...

— Seu nome?...

— Não mo disse... Mas eu o soube confidencialmente...

— Conta-mo...

— Vive lá um rapazelho, um pajem, por nome Camilo... Gosta de palrar. Interroguei-o... e ele explicou: '*Mademoiselle* aborrecia-se na província... Vem a Paris, pretendendo casar-se...'

"Com quem, meu rapaz?... — indaguei eu do dito pajem...

"'Ainda não escolheu noivo... Apenas chegamos...'

"E... Como se chama *mademoiselle*?... — indaguei novamente.

"'Proibiu-nos de revelar o seu nome, porque deseja casar-se por absoluto amor, sem que o nome da família contribua para o importante acontecimento... Chama-se Otília... e tem um irmão altamente colocado junto do próprio Rei...'

"E... Quem é o irmão, meu rapaz?... — voltei eu à indagação.

"'O coronel Artur de Louvigny-Raymond... Mas cuidado, Sr. escudeiro, não o reveleis a ninguém... do contrário lograrei uma sova de meu pai, que tem em muita consideração os caprichos de *mademoiselle*...'"

Somente então Luís deixou a atitude de oração conservada até ali, fitou o servo com olhar benévolo, enquanto um largo sorriso dizia o quanto lhe era grato pelo excelente serviço prestado, e ordenou:

— Dispenso-te, vai repousar...

— Mas... Meu senhor...

— Ficarei aqui até amanhã, vai!...

E, com efeito, continuou genuflexo, disposto a ali passar a noite.

Se, porém, a Luís de Narbonne fosse permitido devassar os aspectos do mundo invisível, que o rodeavam, ter-se-ia alarmado compreendendo que a sombra espectral da verdadeira irmã do seu amigo de infância, no Convento dos Domínicos, Artur de Louvigny, ali estava, ao seu lado, fantasma lacrimoso e vingador, alimentando em sua mente os fogos daquela enlouquecedora paixão de amor pela qual se sentia absorver qual indefeso e frágil ser humano pelos tentáculos do polvo esmagador, nas profundezas do oceano...

6

EVA E A SERPENTE

Os sinos de Saint-Germain l'Auxerrois, depois de fazerem soar as sete horas da manhã, entraram em variações de toques continuados, advertindo os fiéis de que monsenhor, o vigário oficiante do dia, iniciava a solenidade da primeira missa. Chovia por entre rajadas e correntes frias, que tornavam as ruas tristes e desertas. Com semelhante tempo, a nave da Igreja não se superlotara como era habitual... não obstante a época de truculências religiosas exigirem de crentes, de descrentes e até de ateus pomposas demonstrações de fé e afetações de piedade, que estavam todos longe de verdadeiramente sentir...

Inquieto, Luís de Narbonne, que passara a noite na Igreja com alguns clérigos, entre preces, conversações sobre a atualidade, sonhos de amor e um cortejo de emoções insólitas, muito chocantes, movimentava-se agora de um para outro lado, incapacitado para permanecer por mais tempo no seu genuflexório, tal o estado de excitação nervosa por que se deixara enredar. Ansiava pela visão do dia anterior e aguardava-a desde as dez horas da noite da véspera, contando os minutos e os momentos que o separavam do instante feliz em que a veria caminhando pela nave até a capela-mor, onde pretendia colocá-la a seu lado...

A jovem, porém, tardava. Insofrido, contrariava-se: "Viria?... Não viria?... Por que tardava assim?... Esperemos ainda um pouco...", tais os namorados grandemente interessados nas afeições que despontam...

"Se não vier" — pensava consolativo —, "Rupert irá ao Palácio Raymond averiguar da razão da sua falta...", e esperava ainda...

Desde a véspera apenas adormecera reclinado nas poltronas das sacristias, durante uma ou duas horas. Mas não se reconhecia fatigado. O ambiente, por ele considerado sacrossanto, da Igreja, fazia-lhe bem, revigorando-lhe moralmente o desgaste das energias físicas. Confessara-se às seis horas da manhã; e, como tencionava comungar durante a missa, não fizera ainda a primeira refeição, pois que, além do mais, convidaria a linda Louvigny a acompanhá-lo à mesa, na própria sacristia... Irmã de Artur, ela! a doce visão trajada em veludo azul!... Ó Céus, que felicidade! Seria como que considerá-la já sua noiva, sua esposa, porquanto Artur, seu antigo companheiro de infância, seu colega de armas nas forças do Rei, rejubilaria ao ser inteirado de que uma inesperada aliança matrimonial vincularia suas casas e sua antiga afeição!... Faltaria tão somente o consentimento do Rei, da Rainha-mãe, pois que ele, de Narbonne, não prestara ainda à Igreja nenhum decisivo juramento... E Sua Majestade, o Rei, por que impediria?... Ele e Artur não eram servidores leais do trono e da França, merecendo deferências?... Verdade era que Sua Majestade, a rainha Catarina, detestava-o, a ele, Luís. Mas tal incompreensão porventura poderia impedi-lo de casar-se com quem bem lhe parecesse, no dia em que entendesse trocar a Teologia pelo tálamo?...

Todavia, a jovem de Louvigny não aparecia... Tê-lo-ia enganado?... Jamais alguém o fizera esperar, desde que deixara o convento... Amá-lo-ia, com efeito?... Seria pelas chuvas o impedimento?... Ah! iria ele próprio à sua casa, visitá-la-ia ele mesmo, e não Rupert, e oferecer-lhe-ia os préstimos! Não era a irmã de Artur?... E não chegara apenas na véspera, desconhecendo tudo e todos, na grande cidade?...

Várias vezes chegara à porta de entrada, preocupado, sem serenidade para aguardar Rupert, que, postado à frente da Igreja, esperava, incumbido de avisá-lo à capela-mor tão logo a carruagem de Louvigny assomasse ao longe... Não obstante, monsenhor oficiante já se paramentava para os ofícios, seus acólitos já se agrupavam, formando o séquito de honra para o cerimonial de entrada solene na capela... *Mademoiselle* de Louvigny não aparecia... Monsenhor entrara, finalmente, o cálice de ouro nas mãos diáfanas... subira os degraus do altar e colocara-o sobre os linhos alvíssimos, com o costumeiro ósculo ritualístico...

Pela primeira vez o Sr. de Narbonne cometeu uma desatenção em momento tão solene: levantou-se de mansinho, do seu genuflexório, afastando-se sem repetidas menções de ajoelhar-se, como conviria a um crente de sua circunspecção... Deixou o recinto respeitável e atravessou a nave com suas longas passadas de soldado, não obstante os trajes de estudante de Teologia que desde a noite da véspera envergava... Chegou-se a Rupert, pacientemente à espera, e falou num sussurro, algo contrafeito:

— Sinto-me inquieto... Corre ao Palácio Raymond... Dize a *mademoiselle* de Louvigny que não assistirei à santa missa sem que...

Todavia, nesse momento, impedindo-o de terminar a frase, uma carruagem puxada a dois cavalos assomou à esquina próxima... Fitou-a emocionado. Encaminhava-se para a Igreja... Logo as armas da família se destacaram do escudo aos seus olhos muito abertos, como deslumbrados por um encantamento, depois de horas tão mortificantes de incerteza...

Camilo saltou da boleia, estendendo o tapete de fibras impermeáveis... Dama Blandina desceu vagarosa, sob a chuva... Rupert correu a auxiliar com o para-chuva apropriado para momentos tais, gentil e prestativo... E Otília, trajada em veludo negro, ornada de rosas brancas ao natural, pálida e linda qual madona de uma esfera ideal, desceu tímida... e deparou à sua frente, emocionado e tremente, aquele a quem tencionava desgraçar!

Luís olhava-a, absorvia-a no fulgor dos seus grandes olhos habituados ao domínio, medindo-a minuciosamente, como que lhe examinando, ansioso, as feições, o porte, os cabelos, os vestidos, os adornos caprichosos...

Cumprimentou-o a formosa La-Chapelle em vênia obrigatória, curvando-se graciosamente, com respeito e distinção, pois não ignorava encontrar-se diante de um Príncipe, depois do que, fitou-o com meiguice e angelical timidez, exclamando baixinho, e impregnando de dulçor intraduzível o tono de voz em que se expressava:

— Meu senhor, perdoai... A violência da chuva...

Luís, porém, não a deixou terminar. Curvou-se, também ele, e, ali, ainda na porta, tomou-lhe sofregamente das mãos e beijou-as com fervor:

— Não diga nada... — foi o que pôde dizer sussurrante, e silenciou... Ofereceu-lhe, em seguida, a mão, sobre a qual ela apoiou a sua, que, como tão bem classificara Rupert, parecia estruturada em pétalas de rosas... e conduziu-a para a capela-mor, fazendo-a ajoelhar-se a seu lado, sem pronunciar sequer uma palavra...

As cerimônias ultrapassaram o espaço de uma hora. O rosto oculto entre as mãos, a falsa Otília dir-se-ia contrita diante de Deus, orando com especial desprendimento das coisas mundanas. Pelo menos essa fora a convicção do altivo Capitão da Fé, que no seu orgulho de mandatário tudo via e compreendia segundo os próprios desejos. De vez em quando, voltava-se para ela, observando-a com ansiedade e paixão, mas Otília se mantinha alheia, não erguendo os olhos sequer para o altar...

Que precipitosos abismos se rasgariam aos pensamentos da jovem renana durante aquela hora tão longa, em que parecia que todas as gritas infernais ecoavam em sua alma em ribombos turbilhonantes, ora incentivando-a à aventura arrojada, ora apavorando-a à frente da imensidão das trevas em que se precipitava?...

E ela pensava, pensava, alheia ao amor de Deus, e do dever, enquanto monsenhor oficiava e dois olhos ternos e amorosos a envolviam em cariciosos eflúvios, que seriam como labaredas inextinguíveis que as desgraças e o curso do tempo não lograriam amortecer! E, pensando, argumentava consigo própria, validando razões para o prosseguimento da tarefa inglória que à amiga moribunda prometera realizar em hora de funestas depressões morais.

Revia, em cotejos percucientes, a Renânia querida, seu lar aprazível e protetor como albergue no paraíso, seus pais veneráveis e bons, amigos da própria família como de estranhos, que a adoravam como se adorariam querubins nos Céus! Recordava, com o coração acicatado por indeléveis torturas — Carlos Filipe — o irmão adorado, o segundo pai cujos conselhos e lições extasiaram sua alma durante os longos serões da noite; Carlos, o amigo terno e incondicional, que confessava aos próprios pais amá-la acima de todos os demais afetos, e cujo sentimento espiritual por ela mesma se desdobraria através dos tempos, porque remontava a um pretérito longínquo... Lá estavam, decalcadas fulgentemente em suas mais doces recordações, o oásis em que se balsamizava das sevícias do presente, as encantadoras tardes dos domingos, quando ela, graciosa, mimosa, ídolo da família inteira, divertia-a qual artista consumada cantando as sugestivas canções escritas pelo irmão e adaptadas às melodias do Reno, ao som da cítara ou da harpa... Ouvia, outra vez, como percutindo desoladamente na dor das suas saudades, a voz dos entes bem-amados, que nunca mais poderia rever... os risos dos sobrinhos pequeninos, junto dos quais passava horas inefáveis a brincar em correrias pelos terraços e corredores do Castelo... até que, compreendendo-os fatigados, os levava a adormecer nos berços confortáveis...

Mas tudo isso, que fora o seu mundo, essa celestial ventura que fizera a sua alegria, que fora a esperança dos seus sonhos, a sua própria vida, esse lar onde se sentira protegida contra as investidas do mal, que jamais imaginara perder — não mais existia! Desaparecera na voragem da desgraça! Fora apenas um lindo sonho da sua infância, uma divagação sentimental da sua juventude ardorosa, a qual se consumira na decepção amarga de um rude, inesperado destino! Só existia, agora, pesadelo trevoso que destroçara a paz do seu coração outrora crente e angelical, onagro pisoteando vidas e espalhando sangue, dor e luto — aquele homem que ali estava, a seu lado, e a quem, por sua vez, deveria destruir! E esse homem fora o destruidor do seu lar, da sua felicidade, monstro apocalíptico, que se abatera sobre seus entes amados, destroçando-lhes as vidas... vampiro clerical expedindo morte e devastação ao ruflar das negras asas pervertidas... crente herético e maldito, que assassinara e vilipendiara o próximo, valendo-se do sacrossanto nome de Deus!... Bárbaro e diabólico teólogo, que não detivera o machado ceifador nem mesmo à frente de velhos e de crianças!... Ó detestado e miserável homicida religioso! Que castigo bastante digno do teu crime?... Como saberia ela ferir-te um dia, vingando aqueles bem-amados seres tombados por entre borbotões de sangue?... Pelo ódio a ti repelia ela, agora, a própria crença naquele Deus que Carlos Filipe tanto amava... porque, se continuasse a respeitar esse Deus, seria necessário, seria urgente perdoar e esquecer... e ela não poderia, não queria perdoar nem esquecer, porque, se assim agisse, sentir-se-ia indigna de si mesma, porque passiva diante da ofensa, diante do insulto, diante da vilania, diante do crime!

Aquele homem monstruoso, assassino diabólico, detestado, ali estava, bem junto dela! Sentia a ardência do seu olhar carregado de vibrações apaixonadas pesar sobre suas sutilezas psíquicas, requeimando-lhe a própria alma, produzindo-lhe odioso mal-estar! Sentia evolar-se dele, revoltando seu olfato até as náuseas, um cheiro acre de rosas secas, alfazema e incenso, com que, bufão de sacristias, gostaria de saturar o grotesco burel de estudante dogmático... e até lhe ouvia o arfar sibilante do largo peito incendiado de emoções por ela... e seus suspiros detestáveis, que tinham por alvo a ela própria, que o odiava tanto!...

Como suportaria tal situação para poder vingar-se dele?... Quisera assassiná-lo já, por evitar o seu odioso contato... e o teria feito se o pudesse, diante daquele altar que ela desprezava e abominava com todas as forças da sua alma rebelada, porque era o altar da sua fé, da crença que ele amava! Quisera também fugir dali, gritar, conclamar a ele e ao mundo inteiro, em insultos ferinos, que ela, que ali estava, cujas mãos ele acabara de fervorosamente oscular, era uma huguenote e se prezava de o ser, que não era uma Louvigny, mas a própria sobrevivente do massacre de La-Chapelle, a qual ele caçara afoitamente, para igualmente trucidar!

Mais alguns minutos... e seus nervos, delicados e exaustos, não mais suportariam tão violenta tensão...

De súbito, porém, seus pensamentos buscaram Otília, a amiga morta em seus braços, e de cuja identidade se apossara para a temerária aventura que iniciava. Insólito arrepio, percorrendo-lhe a espinha dorsal em penosa sensação gelada, fê-la exalar um como suspiro singular, seguido de outro e mais outro, profundos, atormentados... Luís fitou-a curioso, terno e satisfeito, certo de que seria por ele que a jovem se emocionava tanto... Ela, porém, Ruth Carolina, a falsa Otília, pressentiu a seu lado a sombra da amiga morta, tal como esta mesma havia prometido para ocasião oportuna, antes de verificado o seu decesso... Juraria a si própria que não a pressentia tão somente, mas que, em realidade, via-a chorosa e persistente no propósito de vingar-se... E não somente a via... como a si mesma afirmava que a amiga defunta repetia aos seus ouvidos, murmurante e trágica, tal como no dia em que assentaram as bases nefastas do pacto vingador:

"Intriga, Ruth! Intriga, atraiçoa, mente, fere! Porque serás esmagada se o não fizeres... És singularmente bela... e uma mulher bela como és conseguirá revolver céus e terras, se se decidir a aliar a dissimulação e a ousadia à beleza de que é dotada... Luís de Narbonne é presa fácil de conquistar... Faze-te amar por ele... é a única arma que poderás empunhar... e vinga teus mortos queridos, servindo-te do amor que sentir por ti... Não temas que descubram o engodo da personalidade... Defender-te-ei contra todos os perigos, até mesmo contra Artur... Não vaciles, pois... Prometeste... Prometeste..."

E assim foi que, quando o vigário oficiante terminou a solenidade e, surpreso, fitou seu discípulo, o "Incorruptível Capitão", embebido na contemplação de uma formosa madona que se mantinha ao seu lado; ela, por sua vez, fitava Luís com os olhos doces e ingênuos, e o sorriso mais casto e infantil que ele jamais pudera supor existir acompanhando os demais encantos femininos...

* * *

As mansões religiosas antigas, ou Igrejas, possuíam nas sacristias dependências particulares capazes de hospedar pessoas ilustres. Eram residências, quase sempre com amplas salas para reuniões solenes, assembleias culturais, estudos, onde casos importantes de conveniências religiosas ou políticas, intrigas e até crimes poderiam ser discutidos. Costumavam fazer ali, até mesmo as refeições, personagens gradas à Igreja, tais fossem as circunstâncias. Luís de Narbonne era dessas personagens cuja posição social se imporia a vultos que transitassem na política religiosa da ocasião. Se como discípulo se mostrava atento aos deveres que lhe cabiam, como homem, como príncipe e militar seria voluntarioso e altivo até mesmo à frente de representantes da Igreja. Naquela manhã, portanto, convidou ele a suposta Otília de Louvigny a ligeiro repasto à sua mesa, depois da missa e da comunhão, às quais ela se submetera, prestando-se até mesmo ao ato da confissão, no intuito de infundir-lhe confiança. A seus apaniguados religiosos do momento, o Capitão da Fé apresentou-a, deferente, como a condessa de Louvigny, irmã do valoroso coronel-conde do mesmo nome, na ocasião investido de melindrosa missão no estrangeiro. Ruth Carolina recebera aprimorada educação. Soube, portanto, ater-se, diante de estranhos, a princípios e atitudes que, se não cativaram as simpatias dos clérigos que rodeavam Luís, pelo menos se impuseram por uma acentuada distinção. À mesa, pois, da refeição que Luís lhe oferecia, enquanto Blandina d'Alembert a esperava ao lado de Rupert, afirmava a jovem ao seu garboso capitão pretender apresentar ainda na tarde daquele dia os seus respeitos e homenagens a Suas Majestades Catarina de Médici e seu filho Carlos IX.

— Pretendia — afirmava — oferecer seus préstimos à grande soberana, ou, quando nada, pôr-se ao seu dispor para a eventualidade de lhe poder ser útil alguma vez...

Fitou-a o belo teólogo, de cenho carregado, com ímpetos de desaconselhá-la do intento, sem que a menina o pudesse ter notado.

"É inexperiente da Corte", pensou ele, ouvindo-a. "Ignora os excessos de que será capaz a Rainha da França nas pessoas das jovens provincianas que se oferecem a seus serviços... Mas estarei vigilante a seu lado, pronto a orientá-la e defendê-la de quaisquer armadilhas... pois certamente Catarina de Médici tomá-la-á para seus serviços secretos, o que seria lamentável..."

Não obstante tais pensamentos, calou-se, incapaz de uma intriga e da maledicência, pois sabia ser discreto, mesmo quando visasse a um fim útil. Alguns instantes mais e respondeu ele à menina atenta:

— É uma Louvigny, condessa... Deve fazê-lo... Será, efetivamente, um dever... Ter-me-á à sua disposição para acompanhá-la... Solicitarei agora uma audiência especial para ter a honra de apresentá-la à nossa Rainha... Arrebato para mim a honra de ser o seu cavaleiro nos meandros da Corte...

Ela sorriu, desfolhando sobre a mesa uma rosa das que trazia presa ao vestido, cujas pétalas ele recolheu com galanteria imprópria de um pretendente à sotaina clerical...

— Ainda não me revelou seu nome de batismo, condessa!... — exclamou de chofre, evitando declarar que a conhecia por intermédio da indiscrição de um pajem do Palácio Raymond ao seu escudeiro.

Acentuou-se o estranho sorriso que aflorara aos lábios da singular menina, a qual se limitou a provocá-lo com um olhar brejeiro, que teve o condão de encantá-lo porventura ainda mais:

— Deixo à vossa sagacidade o trabalho de o descobrir, meu senhor...

— Nesse caso, tampouco eu revelarei o meu...

— Se sois o amigo de infância de meu irmão, companheiro de estudos no Convento dos Domínicos, conforme assevera minha preceptora, Blandina d'Alembert, que vos conhece, somente podereis ser o grande Luís de Narbonne... o cavaleiro mais leal e mais piedoso da França...

Ao se despedirem, confessou-lhe ele que a seus pés depunha todo o poder de que dispunha e todo o seu coração, para amá-la e servi-la...

— Como assim?!... — interrogou com audácia e malícia. — Não pretendeis tomar ordens clericais?... Trazeis um tão honroso uniforme...

— Sim... Pretendia...

— E agora, meu senhor?...

Fitou-a com melancolia e ternura infinita, e prosseguiu:

— ...Agora, enquanto o mundo for mundo e a essência divina palpitar em minha alma, pertencerei ao seu amor, condessa...

— Eis um juramento prematuro, meu senhor... — sorriu, galgando o degrau da carruagem, criança mimada à beira de um abismo secular, incapaz de supor que, apesar de tudo, aquele coração possuía generosidade bastante para saber bem querer-lhe com fervor idêntico ao que sua própria família, por quem chorava, lhe consagrara!

* * *

Em verdade, Catarina de Médici seria a verdadeira vontade a conduzir o governo francês sob um pulso de ferro, cabendo a seu filho Carlos

IX, o Rei, quase tão somente consultá-la, ouvi-la e obedecer-lhe. Esse governo sombrio atirou para a responsabilidade do seu dirigente coroado muitos distúrbios e despautérios que de preferência deveriam pesar na consciência da Rainha-mãe, ajuntando-se à sua já muito extensa bagagem particular de arbitrariedades praticadas contra o povo, os amigos e os inimigos. Por isso mesmo, antes que se prestassem homenagens ao Rei, prestar-se-iam primeiramente a ela, visto que, ainda que se sentisse alguém nas boas graças daquele, nada aproveitaria se lhe fossem negadas as simpatias da Rainha. Essa mulher valorosa e cruel, arbitrária e inteligente, caprichosa e realizadora, quanto notável regente, porque ordeira e severa naquilo que entendesse por cumprimento de dever, absorvia com seus tentáculos poderosos e insaciáveis as melhores forças existentes no caráter dos franceses de então, não concedendo senão migalhas de poder aos três filhos que foram reis da França e cuja coroa ela própria era quem mantinha em suas cabeças frágeis e incapazes, com a firmeza do seu gênio político. Se esse gênio pecou pela corrupção da crueldade fria generalizada, é cláusula que não apreciaremos nestas páginas. Imaginaremos, de preferência, do que será capaz esse mesmo gênio, másculo e forte, intrépido e producente, no dia em que, completamente reequilibrado nos planos da justiça e do amor, conceder ao mundo, em veros benefícios, o que no século XVI realizou em malefícios. E rendamos, assim, nestas páginas, cujo intuito não será outro senão o da análise construtiva, as homenagens que, mercê de Deus, há de merecer nos dias porvindouros, após o aprendizado cruciante, mas reconstrutor, das reencarnações terrenas.

Ruth Carolina, ou Otília de Louvigny, foi recebida por essa mulher singular na tarde daquele mesmo dia. Luís de Narbonne obtivera a audiência desejada, e o nome de Louvigny, por ela usado, estava muito chegado ao trono, no passado, com Francisco I e Henrique II, pelos avós e pelo pai de Otília, e no presente com seu irmão Artur, para que a Rainha desprezasse ouvir alguém que ainda o trouxesse gravado nos brasões.

A falsa Otília, como vimos, vinha sendo educada para conviver na Corte da Alemanha, cujos cerimoniais e protocolos seriam mais rigorosos e polidos do que o eram os exigidos pela Corte francesa. Saberia, portanto, conduzir-se agradavelmente em presença de soberanos, porque o fazia destituindo-se de quaisquer afetações, mas servindo-se de alto respeito e graciosas atitudes. E, pois, foi sem quaisquer impressões de nervosismo, sem sequer se perturbar com um só reflexo de emoção, que atravessou, pela mão do Capitão da Fé, as antecâmaras repletas de cortesãos curiosos, que a observavam com interesse... e se encontrou diante da Rainha-mãe — a mesma mentalidade cuja política traiçoeira exigira o massacre de indefensos huguenotes.

Luís apresentou-a, servido pelo introdutor particular da soberana, e, discreto e justo, retirou-se, tendo a linda provinciana cumprimentado a Rainha em curvatura solene, como melhor não o teria conseguido fazer uma princesa.

A mãe de Carlos IX fitou-a demoradamente, o cenho carregado, os olhos frios e penetrantes. Ruth suportou aquele olhar sem qualquer emoção, não desviando também os olhos. Apenas se permitiu novo cumprimento, suavizando a recordação de que a essa mulher feia e marmórea, cuja pele seca e lívida lembraria a pele de um cadáver, devia a tragédia que para sempre enlutara a sua vida. Todavia, repetiu consigo mesma o que respondera a Blandina e a Gregório, na véspera:

— Prefiro não me queixar desta... Preparou o massacre de huguenotes, é certo, mas sem nomear os de Brethencourt de La-Chapelle... A estes, quem procurou para trucidar foi Luís de Narbonne...

Catarina era uma mulher de sentimentos frios, dissemos, interesseira, ambiciosa, profundamente calculista. Notificando desde o primeiro momento a singular formosura da falsa Otília, sua graciosidade verdadeiramente sedutora, seus modos angelicais, suas expressões infantis cativantes, pensava, enquanto a envolvia no olhar:

— Eis uma excelente auxiliar para a política do trono dos Valois... Uma mulher assim jovem, assim bela, saberá extrair segredos de muitas personalidades altamente colocadas, incômodas ou suspeitas de inimigas da França e dos Valois em particular, aqui como no estrangeiro...

Virou-se para a sua primeira dama e disse com aqueles modos incisivos e rudes, que jamais conheceram réplicas:

— Ide com as demais... Desejo permanecer só com a visitante de Louvigny... Que não me interrompam...

As damas se retiraram submissas, entre mesuras respeitosas, enquanto a suposta Louvigny se achou no dever de agradecer a deferência, curvando-se novamente, graciosa e polida. Não pronunciara ainda uma única palavra. Catarina não a interpelara ainda. Não havia, portanto, permissão para que falasse.

A sós as duas mulheres, que de vibrações análogas trocaram enquanto se fitaram?... Subitamente, porém, falou a Rainha, permanecendo de pé a visitante, postada à sua frente, e ela sentada em sua alta cadeira, que se diria o trono na intimidade:

— Tu não és uma Louvigny! És descendente dos Brethencourt de La-Chapelle!...

A irmã de Carlos não se pôde furtar a um gesto de espanto, logo dominado por uma serenidade intraduzível, e respondeu em nova respeitosa curvatura:

— Não trazia intenção de enganar a Vossa Majestade!

— Tu te pareces extraordinariamente com Carlos Filipe, a quem cheguei a conhecer... — tornou a soberana, sem parecer agastada. — Os traços fisionômicos, os olhos dos Brethencourt de La-Chapelle, principalmente, são inconfundíveis... Não existem iguais em toda a França...

— É verdade, senhora!

Compreendendo que seria inútil pretender sustentar falsa identidade diante da sua Rainha, que estaria bem informada sempre de quanto se passasse pelo país inteiro, Ruth Carolina modificou, num raciocínio célere como um jato de sugestão exterior, o programa que se traçara, e prosseguiu:

— É verdade, Majestade! Sou uma Brethencourt de La-Chapelle, que, como os seus antecedentes, estará pronta a servir à sua Rainha e à França...

— Sabes que és ousada e que eu poderia ordenar a tua prisão e fazer-te condenar, por te haveres apoderado do nome de ilustres servidores da França para te insinuares no Louvre?...

— Vossa Majestade há sido justiceira sempre em todas as ordenações para o bem do reino... Se ordenar minha prisão, resignar-me-ei submissa... Todavia, o trono dos ilustres Valois perderá, com a minha pessoa, uma defensora leal e muito capaz... e que aqui se apresenta disposta a dar a vida para servi-lo...

Catarina de Médici estava longe de ser uma inteligência medíocre. Hábil política, boa conhecedora das paixões humanas, descrente do desinteresse e da lealdade gratuita daqueles que afirmavam servi-la, prontos a morrerem pelo trono, mas certa de que a todos moveriam interesses próprios, perguntou em seguida, julgando assaz interessante e prometedora a desenvoltura da jovem provinciana:

— Que te leva a desejar servir ao trono dos Valois com o sacrifício da própria vida?...

— Senhora, é o ódio! O desejo de me vingar de um inimigo!...

— Oh! Não será, certamente, ódio a alguém achegado ao trono?!...

— Não, Majestade! Longe disso... é inimigo do trono... Respeito os amigos do trono como ao próprio trono, porque venero as pessoas dos meus soberanos...

— Quem, então?...

— Luís de Narbonne!

— Ah!... Compreendo...

— Permita Vossa Majestade... e arredá-lo-ei não só do meu caminho, mas do caminho de quem não se sentir seguro com a sua presença ao redor de si...

Fluidos pecaminosos, mas compreensivos, entrelaçaram a mente das duas terríveis mulheres, que se tornaram cúmplices de um grande crime a partir daquele momento. Elas se examinaram e compreenderam que uma à outra seriam de real utilidade. Ruth, emocionada, arfava o seio e tinha as faces purpureadas. Catarina não cessava de fitá-la, meditando sobre as vantagens daquela aliança.

— ...E por isso usurpaste o honrado nome dos Louvigny... — murmurou ela, como exigindo minudências.

— Senhora, eu não o usurpei! Uso esse nome sob autorização da verdadeira Otília de Louvigny, que era noiva de meu irmão Carlos e morreu em meus braços, de quem recebi instruções para a realização dessa missão vingadora, a qual não pretendo apreciar se honrosa ou odiosa, e a quem prometi, sobre as Santas Escrituras, obedecer...

Entraram em entendimentos. Ruth narrou seu ódio, seu desejo de castigar o destroçador de sua família. À Rainha pouco importariam os motivos que pudessem levar aquela insignificante criança a desejar aniquilar um homem como Luís de Narbonne. Todavia, a mesma

Catarina possuía experiência bastante, a respeito das criaturas, para duvidar da possibilidade de uma mulher frágil, mas astuciosa e audaz, derruir o destino e até a vida de um homem, por mais poderoso que fosse e altamente colocado na sociedade... O que a ela, Catarina, muito importaria seria, efetivamente, arredar o Capitão da Fé da beira do trono, onde de dia para dia mais incômodo se tornava... Que aquela provinciana pretensiosa e atrevida o arredasse, pois, como bem lhe parecesse. Não seria a primeira vez que o seu poder de governante se serviria de mãos ignorantes e frágeis para garantir o esplendor e a estabilidade do férreo poder dos Valois no solo da França! Se, depois, essa perigosa La-Chapelle se tornasse igualmente incômoda... saberia como fazê-la aquietar-se... Na Bastilha não faltavam masmorras discretas como túmulos... e nos armários do Louvre proliferavam drogas mortíferas com que enriquecer os vinhos ao brindar-se inimigos sempre incômodos e amigos tornados perigosos...

Ciente pois de toda a intriga, ela, que era, por certo, a maior intrigante da Europa, redarguiu, fazendo-se severa para melhor conhecer a servidora que lhe caía aos pés:

— Tua família, integrando-se à heresia luterana, atraiçoou a França... Por que, pois, desejas vingar-te do conde, se a sua execução foi decreto que abrangeu a coletividade huguenote?...

A jovem La-Chapelle corou, mas respondeu com firmeza, indiferente à reação que a soberana poderia aplicar:

— O que sei, Majestade, é que, luterana ou não, eu amava a minha família acima de tudo neste mundo, e a entendia fiel servidora da França e leal no respeito para com o trono... Dos exemplos que junto dela colhi, é que hoje consigo forças para igualmente servir ao meu país e respeitar os meus soberanos... Mas a Luís eu odeio e jamais, jamais lhe perdoarei! Os meus não teriam sucumbido à reação aplicada aos huguenotes se a sua sanha assassina não os fora descobrir no insulamento pacífico em que viviam, amanhando a terra e socorrendo a pobreza... Vossa Majestade mesma ignorava que os de La-Chapelle fossem huguenotes...

Pretendendo confundi-la, Catarina retrucou ainda, sem lhe permitir ensejo para meditar a resposta:

— E tu, a que partido pertences: à Igreja, a Lutero ou a Calvino?...

E ela vivaz e sincera:

— Majestade! Eu apenas vivo para uma finalidade, e esta é a vingança, tão rude quanto mo permitirem as minhas forças, contra a pessoa de Luís de Narbonne!...

Decididamente, a cândida açucena dos campos de La-Chapelle, agora transformada em demônio vingador, como tão bem a qualificara a agonizante de Louvigny, agradava à soberana da França, porque, a essa confissão tão espontânea e significativa, respondeu, passados alguns instantes:

— Terás, então, de agir rapidamente... E para maior segurança dos teus propósitos... manteremos o coronel Louvigny em nova missão no exterior... Sua presença aqui, no momento, seria desastrosa...

— Obrigada, Majestade!

— Se o conde descobrir o teu enredo, esmagar-te-á sem piedade... Mil perseguições cairão sobre ti... e eu desejo permanecer à margem do que suceder...

— Sim, talvez, minha senhora! Talvez eu seja esmagada... Mas dou a certeza de arrastá-lo na minha queda... e é isso justamente o que desejo... Luís de Narbonne confessou-me hoje sua paixão por mim...

— Não imaginaste que és excessivamente ousada e perigosa e que eu poderia aniquilar-te, agora, neste momento, apenas com um gesto, fazendo vir o conde e revelando-lhe tudo quanto acabas de dizer?...

— Majestade, eu falo com o coração a seus pés, nada ocultando... Diante de minha soberana, portanto, não serei perigosa... Luís de Narbonne, sim, é ameaça constante para o trono da França e Vossa Majestade não o ignora... enquanto que eu sou a pessoa indicada para arredá-lo de uma vez para sempre... Se aprouver a Vossa Majestade aniquilar-me, faça-o! É a soberana poderosa e justiceira, e a mim caberá tão somente acatar as suas decisões, curvando-me a elas... Mas, senhora, uma graça eu rogo antes: concessão e pequeno prazo para, antes de morrer, desgraçar o conde de Narbonne!

O entendimento estendeu-se ainda por algum tempo. Intimamente, Catarina confessava-se satisfeita. Aquela La-Chapelle, de quem até o nome de batismo ignorava, era, realmente, o inestimável presente que o inferno lhe enviava na ocasião precisa! Sim! Sim! O Príncipe preocupava-a profundamente! Incomodaria o trono, portanto! Diziam os cortesãos, sempre ciosos de intrigas e maledicências — e ao seu feitio de Rainha conviria acreditar — que o capitão andaria em entendimentos com altos poderes da Igreja, esperando possíveis apoios para radicais mudanças no poder, como bastardo que seria ele do seu defunto esposo Henrique II. Certamente que a dinastia dos Valois não lhe permitiria ensejos para uma aventura de tão alta significação... Mas era certo que o jovem capitão era poderoso também, contaria, talvez, com o apoio da Igreja para qualquer emergência... e quantos incômodos e esforços custariam a ela própria, Catarina, para aniquilar-lhe as investidas!... Escureceu o fato de aquela menina descender de huguenotes e resolveu que do seu ódio se serviria para servir à sua própria política, concedendo-lhe liberdade de ação e até lhe favorecendo os intentos.

E assim foi que, quando a porta da antecâmara se descerrou e um pajem avisou ao camareiro de plantão que Sua Majestade desejava falar ao

Príncipe de Narbonne, este, que se mantivera à espera, acudiu pressuroso, notificando que a Rainha mantinha um esboço de sorriso nos lábios lívidos e que a menina a quem apresentara havia pouco mostrava-se risonha e radiante, revelando que uma grande satisfação se apossara do seu coração.

— Reconduzi a jovem condessa à sua casa, senhor conde... Devemos zelar cuidadosamente por ela, na ausência do irmão, nosso amigo... E recebei os meus cumprimentos pela lembrança que tivestes de encaminhá-la ao Louvre... — disse Catarina amável, estendendo a mão para ser beijada...

Por um momento Luís sentiu insólita apreensão conturbar-lhe o ser. Ele sabia que a Rainha, ao condenar um inimigo ou um amigo caído em desgraça, mostrava afabilidade... No entanto, o encantamento produzido em sua alma pela irmã de Artur impossibilitou-o de examinar devidamente o verdadeiro significado daquele inabitual gesto da sua soberana... Sorridente, pois, estendeu o braço à formosa renana e reconduziu-a sob o olhar frio e impenetrável de Catarina de Médici...

No dia seguinte, pelo alvorecer, dois oficiais da guarda da Rainha tomavam rumo da Espanha, devidamente equipados e acompanhados, levando encargos novos a Artur de Louvigny, no simples intuito de mantê-lo seguramente afastado do seu país...

7

PERFÍDIA

Alguns dias depois, a suposta condessa de Louvigny dirigiu-se cedo para o Louvre, encaminhando-se imediatamente para os apartamentos da Rainha. Corria a notícia, pelas antecâmaras, que uma bela provinciana das fronteiras da Alemanha fora admitida nos serviços particulares da poderosa soberana, razão por que vira ela, ao ingressar no palácio, naquela manhã, sorrisos amáveis saudando-lhe a beleza e curvaturas gentis provando-lhe respeito. O certo era que fora realmente aceita para os serviços da Rainha, tendo esta já recomendado à chefe das suas damas pusesse Otília a par dos costumes da Corte, facilitando-lhe a adaptação, recomendação que à jovem provinciana valeu atenções imediatas de todo aquele mundo ocioso e bajulador que gravitava ao redor da Rainha-mãe.

Entretanto, a mesma Otília fora indicada, não para os misteres próprios de uma dama ou de uma auxiliar comum, mas para o serviço secreto da política de Sua Majestade, o que equivaleria dizer que suas verdadeiras funções no palácio seriam a espionagem, a intriga, ou seja, a armadilha e o crime! Todavia, Catarina era bastante sagaz e inteligente para isso mesmo declarar de uma Louvigny, o que seria perigoso, principalmente quando sua primeira presa, por intermédio da linda menina, seria Luís de Narbonne. A este fez constar, portanto, que adotava Otília de Louvigny, na ausência do irmão, ao passo que a mesma auxiliaria na expedição da correspondência e escriturações gerais, pois que era culta, ao mesmo tempo que a aproveitaria para divertir-se com as mil e uma interessantes graças de que era portadora, durante as curtas horas de lazer que se permitia.

Satisfeito, o Capitão da Fé serenou a apreensão que desde o primeiro momento de conversação com Otília o assaltara, pois, ouvindo-a dizer, dias antes, que tencionava oferecer seus préstimos à Rainha, receara justamente que Catarina, ambiciosa e cruel, encaminhasse para seus famosos serviços secretos aquela angelical criatura que já lhe dominava o coração e os pensamentos.

Um enredo, uma intriga numa Corte de soberanos do passado, o cuidadoso preparo da queda de personagens importantes, que deveriam tombar dos próprios pedestais de honra e validez naturalmente, sem que verdadeiramente ninguém pudesse ser acusado pelo fato, era arte política, artimanha delicada que exigiria, do seu executor ou executores, um tino essencialmente satânico, uma dissimulação e uma inteligência porventura superiores aos que se exigiriam de um vero gênio da ribalta. A falsa Otília, com suas maneiras angelicais e sua estonteante formosura, seria a intérprete ideal para as intrigas do Louvre, nos dias inquietantes do sombrio governo de Carlos IX.

No seu primeiro dia de serviço, pois, terminadas as audiências da Rainha e entendimentos com ministros, delegados do povo, embaixadores, chefes militares, representantes do clero etc., a soberana entendeu de bom aviso reunir-se com sua corte de damas e auxiliares, passando em revista as recentemente admitidas, a fim de examinar-lhes as possibilidades. Em tais ocasiões havia confabulações coletivas e particulares, pois jamais essa personalidade sombria que se chamou Catarina de Médici ordenava algo aos seus espiões e agentes em presença de outros espiões e de outros agentes. Assim sendo, ela levou longo tempo examinando Otília, sem que um só dos circunstantes suspeitasse de que a jovem dos cabelos de ouro seria ali uma terrível intrigante a mais, a quem missões espinhosas, como a queda de Luís de Narbonne e enredamentos que envolvessem os senhores de Guise, seriam confiadas. Fez, portanto, que, ali, no salão onde se reuniam, Otília demonstrasse como se portaria num baile da Corte ou num banquete; como se ateria diante de um galanteio do rei, de um príncipe ou de um duque ou ante a impertinência de uma dama; como palestraria com um político suspeito de adversário do trono ou reconhecidamente favorável; com um embaixador, um representante da Igreja etc. Otília saiu-se tão bem das experiências, qual não o faria uma atriz consumada, revelando alta classe de dissimulação, astúcia e argúcia, o que não deixou de impressionar a própria Rainha, que murmurou consigo mesma, quando lhe admirava o diabólico talento:

— Quem sabe esta singular La-Chapelle antes deseja a ruína do trono, e não propriamente a de Luís de Narbonne?... Seria de bom conselho, com efeito, mandar espioná-la bem de perto... Ai dela, se pretender ludibriar a Rainha da França!

Em seguida, fechou-se com ela em câmara reservada, para confabulações particulares de praxe:

— Fizeste mal em utilizares o nome dos Louvigny, menina... Já agora não o poderemos dispensar, visto que de Narbonne te supõe realmente uma Louvigny... Por que não me procuraste antes de lhe falares?... Tu me servirias grandemente, sem esse malsinado nome... És incomparável na arte de dissimular e mentir...

— Majestade, confesso que me achava desorientada, não maturei bastante o programa a ser executado... Meu único fito era ferir de Narbonne de qualquer forma... e meu próprio nome seria um empeço... Prometo a Vossa Majestade, porém, que, mesmo sob um nome usurpado, trabalharei a contento...

— Poderias ter escolhido outro... Artur é personagem agradável ao Rei...

— Não inspiraria confiança a de Narbonne... E teria de ser um nome conhecido e acatado, já que usar o meu era impossível... Minha própria amiga, irmã do coronel de Louvigny, dona do nome, sugeriu-me usá-lo, para melhor efeito, depois da sua morte, conforme já tive a honra de explicar a Vossa Majestade...

— Faze como quiseres... Manterei o coronel distante, enquanto for possível...

Pensou durante alguns instantes, e depois continuou:

— Dar-te-ei liberdade de ação para o caso de Narbonne... mas de ti exigirei sondares dele noticiário circunstanciado quanto aos duques de Guise... São amigos... e dizem que os de Guise conspiram...

— Assim farei, senhora, e ficareis contente com a humilde serva... — respondeu a falsa Otília, recordando as instruções da amiga agonizante, cuja alma se diria também inspirar Catarina no momento.

— De hoje a três dias haverá baile na Municipalidade... — tornou a Rainha, delineando um programa do qual somente ela estaria segura —, mas não poderás a ele assistir, visto que ainda não foste apresentada à Corte... Estarás, contudo, ali, hoje, com as demais damas, às quatro horas da tarde, examinando a decoração, se estará a contento... A cavalaria do conde passará por lá a essa hora, mais ou menos... Será útil para teus intentos que ele te veja ainda hoje naquele local... Procura cativá-lo diante de testemunhas, provocando, ingenuamente, algo escandaloso durante vosso entendimento... Refugia-te depois aqui e não consintas, de forma alguma, em vê-lo nem em falar-lhe... Amanhã entrarás num convento qualquer, que escolherei, onde passarás de seis a oito dias por minha ordem, a título de jejuns e penitências para servires tua Rainha de coração limpo e consciência tranquila, depois do escândalo provocado pela tua inconsequência junto a Luís de Narbonne... mas em verdade a fim de observarmos a reação de que será ele capaz ante o rigor aplicado contra ti... Participá-lo-ás de tudo por uma carta cheia de paixão... Será de boa tática excitá-lo... mas furtar-se a expansões prejudiciais... É homem de costumes severos e honestos... e muita facilidade no amor chocá-lo-ia, provocando, certamente, o seu desapontamento, visto que as damas de Louvigny sempre foram consideradas altamente dignas... e que o único meio de realizares teus intentos a respeito dele será por meio do seu amor por ti e da confiança que lhe inspirares...

— Entendo, Majestade...

E realmente entendeu, porque, se com esmero Catarina a instruiu para o desempenho da ingrata aventura, melhor ainda a infeliz irmã de Carlos se desincumbiu do papel que lhe cumpriria encarnar.

Chovera, porém, o dia todo. O inverno anunciava-se rigoroso por meio dos aguaceiros ininterruptos. Soprava o vento tradutor das nevadas acabrunhadoras. O baile da Municipalidade, esperado sob ansiosa expectativa desde quinze dias antes, era oferecido à alta burguesia, que se mostrava fiel ao trono naqueles dias tenebrosos, quando ainda se estremecia à lembrança do 24 de agosto. À tarde, amainando o tempo, Catarina de Médici permitira a algumas damas de menor destaque irem apreciar a decoração do palácio, que, segundo afirmavam, estaria suntuosa, presidida, como fora, por alguns dos melhores artistas da época, e digna, portanto, dos salões do Louvre.

Certamente que os ricos e poderosos burgueses bem o mereciam! Tratava-se de classe realizadora, pronta a bater-se e até a sacrificar-se pela realeza, porque detestava a nobreza e desprezava a plebe, às quais intrigava com o trono, sempre pronta a ofender e prejudicar a mesma nobreza, porque justamente a invejava por vê-la à beira daquele, quando a ela própria as leis apenas permitiriam, ou impunham, ao mesmo trono engrandecer com a sua dedicada operosidade.

Alguns pequenos nobres, porém, deveriam acorrer a esse baile, assim como um representante do rei, o qual, assim sendo, descia da sua dignidade de monarca indiferente às próprias responsabilidades, sem sequer ser informado de que o fazia, talvez nem mesmo sendo conhecedor da dita solenidade, e assim entrevisto por meros passos políticos regionais, dos quais a sagacidade da Rainha-mãe esperava, como sempre, tirar proveito. E até aquelas gentis senhoras de Catarina, que no Palácio da Municipalidade examinavam se as dobras dos reposteiros cairiam bem à esquerda, ou mais graciosamente à direita, se os candelabros dos portais dariam iluminação de bom efeito, conjugada com os lustres pendentes do teto, desejariam ser agraciadas com a fortuna de ao baile comparecerem...

Ruth de La-Chapelle lá estava entre as demais jovens, deslumbrante de graça e beleza num vestido branco bordado a ouro, com suntuosa golilha do próprio gosto da Rainha, que exigia para as suas servidoras as mais distintas *toilettes*. Afetava alegria e deslumbramento, mas se a alguém se permitisse penetrar-lhe o íntimo, desvendar-se-iam em seu coração emoções profundas, descontentamento inquietante, revolta e dor, como fidelidade à sua tétrica aliada — a Rainha —, que parecera substituir a sombra da agonizante de Louvigny na direção dos seus intentos, e com cujas vibrações maleficentes desde seu ingresso no Louvre se afinara, graças às injunções perniciosas do Espírito da amiga morta em seus braços.

Fiel às recomendações de Sua Majestade e uma vez que estas vinham ao encontro das suas próprias aspirações, a jovem renana postou-se à espreita da ronda que, cerca das quatro horas da tarde, deveria passar pelo Palácio da Municipalidade, comandada pelo conde de Narbonne.

Encontrava-se ela, no momento, no andar denominado térreo, cujas sacadas, suspensas do nível da calçada cerca de dois metros apenas, permitiriam a duas pessoas se falarem facilmente, conservando-se uma debruçada no mesmo balcão e outra do lado de fora, na rua. Mais ou menos à hora aprazada, efetivamente se ouviu o rumor da cavalaria de Narbonne fazer ressoar nas lajes da rua o estrépito belicoso dos seus mercenários armados, em marcha lenta, demonstrando força e disciplina. Uma pequena multidão debruçou-se às janelas das casas e palácios circunvizinhos, enquanto, às sacadas da Municipalidade, damas e cavalheiros, que ali eventualmente se encontravam, predispuseram-se, curiosos, a apreciar a soldadesca famosa, considerada a mais disciplinada e adestrada de Paris. Eram de bom gosto, então, os aplausos piegas e bajuladores, a admiração exagerada a tudo quanto se relacionasse com a Igreja e o governo, e dificilmente alguém se furtaria a tais demonstrações, as quais seriam antes exteriorizações das conveniências do momento, e não espontâneo gesto de sinceridade.

Ruth encontrava-se num salão cujas numerosas sacadas, todas escancaradas, faziam ângulos com uma rua e uma praça. Postou-se ela no primeiro balcão que deitava para a dita rua, desde que vislumbrou ao longe a figura imponente do jovem capitão à frente dos seus homens. Lembrou-se das ordens de Catarina: "Promove algo escandaloso..."

Cumpriria, pois, a ordem... Que lhe importariam as intenções da soberana, se encerravam males para o detestado conde, ainda que redundassem na sua própria ruína?... De outro modo, a perda de Narbonne era fato que particularmente interessava à Rainha, e, fosse o que fosse que esta tramasse, necessariamente auxiliá-la-ia a atingir os próprios fins...

Avistando-a ao balcão, ainda uns dez passos distantes, Luís sorriu ardoroso e feliz, com a expressão de sincero encantamento que havia vários dias seus superiores e quantos o rodeavam descobriam em toda a sua pessoa. Cumprimentou-a com distinção e familiaridade, ao que Ruth correspondeu com uma vênia graciosa, entre um sorriso franco, pensando em Catarina... Fê-lo, porém, e, num movimento rápido e imprevisto, que se diria infantil, deixou a sacada onde se postara e postou-se na imediata, onde novamente esperou Luís, vendo-o, portanto, mais de perto, como da primeira vez... O sorriso do Capitão da Fé dilatou-se mais, deixando à mostra a bela fieira de dentes fortes e alvos, que muito poucas vezes dantes se haviam revelado aos circunstantes... Ruth, no entanto, já abandonara a segunda sacada, passando à terceira... e à quarta... e à quinta... o que deu em resultado acompanhar o trajeto de de Narbonne, com ele se defrontando durante todo o percurso, não pequeno, que media o quarteirão da rua e o da praça, que faziam esquina. E ela o fazia entre risos, deixando-o compreender o desejo que trazia de que ele lhe falasse naquela emergência... Deslumbrado, aquele estudante de Teologia, de quem todos esperavam absoluta fidelidade às exigências do clero e a quem julgavam insensível aos encantos da mulher, sofreou, de súbito, as rédeas do cavalo, fazendo estacar toda a sua garbosa companhia de lanceiros:

— Eu te saúdo, gentil condessa! — cumprimentou ele galantemente, parado sob a sacada onde se debruçava a cativante menina. — Mais do que ontem, hoje te encontro encantadora!...

Ao que a angelical irmã de Carlos respondeu:

— Salve, nobre Cavaleiro da Fé! Feliz eu me julgo por este acaso que o Céu criou!...

Riram-se sem constrangimentos, como dois namorados ardorosos que se adorassem, e ele, de chofre, achegou-se mais, para sussurrar como em sentida súplica:

— Preciso ver-te mais de perto, minha querida... Dize onde poderei encontrar-te... Estou louco de amor por ti... Não vivo, mas sofro, se estás ausente...

Ela sorriu enternecida, pestanejando os longos cílios, com faceirice:

— Com alegria atenderia a Vossa Alteza... Porém hoje é impossível... Sua Majestade necessita dos meus serviços...

— Terei de esperar, portanto, até amanhã?...

— Mandar-vos-ei um portador...

— Assistirás, porventura, a esse baile?...

— Não, Alteza! Sua Majestade proibiu-me de fazê-lo...

— E fez bem... Será reunião de burgueses, que não assentará à nobreza... Dá-me, então, algo de ti mesma... como lembrança... um pente, um laço, uma rosa como aquela outra, que aqui está, sobre o meu coração... e que me faça companhia até o nosso próximo encontro...

Excitada, sôfrega, afetando a olhos estranhos um realismo chocante, como se, efetivamente, a ardência amorosa do belo cavaleiro possuísse a magia de despertar-lhe emoções de amor, Ruth despregou um laço dos próprios vestidos e atirou-lho. Luís apanhou-o no ar, levando-o aos lábios como não o teria feito o mais singelo amante de província, ao receber a primeira dádiva de amor...

Não obstante, prosseguiu a marcha, emocionado, transtornado. Ruth, porém, deixara-se ficar onde estava, pois que as janelas, agora, não iam mais além, começavam outras dependências... Todavia, antes de virar à direita, saindo da praça para ingressar em nova artéria da velha cidade, percebendo Luís que não se despedira convenientemente da sua amada, volta as rédeas do cavalo, em disparada, deixando seus cavaleiros estacados, e chega-se novamente à sacada, onde Ruth continuava debruçada:

— Amo-te, condessa! — exclamou excitado e trêmulo. — Não posso viver sem ti!

Ela atirou-lhe a ponta de um manto, que ele beijou galantemente, recolhendo-o em seguida, para beijá-lo no mesmo local... E quem a observasse, diria convencido: "Está perdidamente enamorada do Capitão da Fé!..."

A cena, espontânea e sincera, conquanto leviana, da parte de Luís de Narbonne, mas premeditada e sumamente desleal da parte da jovem de La-Chapelle, fora presenciada não só pelas damas que a acompanhavam como por quantos cavalheiros e burgueses que, no palácio, se haviam posto às sacadas durante a passagem do longo séquito, e pela multidão das circunvizinhanças, que aplaudia, e mais os homens de armas da mesma companhia de de Narbonne. Fora, portanto, um ato público, impróprio de personagens tão altamente colocadas, e realizado sem temor, talvez devido, justamente, à qualidade social das mesmas personagens. A maior parte dos espectadores, habituada a colóquios muito mais comprometedores e agressivos à moral, quando das próprias aventuras amorosas, escandalizou-se e censurou, em cochichos maledicentes, a ousadia do par de namorados. Algumas poucas testemunhas, porém, sorriam cheias de benevolência, achando-se neste número os próprios mercenários de Luís, ao passo que algumas senhoras que rodeavam a loura dama de Catarina trocavam ideias, amuadas e algo despeitadas:

— Sua Majestade será informada deste escândalo!... Mal chega da província esta Louvigny e se revela indigna da posição que ocupa! Que desrespeito! Uma dama da Rainha!...

Enquanto outras aparteavam:

— Convenhamos ao menos em que a provinciana soube escolher!... Luís, o "Incorruptível"! A qualidade da conquista ter-nos-ia animado a muito mais, a nós, parisienses... O que não faríamos para que o poderoso Capitão da Fé nos caísse aos pés!...

Sem mais preocupações, Ruth Carolina regressou ao Louvre, procurando entrevistar-se com a Rainha, a quem participou circunstanciadamente do ocorrido durante a tarde. Catarina, que jamais desprezava uma informação, ouviu-a atentamente, aparentando frieza e indiferença, o cenho carregado, como era habitual. Depois do que murmurou como num sussurro, de molde a somente ser ouvida por sua interlocutora, pois essa mulher previdente e maliciosa jamais falava alto ou em tom normal, senão discretamente, temendo ser surpreendida pelas próprias paredes:

— Retira-te agora para os teus aposentos e ali permanece incomunicável... e faze por chorar até que se te inflamem as pálpebras... Estarás presa por minha ordem em teus próprios aposentos... À ceia não comparecerás, tal o desgosto que te acometeu em minha presença pelo escândalo desta tarde... pois eu já estarei informada dos acontecimentos quando as damas apresentarem queixas... E amanhã entrarás para a Mansão das Franciscanas, onde te entregarás a penitências por haveres desrespeitado o decoro próprio das damas da Corte, junto a Luís de Narbonne... Aguarda novas ordens...

Retirou-se a jovem, com efeito, para os aposentos que ocupava, onde encontrou servida lauta mesa para o seu repasto. Ruth sorriu satisfeita, dizendo consigo mesma:

— Esta múmia Catarina de Médici é também má, conforme não se cansava de avisar a minha querida Otília, sendo também velha e terrivelmente feia! Que pretenderá, forçando-me a revelar-me publicamente com de Narbonne?... Será necessário que, por enquanto, o mesmo de Narbonne me proteja contra ela... Velha Rainha, dentre nós duas qual será a mais astuta?... Creio que minha Otília seria, realmente, como afirma Gregório, um agente de Satanás para perder-me... pois sinto que me transformei num ser diabólico, desde o dia da sua morte... Otília! Otília! A mim, querida amiga! A mim! A mim! Vinga o teu e nosso Carlos por minhas mãos!... E defende-me desta pestilenta Catarina de Médici!...

O que, porém, a jovem renana não poderia prever é que Catarina de Médici desejava incompatibilizar Luís com o clero, por seu intermédio, dele retirando as simpatias e a proteção que até então haviam estabelecido o seu poder e que o cercavam de invulnerabilidade; que, aos olhos dos homens da Igreja, seria Ruth a responsável única pelo que sucedesse ao capitão... e que, para atingir tal finalidade, a astuta Rainha iria a um extremo sacrílego que a inexperiente jovem, não obstante as más tendências que lhe eram naturais, estaria longe de avaliar! Atirando um contra o outro, ou seja, possibilitando o caso amoroso de ambos, sabia Catarina que se livraria dos dois, pois que, não obstante reconhecer as habilidades da jovem serva, não aceitava pudesse esta sobreviver à luta em que o conde deveria sucumbir.

Entrementes, à noite daquele mesmo dia, notaram as demais damas que a jovem provinciana não comparecia à reunião que invariavelmente se seguia à ceia, como a esta igualmente não comparecera. Correra a versão de que Otília de Louvigny fora admoestada pela soberana e que por esta se vira impedida de lhe fazer a corte naquela noite. Como em todos os meios sociais humanos e em todos os tempos, as falanges que se devem mútuo apoio, por deveres de solidariedade, são as mesmas que menos se estimam e que mais se guerreiam, instigadas pelo ciúme e pela inveja, que não suportam os triunfos alheios, tal movimento de hostilidade estabeleceu-se entre as servidoras da Rainha, as quais destacaram uma comissão para queixas e denúncias contra a impudente menina, que tão mal se ativera publicamente àquela tarde. Catarina ouviu-as em silêncio e exclamou depois, percebendo que se calavam:

— Dizeis a verdade e agradeço-vos o zelo pela minha casa. No entanto, eu já fora informada de tão inconvenientes fatos, graças à dedicação da minha polícia secreta... e a leviana jovem será devidamente castigada... Que mais pretendeis?...

Respondeu por todas a primeira dama da comissão, a quem se outorgara o direito:

— A condessa revela-se também caluniadora, senhora!... e se Vossa Majestade permite relataremos algo agressivo ao trono, por ela praticado ainda esta tarde...

A mãe de Carlos IX dilatou imperceptivelmente os pequeninos olhos, como se interiormente se surpreendesse. Mas balbuciou com austeridade e mau humor:

—Dize!

— Majestade, a senhora condessa de Louvigny narrou-nos, esta tarde, uma história insultuosa, à qual não demos crédito... e o fez gabando-se, certamente, das preferências que o Sr. Príncipe de Narbonne lhe vem demonstrando... Afirmou que seu defunto pai, o conde de Louvigny, foi confidente secreto e particular de Sua Majestade, o nosso falecido e sempre amado rei Henrique II...

— É verdade! — murmurou a Rainha-mãe redobrando de atenção.

— ...E asseverou que, quando criança, enquanto seus pais conversavam sentados à lareira... ela brincava ao pé deles... e sem que os bons velhos o percebessem compreendia os assuntos de que tratavam...

— Continua!

— E ouvia-os comentar a paternidade de Luís de Narbonne...

— Continua!

— Minha senhora... Não ouso...

— Se não ousasses, não terias iniciado a narrativa... aliás muito antiga e enfadonha... Continua!

— Sim, minha senhora, já que ordenais... Segundo afirma a condessa, Luís de Narbonne seria o produto de amores pecaminosos, mas muito apaixonados, de Sua Majestade Henrique II... O conde de Louvigny teria assistido ao seu nascimento...

Nenhuma alteração fisionômica acusara a emoção que a velha soberana acabava de experimentar. Essa dúvida, que desde longo tempo perturbava as suas noites, iria finalmente esclarecer-se?... Que saberia de realmente importante, a tal respeito, a atrevida renana?... Sim, o conde de Louvigny fora amigo e companheiro de diversões de Henrique II, seu falecido esposo... Porém, a jovem provinciana, que se passava por Otília de Louvigny, era, na realidade, uma huguenote Brethencourt de La-Chapelle... Como se teria informado de fato tão grave para o governo da França, essa terrível intrigante de rosto angelical e maneiras polidas?... Oh, sim, sim! Tudo indicava que o belo Capitão da Fé trazia nas veias o sangue privilegiado dos Valois! Ele se parecia mesmo com Francisco I, pai de Henrique, que fora um homem belo, embora leviano... Seu bonito porte másculo era majestoso... Seu garbo inconfundível, seu gosto pelas armas e os torneios, a despeito da severa educação religiosa que também recebera, sua destreza na esgrima, seu orgulho pessoal, a soberba verdadeiramente real e a altivez cavalheiresca eram como que o selo impresso na sua personalidade pela ascendência secular daqueles poderosos Valois, cuja dinastia imprimira na França características inapagáveis! Diante daqueles mirrados príncipes Francisco, Carlos e Henrique,[38] quem atestaria melhor a descendência da raça seria o próprio Luís de Narbonne! Que diferença chocante entre aquele de Narbonne, inteligente, culto, majestoso, e o pobre Carlos, o Rei, medíocre e incapaz! Que desdouro para o trono entre aquele teólogo militar estuante de energias e capacidades, de máscula beleza e de bravura comprovada, e aquele frívolo Henrique, duque de Anjou, que desejava a morte do irmão para se apoderar do trono!

Luís de Narbonne, bastardo do Rei, teria, necessariamente, ambições! Apoiado pelo clero, que o amava e nele depositava as mais sólidas esperanças, onde poderia chegar?... Quem ousaria negar a possibilidade de uma guerra civil meditada nos claustros, ventilada nos confessionários, incentivada nos quartéis, confirmada nas ruas e nas províncias, para

---

[38] N.E.: Filhos de Henrique II e Catarina de Médici. Todos subiram ao trono e governaram a França.

levá-lo ao trono?... Neste mundo, onde perlustram ambiciosos de todos os graus, ingratos de todas as espécies, que será, realmente, impossível?!...

Ouvindo sua dama, turbilhões funestos de ciúme, de despeito, de odiosidade agitaram as fibras doentias daquela mulher caprichosa que não trepidaria em praticar os mais atrozes crimes para furtar-se ao incômodo de simples suposições de fatos que não existiriam senão na sua própria morbidez mental!

Despediu as servas, ordenando que não aparecessem sem serem solicitadas, dirigindo-se em seguida ao oratório que, no recolhimento dos seus aposentos particulares, seria testemunha discreta, não apenas das suas orações diárias, pois essa personalidade singular fazia-se crer piedosa e devota, mas também da preparação mental dos seus crimes e perfídias contra o próximo. Dava-se frequentemente o fato de Catarina resolver uma daquelas suas diabólicas perfídias entre um sinal da cruz e uma oração, que, indubitavelmente, não chegaria ao seio da suprema divindade!

Ali chegando, pois, ordenou a um pajem, serviçal que jamais faltava nas antecâmaras do palácio:

— Traze a senhora condessa de Louvigny ao meu oratório... Encontra-se em seus aposentos particulares...

O entendimento entre a falsa Otília e sua ama foi breve, mas expressivo. Ajoelhada diante do altar, apoiando os braços sobre os veludos do genuflexório e semiocultando o rosto entre as mãos geladas, Catarina disse a Ruth de La-Chapelle, ao pressentir que a porta se abria de mansinho:

— Tranca a porta, condessa...

— Está trancada, Majestade...

— Ajoelha ao pé de mim...

— Com satisfação e respeito, eu o faço, Majestade!

— Jura diante deste sagrado altar que só responderás a verdade sobre o que indagarei de ti... — pois convinha, aos interesses da maliciosa Rainha, insistir na suposição de que a descendente dos huguenotes de La-Chapelle preferia a Igreja de Roma à Reforma Luterana.

— Juro à frente deste altar, que venero, como somente a verdade responderei a Vossa Majestade! — pois não nos esqueçamos de que a infeliz irmã de Carlos renegara o respeito à própria crença para melhor servir os soezes interesses do coração, parecendo mesmo destituída de qualquer temor pela ideia de Deus.

Catarina atingiu sem rodeios o alvo a que se propunha:

— Teus pais não eram os condes de Louvigny... e o confidente secreto e particular do nosso defunto Rei e esposo era o velho conde de Louvigny... Conta-me o que sabes a respeito de suas confidências com a esposa sobre o nosso capitão...

— Majestade, minha amiga Otília de Louvigny era quem, frequentemente, narrava tudo... Ela ouvia a conversação do conde com a condessa ao pé da lareira, enquanto fingia ler para ouvir melhor, ou brincava com as bonecas... Afirmava que seu pai considerava Luís de Narbonne perigoso ao trono da França...

— Que dizia Louvigny?...

— Que Luís de Narbonne era bastardo de Henrique II...

— E... a mãe?...

— Ó minha senhora! Uma simples condessa... Houve, ao que parece, uma grande paixão de amor entre ambos... de pouca duração, todavia, dado que a condessa era casada... Luís é o produto da imensa paixão que uniu aqueles dois corações...

— O nome da condessa...?

— Margarida de G., falecida de desgosto e paixão um ano depois do nascimento do filho, de quem teve de se separar contra a vontade... O próprio Rei entregou Luís a S. Ex.ª Monsenhor de B., seu padrinho... Luís nasceu na França, e não na Espanha, como afirmam alguns... pois a condessa de G... era casada, como Vossa Majestade não ignora... Tudo o mais que se disser sobre de Narbonne será pura invenção de monsenhor de B., para encobrir a verdade e afastar perigos de sobre a cabeça do afilhado... O Sr. de Louvigny possuía cartas do Rei e da condessa, tratando de Luís... as quais Otília conservava entre os papéis de família... e que se acham nos arquivos do Castelo... Sei onde se encontram...

— Adiante!

— A grande fortuna de de Narbonne não é estranha à generosidade de seu pai...

— Adiante!

— Monsenhor, o padrinho, educou o afilhado como verdadeiro filho de rei...

— Adiante!

— Otília afirmava que seu pai sempre receou uma conspiração do clero em favor de Luís...

— Adiante!

— Luís é amigo dos Guises... e os Guises conspiram, conforme todos sabem... observam o trono, como Vossa Majestade não ignora...

— Adiante!

— É só, Majestade, por enquanto... No momento que me seja possível falar intimamente com de Narbonne, obterei melhores informações...

Impressionante silêncio pesou no recinto hediondo, onde nem a sugestão geralmente implantada pelo símbolo do perdão e da redenção — a cruz — detinha as duas mulheres blasfemas na prática de uma abominável intriga! A luz vacilante das duas velas de cera que alumiavam o altar projetava as duas sombras sinistras na parede fronteira, emprestando-lhes hediondez e pavor. Quem as contemplasse, no entanto, prosternadas de joelhos, a fronte pendida, as mãos contritas, apoiando o rosto, julgá-las-ia absortas em plena concentração celeste, tocadas de absoluta piedade e de humildade edificante! No entanto, que de trevas rodeavam seus corações sinistrados pelo desejo e a prática do mal e as efervescências do ódio de uma e do despeito da outra!

Emocionada, o coração palpitante de odiosa ansiedade, Ruth Carolina esperava o efeito da sua temerária intriga, certa de que mentia ao assim proceder, sobrepujando, na malícia e no desejo de ofender, as instruções da própria amiga morta, convencida, porém, de que a sua sombra ali estava, a seu lado, inspirando-a e fortalecendo-a para a ousada aventura.

"Que eu me possa retirar viva daqui" — pensava ansiosa —, "e saberei enfrentar o que sobrevier..."

Catarina, por sua vez, meditava...

Em que meditaria aquela mente sombria e trágica?...

No modo mais simples de arruinar para sempre Luís de Narbonne, a quem não acreditava amigo do trono, como em realidade era, e também Ruth de La-Chapelle, visto que, depositária de tal segredo, e possuindo, ademais, cartas comprometedoras, dali em diante seria igualmente perigosa... não obstante a versão da paternidade de Luís pelo Rei falecido não ser nova...

Ao fim de alguns minutos, exclamou:

— Escreve a Luís de Narbonne uma carta apaixonada, queixando-te de minha severidade pelo acontecimento de hoje no Palácio da Municipalidade. Dize-lhe que entrarás esta noite ainda para o Retiro das Irmãs Franciscanas, por minha ordem, onde passarás alguns dias em penitência e cilício, como desagravo consciencial pelo escândalo... Entrego-te Luís de Narbonne, Ruth de La-Chapelle! Faze dele o que quiseres!... Contanto que o faças desaparecer! Mas toda a tua arte será pouca, pois, se fores descoberta, estarás perdida! Age com discrição e mestria! Será necessário que todos, todos acreditem em ti e na tua farsa, até mesmo o Rei, a quem Luís é caro!... Os caminhos para atingires a finalidade a que aspiras não serão comuns... Preparei-os, porém, esta tarde... Mas exigirão de ti uma vontade férrea, uma dissimulação sobre-humana, porque infernal... Ao findar a peleja... a França dever-te-á tranquilidade... e tua consciência te fará heroica!... Sim! Vinga os teus mortos conforme desejares... Eu não os mandei trucidar, disseste bem... Tudo foi obra dele, de Narbonne! Facilitar-te-ei o trabalho, pois és demasiadamente frágil para um duelo ou uma emboscada... Aconselho-te mesmo que não derrames sangue... Vai...

E pensou preocupada:

— Mais tarde tratarei de obter as cartas comprovadoras da paternidade de Luís de Narbonne...

A jovem linda e sorridente beijou a fímbria dos vestidos da sua cúmplice e afastou-se nas pontas dos pés...

Carlos Filipe não teria reconhecido mais aquela angelical menina, sua irmã, a quem tanto amara!

FIM DA PRIMEIRA PARTE

Segunda Parte

Um consórcio odioso

A misericórdia é o complemento da brandura, porquanto aquele que não for misericordioso não poderá ser brando e pacífico. Ela consiste no esquecimento e no perdão das ofensas. O ódio e o rancor denotam alma sem elevação, nem grandeza. O esquecimento das ofensas é próprio da alma elevada, que paira acima dos golpes que lhe possam desferir. Uma é sempre ansiosa, de sombria suscetibilidade e cheia de fel; a outra é calma, toda mansidão e caridade.

Ai daquele que diz: nunca perdoarei! Esse, se não for condenado pelos homens, sê-lo-á por Deus. Com que direito reclamaria ele o perdão de suas próprias faltas, se não perdoa as dos outros? Jesus nos ensina que a misericórdia não deve ter limites, quando diz que cada um perdoe ao seu irmão, não sete vezes, mas setenta vezes sete vezes.[39]

---

[39] KARDEC, Allan. *O evangelho segundo o espiritismo*, cap. X, it. 4.

1

Estranhos projetos

O Capitão da Fé terminara a ceia, mas continuava só e pensativo à mesa, na solidão inalterável da sua residência. Deveria preparar-se para visitar a sua Igreja preferida, a fim de assistir aos ofícios da noite, quando Rupert se aproximou, em continência militar, esperando em silêncio ser interrogado. Luís era delicado e amável para com os servos, e não o fez esperar:

— Fala, Rupert...

— Meu senhor, três mensageiros trazem cartas para Vossa Alteza, mas declaram que só as entregarão pessoalmente...

— De onde vêm os mensageiros?...

— Um é de Sua Majestade, a nossa amada Rainha... O outro vem da parte de S. Ex.ª, monsenhor de B. E o terceiro é enviado pela senhora condessa de Louvigny...

Surpreso, mas sem perder tempo, o estudante de Teologia ordenou:

— Manda-os entrar sem demora... O da condessa em primeiro lugar...

Rupert saía a fim de se desincumbir da tarefa, mas foi detido:

— Espera... — exclamou Luís, e raciocinou: "Seria desrespeito a Sua Majestade atendê-la em segundo lugar... A minha linda condessa poderia vir a sofrer por isso, caso o emissário o relatasse...", continuando para Rupert — Manda-os entrar de uma só vez...

Entraram e cada um por sua vez lhe entregou uma missiva, o que o inquietou. Retiraram-se os mensageiros e Luís ficou só. Conquanto seus criados já houvessem notado certa alteração nos seus hábitos diários, ainda não se confirmara nos mesmos a sensível modificação que posteriormente adviria. Continuava ele cumpridor dos seus deveres militares, o mesmo devoto intransigente e fanático, estudante aplicado, varão severo nos costumes... Mas quem lhe prestasse maior atenção observaria que se tornava mais exigente com o próprio vestuário, que seus cabelos eram mais demoradamente penteados, não obstante usá-los curtos; as botas mais polidas, e, às refeições e durante o estudo, detinha-se distraidamente fitando o vácuo, em completo alheamento de si mesmo, enquanto vago sorriso enternecido lhe vagava pelos cantos dos lábios e insólita doçura lhe velava os olhos de ordinário vivos e penetrantes... Havia três dias que, por isso mesmo, chegava à Igreja muito após as solenidades do "Angelus", não tomando parte, portanto, nos cânticos vesperais, o que muito contristava o capelão, que se via forçado a abrir o coro sem a voz possante do seu melhor aluno, pois, por essa época, muito raros eram os bons cantores, sendo que somente o clero poderia contar com as vozes bem trabalhadas. Porque estivesse só, ao receber a correspondência, de Narbonne compreendeu que Sua Majestade não se inteiraria do desapreço que no momento por ela atestava... e quebrou o lacre do primeiro invólucro, isto é, abriu exatamente a missiva da sua amada, com quem ternamente se avistara horas antes. Tratava-se de epístola apaixonada e veemente, dramática e forte, ao sabor daquela época vibrante, quando as paixões irrompiam avassaladoras, num ímpeto indomável que tudo destruiria ou tudo realizaria à própria passagem. Leu-a acometido de emoções crescentes, sentindo ligeiro tremor nas mãos e angústia no coração, enquanto o cenho se carregou:

"Despeço-me de ti, meu bem-amado cavaleiro" — dizia a missiva —, "por um período que não poderei precisar se longo ou breve, mas realmente com a alma dolorida pela ausência que entre nós ambos se estabelecerá. Sua Majestade, a nossa augusta Rainha, na sua admirável justiça houve por bem admoestar-me hoje à tarde pelo que conosco se passou à sacada do Palácio da Municipalidade, onde o meu coração foi agraciado com a tua presença e as tuas demonstrações afetivas... Por sua ordem deverei ingressar hoje à noite no Retiro das Irmãs Franciscanas, onde expiarei em penitências e cilícios o erro de me ter revelado publicamente uma grande amorosa de ti... com desrespeito à minha qualidade de dama do Palácio Real. Sinto-me muito infeliz e quisera morrer! Todavia, consola-me a certeza de que é pelo meu amado cavaleiro que sofro e que por ele serei lembrada quando na solidão daquele claustro, onde rogarei ao Céu que nos envie a almejada felicidade. Sua, do coração — Otília de Louvigny, condessa".

Leu e releu a carta, enternecido, sofrendo com a sua autora, encantado, julgando-se realmente amado. E notou o nome, que vagamente soubera por outrem, mas que, agora, ela própria concedia, num gesto de confiança: Otília! Sim, ela se chamava Otília!...

Pronunciou-o baixinho, duas, três vezes, como quem acaricia com ardência, como que a sentir nos lábios a doçura inefável de ósculos consagrados por santificante amor! E murmurou, como sussurrando aos ouvidos bem-amados daquela ausente sempre constante no seu coração, com voz dúlcida e envolvente, como se a tivesse nos braços:

— Tem coragem, minha Otília bem-amada, tem coragem e confiança em mim! Teu cavaleiro não te deixará sofrer, sozinha e indefesa, nas garras daquele abutre governante!... Pobre órfã! Pobre criança, desprotegida e inexperiente numa sociedade corrompida como esta!... Admira-me como Artur abandone assim a irmã.

Procurou o mensageiro, cioso de enviar uma resposta reconfortadora. O servo, porém, se retirara tão logo entregara a carta. Entretanto, abriu, excitado, as demais missivas. Tratava-se de meros convites para se apresentar com urgência à presença da Rainha-mãe e ao Convento dos Dominicanos, onde residia aquele que o educara, isto é, monsenhor de B., seu tutor e padrinho, superior respeitável a quem devia obediência. Dirigiu-se, porém, ao Louvre em primeiro lugar, e, como distava de sua residência e fosse grande a ansiedade que o acometera, rompendo importante tradição, pela primeira vez serviu-se do cavalo, trajando o uniforme honroso de estudante de Teologia, ação que o tornou ridículo aos olhos dos criados e escandalizou os soldados da guarda do palácio. Felizmente, Rupert, vigilante, envolveu-o na capa ampla e ajeitou-lhe à cintura uma espada, o que lhe emprestou o aspecto clássico de um cavaleiro andante, não obstante a rudeza do contraste, ao passo que exclamava para o amo, tencionando acompanhá-lo:

— Meu senhor, é perigoso transpor os umbrais do Louvre desarmado... Seguir-vos-ei... Estarei à vossa espera na antecâmara da sala em que fordes recebido...

Catarina recebeu-o imediatamente, apesar do adiantado da hora, e, à primeira vista, compreendeu o jovem capitão que a soberana se encontrava de mau humor. Ele cumprimentou-a respeitoso, mas não servilmente, como conviria a um príncipe e futuro luminar do clero, e esperou em silêncio, como ordenava a etiqueta e o respeito aconselhava. A pérfida Rainha mediu-o com os olhos frios, semicerrados, que jamais auguravam boa sorte para aqueles que lhe caíssem no desagrado, e pensava ciumenta e despeitada: "Nasceu para rei! Que lhe faltou para ocupar este trono pelo qual tanto me sacrifico?... Faltou-lhe que fosse eu a sua mãe! Ser filho de um rei não bastará a um homem para que igualmente se torne rei! Será necessário também que sua mãe seja rainha! A ele faltou, com efeito, isso mesmo, apenas ser meu filho! No entanto este jovem é, em verdade, um Valois! A raça de que descende está toda impressa em seus traços fisionômicos, senão no seu caráter! Mais do que nos meus próprios filhos!... Em sua fronte a coroa da França estaria bem melhor do que na do meu Carlos! Mas não é meu filho... e por isso será preciso que desapareça de uma vez para sempre... para que os legítimos Valois durmam tranquilos e a França não sofra o vexame de ser governada pelo filho de uma concubina do Rei!..."

Elevou a voz e exclamou grave, pausadamente:

— Senhor conde — ela jamais lhe dava o título de príncipe, porquanto não o reconhecia como tal —, pesa-me declarar-vos que, pela primeira vez, considero-vos incurso numa falta que muito vos desmerece no conceito das pessoas bem-avisadas...

O jovem cumprimentou-a em reverência forçada, enquanto suas faces se tingiram de vivo rubor, e respondeu com humildade:

— Sinto verdadeiro pesar por haver incorrido no desagrado de Vossa Majestade, embora a consciência de nenhum erro me acuse... contudo, solicito o seu perdão generoso...

A Rainha deixou passar alguns instantes, para que as impressões do momento se acentuassem, e volveu em tom quase soturno:

— A estas horas, senhor conde, o nome de uma criança, o nome de uma virgem de conduta irrepreensível até hoje, o nome de uma órfã indefesa, irmã de um amigo vosso, dama do Palácio Real da França, é motivo de chacotas e depreciações pela boca dos vossos soldados mercenários, pela boca da plebe das ruas e burgueses maledicentes, que vivem a procurar escândalos entre fidalgos...

— Senhora! Sinto-me confuso e desorientado!

— A menina é provinciana, ignora a severidade das etiquetas da Corte... É simples e ingênua e deixou-se arrastar por um arrebatamento emocional próprio da idade quase infantil que conta... Mas vós, senhor conde, sois homem experimentado, um fidalgo sobre quem pesam sérias responsabilidades, um militar chefe de um troço do exército da França... e, acima de tudo, uma pessoa da Igreja, quase inviolável!...

— Senhora! Por quem sois, ouvi-me!

Catarina, porém, estudara bem o próprio papel na farsa que representava ao lado de Ruth de La-Chapelle e contava com o resultado de seu sugestivo sermão. Continuou, portanto, quase dolorosa e maternal, sem lhe permitir explicações:

— O vosso procedimento desta tarde foi do domínio público! Uma virgem, órfã, indefesa, tem a sua reputação comprometida... e quanto a vós...

— Majestade! Eu amo profundamente a menina de Louvigny! — disse finalmente o pobre Luís impressionado e ansioso.

— E porque a amais revelou-o publicamente, em vez de vos confidenciardes com a vossa Rainha, em primeiro lugar, atual tutora que sou da menina de Louvigny?...

— Tem razão Vossa Majestade, como sempre: eu errei... incorri em falta grave... mas...

— Ama-a! E por que engodais assim a pobre órfã, se, ligado à Igreja, só vos falta o derradeiro juramento para obter ordens clericais maiores?...

No auge do entusiasmo amoroso e considerando-se, efetivamente, réu de grande culpabilidade contra a mimosa pessoa de Otília, acossado como se achava pela poderosa sugestão de Catarina e pelo próprio sentimento que lhe transfigurava o coração, diante daquela Rainha a quem profundamente respeitava, Luís depôs um joelho em terra, curvou a fronte como humilhado e balbuciou aflito, tremente, o coração alvoroçado por inédito ardor:

— Majestade! Sei que é generosa, amiga dos servos do trono e da França! Rogo, pois, à minha Rainha e Senhora a graça de poder desposar a menina de Louvigny... e eternamente estarei reverente aos seus pés...

— E a Igreja, senhor conde!?... Pensai bem no que dizeis...

— Amo a Igreja e continuarei a servi-la... Porém, a vida ser-me-á impossível, serei um ser incompleto, se não obtiver Otília de Louvigny por esposa... Ainda não me comprometi definitivamente com o clero... Sou apenas um noviço, licenciado para o cumprimento dos deveres para com a pátria, sob o patrocínio da mesma Igreja... Rogo a intervenção de Vossa Majestade, facilitando-me a dispensa para os esponsais...

Radiante, compreendendo que a presa chegava onde ela própria desejara, a Rainha afetou brandura e replicou:

— Falastes como um cavaleiro, um fidalgo, senhor conde! Todavia, a empresa que acabais de me confiar não será fácil para uma pobre Rainha!...

— Vossa Majestade possui poder bastante para consegui-la... Todavia...

— Dizei, conde!

— Se Vossa Majestade aprova meu enlace com *mademoiselle* de Louvigny... romperei meus compromissos com a Igreja, de qualquer forma...

— E fareis bem, senhor conde, uma vez que não mais lograreis fidelidade pessoal para os futuros deveres sacerdotais...

Entrementes, a entrevista com o superior do Convento onde se preparava para o melindroso evento do sacerdócio estivera distante da hipócrita mansidão verificada com a Rainha-mãe. Ele deixara o Louvre febricitante de satisfação, confiado na esperança de que dentro de alguns dias mais se tornaria o feliz esposo da "princesa dos cabelos de ouro", a quem de momento a momento mais sentia que adorava. Jamais um homem se entregara a uma paixão de amor com maior rapidez e veemência; jamais um coração se desdobrara em exaltações mais puras e fortes, mais intensas e legítimas como o fazia aquele fanático religioso que igualmente no amor se revelava fanático e absoluto. Talvez devido à própria inexperiência em assuntos sentimentais, ou decerto à vida disciplinar mantida entre a cela conventual e o rigor do quartel, desamparado sempre o seu coração do afeto de uma família, mais ardente e ansioso se encontrava pela posse do seu primeiro amor, mais devotado e insofrido ante a expectativa de amar e ser amado. Agarrava-se agora à ideia do matrimônio com o entusiasmo que o impelira à defesa da Igreja, supostamente ameaçada, ou como o sedento que buscasse a correnteza, num desafogo incontrolável, certo de que Otília necessitava do seu apoio, da sua proteção constante. Dominado pelas insinuações audaciosas da Rainha, cujo verdadeiro alvo era indispô-lo com o clero, furtando-o à poderosa proteção política da Igreja, a fim de mais facilmente lhe deitar as mãos, ele, cujo desejo era, realmente, prender Otília para sempre aos seus afetos, alimentava, agora, gostosamente, nas próprias razões, a ponderação de que, efetivamente, errara contra o decoro público no colóquio impensado das sacadas do Palácio da Municipalidade, colóquio que teria ferido a reputação da adorável menina, e que, portanto, à sociedade e a ela mesma, à própria consciência e a Deus devia a mais augusta reparação: o matrimônio, para que nem o seu nem o nome de Louvigny viessem a sofrer depreciações de quem quer que fosse.

Seriam certamente conceitos exagerados, escrúpulos excessivos e demasiadamente delicados para uma época em que as mais displicentes aventuras sentimentais se realizavam no seio da própria nobreza. No entanto, em qualquer época existem também almas singulares, talvez delicadas e sinceras, que se furtam a tais ou quais vilanias, embora se chafurdem em outras tantas.

Fora, portanto, acre o entendimento entre Luís e seu padrinho e superior.

Algumas horas após o fato público do Palácio da Municipalidade, fora monsenhor de B. inteirado do incorreto procedimento do pupilo, o que grandemente o surpreendeu. Procurou então falar-lhe imediatamente, prevendo a inconveniência do futuro que se esboçava, e com ele se entendendo, na noite daquele mesmo dia, tentou convencê-lo a desviar-se da tentação visível, pois não tinha dúvidas de que tão estranha e súbita transformação nos hábitos do seu discípulo seria obra satânica por excelência, operação das trevas, que planejariam a sua perda nas voragens do abismo.

É efetivamente certo que, quem quer que sejamos, homem ou Espírito, sábios ou ignorantes, piedosos ou incrédulos, bons ou maus, possuiremos sempre, nas regiões esclarecidas do Espaço, um grupo de entidades amigas e protetoras, que por nosso futuro e bem-estar moral-espiritual zelarão devotadamente, cuidadosos do nosso progresso, tentando desviar-nos de caminhos precipitosos e quedas irremediáveis. Se lhes permitíssemos afinidades plenas, por intermédio de forças mentais harmoniosas, seríamos pelas mesmas entidades advertidos nos momentos decisivos da existência, quando na iminência gravosa de um desvio do caminho reto do dever, de uma reparação, de um resgate de erros pretéritos, de uma realização meritória. Em sonhos, por meio de visões elucidadoras, por intuições nascidas do coração em murmúrios secretos, por um pressentimento genial, somos sempre, pelos nobres amigos espirituais, advertidos ou orientados; e se tais possibilidades falham, servem-se eles de pessoas que vivem junto de nós, a fim de nos aconselharem momentaneamente, tanto quanto possível, quando estiver em jogo o nosso destino.

Foi o que se passou com o infeliz Luís de Narbonne, quando, às vésperas de uma grande expiação, embora com o futuro espiritual grandemente comprometido pelos excessos do dia de São Bartolomeu, foi igualmente elucidado dos perigos que o aguardavam, por voz amiga que tentou reencaminhá-lo à razão... pois Deus jamais priva a sua criatura da justiça de um amparo ou uma inspiração, sempre necessários na marcha da nossa evolução.

— Admira-me, senhor conde, como vós, que até agora demonstrastes o mais elevado padrão de nobreza moral no seio da vossa sociedade, vos portais com a inconveniência de um adolescente colhido na sua primeira inconsequência... — ponderou monsenhor de B. a seu pupilo, iniciando a amarga entrevista, após respeitosos cumprimentos da parte do jovem capitão, mas frios e severos da parte daquele.

— Tendes com efeito razão, monsenhor... desejo, porém, conversar lealmente convosco, se me concedeis licença... Suplico-vos, no entanto, generoso perdão para o caso em que o que vos terei a dizer não lograr a fortuna de merecer aprovação...

— Assustais-me, conde! E confesso a mim mesmo que jamais ouvi dos vossos lábios um tal fraseado...

— Mas não ignorais certamente, monsenhor, que eu sou um homem... embora seja pouco mais do que adolescente... Não ignorais, porque eu vos tenho de tal asseverado durante o sacramento da confissão, que meu coração é ardente e amoroso, embora eu, com o poder de uma vontade rígida, tivesse sempre o cuidado de me desviar de quaisquer compromissos e aventuras sentimentais...

— Sim... Eu conhecia as tuas más tendências, meu querido filho! — volveu o superior desanimado, voltando ao tratamento habitual da intimidade.

— Entendeis por má a tendência de um coração que aspira ao amor consagrado por princípios honestos?...

— Deverias antes compreender, meu caro Luís, que a nós outros, religiosos, Deus investiu de grandiosa missão diante da Igreja... e que, por isso mesmo, todo o afeto humano seria prejudicial não apenas às tarefas que havemos de realizar sob a sua tutela, mas também à paz da consciência e do coração, com os quais devemos servi-la...

— Monsenhor! — insistiu Luís com veemência, após um instante de indecisão. — Conquanto os vossos conselhos calem benevolamente na minha compreensão, hoje já não me reconheço a individualidade por eles embalada e contornada desde o berço... É com imenso desgosto que me vejo forçado a vos declarar que, hoje, já não disponho das necessárias forças para transformar-me na entidade angélica que de mim quisestes fazer! Amei uma mulher, monsenhor! Amo profundamente a uma donzela respeitável, pura e meiga como um ser celeste! E todo o meu ser: a minha alma, o meu coração, o sangue das minhas veias e a minha própria vida de mim exigem que eu a despose para que não me venha a tornar um homem desgraçado ou infiel a todos os demais deveres, mas sim uma personalidade feliz, elemento útil a Deus, à pátria e à sociedade! Não tenciono, porém, deixar de servir a Igreja, a qual igualmente amo! Continuarei seu leal e devotado servidor, embora deixando de tomar ordens...

O pobre velho baixou a fronte, acabrunhado. Luís percebeu, pesaroso, o brilho de uma lágrima que lhe deslizava pelas faces. Mas depressa, aquela fronte se ergueu, e ele falou como num cruciante desabafo:

— Leal servidor da Igreja, tu, meu filho?... Quando bem cedo resolves romper com os primeiros juramentos?... Aquilo a que assisto é o teu enceguecimento pelas próprias paixões, que o dulçor da religião não conseguiu apaziguar! O que contemplo é o teu debruçamento nas bordas de um abismo cuja profundidade ainda não pude precisar, mas que me assusta! Pois tu não vês, meu pobre Luís, que essa jovem não será a angelitude que supões, prestando-se ao escândalo desta tarde, provocado por ela e não por ti, conforme fui informado?...

— Informaram-vos mal, monsenhor! Trata-se de uma criança simples e inexperiente, uma provinciana para quem as malícias dos grandes centros não têm significação... Ademais, ela me ama... o que desculparia qualquer gesto menos prudente que observasse esta tarde... Crede, monsenhor. Serei um réprobo, se me vir forçado a afastá-la de meu destino...

— Mas... — rebateu ainda o velho sacerdote inconformado, grande conhecedor que era da alma e das paixões humanas — quem te afirma, Luís, seja essa menina a personalidade que se proclama ser?... Examinaste-lhe os papéis de família?... Quem ta apresentou?... Como se atreve uma criança, uma menina, ingressar na Corte absolutamente só, sem uma apresentação, uma recomendação?... Quem sabe, Luís, se se trataria antes de uma aventureira que desejaria insinuar-se à sociedade ou à Corte, escudada no teu nome respeitável, na tua posição?...

— Oh! por quem sois, monsenhor! — retrucou sorrindo, confiante, o Capitão da Fé. — O que dizeis é tão deplorável e cruel que eu antes me deveria calar, evitando-me o desgosto de repelir com revolta vossa insinuação! Que aventureira, uma criança de 18 anos, se valeria de um nome como o dos de Louvigny-Raymond, para vir plantar-se dentro do próprio Louvre, mentir a Catarina de Médici, afrontar a própria Corte com um engodo e insinuar-se a um homem como eu, amigo íntimo do próprio Louvigny?... De outro modo, Otília teria a seus pés qualquer insigne fidalgo, pois que se trata de uma jovem portadora de todos os predicados capazes de inspirar a um homem a paixão que me está avassalando...

— Luís, ouve-me... — ponderou novamente o ilustre religioso, como tocado de acerbo pressentimento. — Quem a conhece em Paris?... Tomei informações a seu respeito, desde que a vi contigo à missa... Ela veio, efetivamente, do Castelo de Louvigny... Todavia...

— Que insinuais, senhor?...

— Temo por ti, meu filho! O coração segreda-me algo indefinível... Sinto esvoaçar ao derredor de nós qualquer coisa de perturbador, que atordoa e angustia... Vi-a contigo à missa... Sim, Luís, parece um anjo!

Contudo, aqueles olhos... pareceram-me... O Castelo de Louvigny fica a pequena distância do Reno... Do Reno igualmente era aquela família reformista que... Eu conheci o herdeiro, Carlos Filipe... Uma Louvigny estava para casar-se com ele... Existem muitas jovens casadouras na família de Louvigny?... Eu te aconselhei, Luís, a não te comprometeres com Catarina naquele terrível massacre... Teu lugar, meu filho, era aqui, junto a Deus pelo coração e pelo pensamento, e não ao lado dos homens, entrechocando-se com suas paixões e ambições... Sabes?... A tua Otília parece-se muito, fisionomicamente, com... Meu filho, perdoa a teu pobre pai!... Sinto-me muito perturbado desde há alguns dias... Por tua causa! Sim, por tua causa! Ignoras porventura, Luís, que a Rainha te odeia inexplicavelmente, e projeta a tua perda para a primeira ocasião?... Por que se mostra agora tão amável?... Retira-te para a Espanha, meu filho, retira-te! É a pátria de tua pobre mãe, onde estarás mais seguro...

— Senhor, ainda há poucas horas Sua Majestade admoestou-me rudemente devido ao mesmo fato desta tarde...

— Que estranha ligação a da jovem provinciana com aquela víbora a quem chamam Majestade?... Estranha e súbita!... Ela, de ordinário tão esquiva... Luís, por quem és, por Deus! protege o teu coração, a tua pessoa, contra as investidas de Satanás... O gênio do mal frequentemente se apresenta em lindas formas femininas para perder os homens pouco avisados...

— Perdão, monsenhor... Porém, essas lendas já não ecoam em meu coração...

— Sim, és um homem, bem o sei... Mas rogo-te, querido filho, não te cases!... Se te furtares à proteção da Igreja, que será de ti?... Pois sabes que teus passos são seguidos desde o berço por poderosos interesses, e que te poderão esmagar... Toma ordens, meu filho, não te cases!... e terás um seguro refúgio... Se necessário, faze de Otília tua amante, porém, não esposa... Sim, tua amante... Não serias tu o primeiro lamentável caso que tivéssemos... Mas... Espera, Luís!... Não te vás assim, sem te despedires de teu velho mestre, de teu pai... Ouve-me ainda, senhor conde!... Fica, Luís; fica, meu filho!... Preciso falar-te muito mais!...

Efetivamente, ouvindo as últimas chocantes expressões daquele em quem se habituara a enxergar a hombridade e o critério inatacáveis, o belo estudante de Teologia fez uma reverência polida, mas fria, e retirou-se sem uma palavra, atormentado pelo despeito de se ver contrariado nas próprias aspirações e pela indignação por que se sentia invadir ante o alvitre inqualificável que lhe fora apresentado.

Chegando à sua residência, em vez de se dirigir à Igreja, como habitualmente fazia, chamou o seu intendente e com ele manteve longa conferência, a qual se estendeu até adiantadas horas da noite. Participou-lhe que procurasse fazer reparos no palácio e mobiliasse apartamentos com o maior esmero, para uma dama de alto tratamento, pois que ele, conde de Narbonne, pretendia casar-se... notícia que confundiu o digno servo até o espanto e o assombro, depois do que fez vir Rupert à sua presença e falou-lhe com bondade:

— Meu caro Rupert, prepara uma canção amorosa e apaixonada, saudando uma dama pelo dia do seu esponsalício com o homem amado... Põe a tua canção nas palavras do venturoso noivo... Inventa música melodiosa, terna, sonhadora... música inefável, como que celeste... que predisponha o coração às blandícias do amor... E ensaia-a com mestria para a cantares dentro de alguns dias... Haverá bodas nesta casa... Teu amo casa-se com a mulher que Deus destinou para torná-lo feliz...

Luís tinha doçuras na voz, encantamento nos olhos, que se alongaram como que fitando o porvir em previsões deliciosas... Comovido, o escudeiro depôs em terra um joelho, diante do amo, osculou-lhe a destra e murmurou:

— Senhor, bendito sejais! Deporei nessa canção toda a minha alma e a minha afeição por vós... E praza aos Céus que vossa felicidade seja completa nessa data radiosa...

Nas voragens do pecado

No dia imediato pretendeu o altivo capitão visitar Otília no Retiro das Irmãs Franciscanas, no intuito de participar-lhe a resolução de desposá-la dentro de alguns dias e obter-lhe o consentimento, com o qual contava previamente, tão certo se encontrava de ser amado. Não logrou realizar, porém, o ansiado intento, visto que informado fora de que a jovem penitente se encontrava incomunicável, por ordem da Rainha, que dela exigia severa expiação por uma falta cometida publicamente. Preocupado pelo que estaria o seu ídolo padecendo sob os cilícios e as penitências, Luís logrou dirigir-lhe algumas frases reanimadoras, e o fez nos seguintes termos, o que produziu aflitivas elucubrações à destemida provinciana, cujos projetos seriam bem diversos, e que até aquela data se conservava alheia à trama de uma união matrimonial forjada pela Rainha-mãe, que contava desfazer-se de ambos, atirando um contra o outro, num enredamento singular.

"Minha amada Princesa. Sou eu, o teu cavaleiro Luís de Narbonne, que te quer acima de tudo, e deseja desposar-te assim deixes o local santo onde te encontras. Obtive de Sua Majestade, a Rainha, o generoso consentimento para tão feliz desfecho do amor que nos uniu desde aquela venturosa manhã em que pela primeira vez nos avistamos. Por ti abandonarei todos os antigos compromissos firmados com a Igreja, a qual, não obstante, amo tanto quanto a ti... Enlouquecido de felicidade e alegria, espero-te para o nosso matrimônio, porquanto, à tua saída, tudo estará providenciado..."

A suposta Otília leu e releu sem emoção o embaraçoso fraseado. Que significaria esse enlace?... Por que Catarina o facilitaria?... Que estaria tramando essa equívoca mulher, a quem nunca se poderia acreditar fiel a algum princípio ou compromisso?... Como se uniria em matrimônio a um homem que lhe causara todas as desgraças, ao procurar nos confins da França a sua família, a fim de massacrá-la, aqueles entes que eram toda a sua razão de ser, a sua própria vida?...

A tão ardentes e angustiantes meditações, a infeliz Ruth Carolina tivera ensejo de se entregar, após a leitura da carta, durante os longos dias passados na capela silenciosa e fria, onde pareciam volitar espectros conselheiros e amigos, mas também durante os quais seus sentimentos rudes, contumazes, reagiam contra a intromissão de raciocínios apaziguadores das ferazes tormentas que lhe percutiam na alma. Por vezes, ao bruxulear sugestivo das velas mortiças que ardiam sobre os altares, ela como que pressentia a sombra amiga de Carlos Filipe sussurrando docemente aos seus ouvidos advertências salvadoras, como outrora investido da dupla autoridade de segundo chefe da família e de luminar da Reforma:

"Volta para o Reno, minha pobre Ruth, que é tempo ainda... Atende, querida irmã, ao teu Carlos... Eu protegerei a tua fuga e irás a salvo... com o poder que nos concede o amor ao bem... Atravessa o rio... Foge desse pobre de Narbonne... penetra a Alemanha... Gregório te acompanhará... Bate ao Castelo de G... Ali existe um amigo leal que te acolherá e amará dedicadamente, à nossa falta... É o príncipe Frederico... Não atraiçoes o Evangelho, pobre Ruth, com a indignidade que pretendes... Perdoa... e obterás tranquilidade..."

De outras vezes julgava perceber Otília, que, chorosa, tão desolada quanto a vira nos últimos dias da sua crucial agonia, e, coberta de torturante luto qual espectro embuçado nas próprias trevas, se aproximava sutilmente, tocava-lhe a fronte com a mão álgida e marmórea, levando-a a estremecer penosamente, e relembrava o pacto odioso, numa convulsão de pranto:

"Juraste sobre as páginas da *Bíblia Sagrada*... e cumprirás o juramento, porque aqui estou para relembrar-to... Vinga o teu Carlos bem-amado do acintoso massacre... Vinga tua família inocente e generosa trucidada pelo hipócrita que ultrajou o altar com o sangue dos escolhidos do Senhor... Luís de Narbonne desgraçou-nos a todos... Sofro nas trevas do meu ódio, atormentada de desespero e saudades, sem sequer compreender o que foi feito do meu Carlos... e Luís de Narbonne é o culpado de mais essa desgraça... Fere-o, Ruth, tortura-o por meio do amor que te consagra, tal como eu mesma sou torturada... pois o tens às tuas mãos... Fui eu que to dei..."

Não obstante, a mente da infeliz jovem frequentemente reagia contra ambas as sugestões, tomando o devido lugar concedido pelo livre-arbítrio. E um fenômeno curioso se operava naquela personalidade ardente, onde as paixões começavam a entrechocar-se com toda a violência da inferioridade moral que a caracterizava.

Ela se abandonava a pensar em Luís de Narbonne... Talvez o ambiente religioso, propício aos suaves enleios do coração e da mente, ou as tentativas desesperadoras do Espírito daquele irmão amigo, massacrado no cumprimento do dever para com o Evangelho e o próximo, desejando arredá-la de uma queda moral iminente, contribuíssem para as divagações a que seu pensamento exausto a arrastava. Talvez a própria ardência do seu caráter, numa idade impulsiva em que a criatura praticará sem vacilar, ou mesmo sem o perceber, todos os heroísmos ou todos os erros, levada pela displicência do coração, a impelissem para os momentos paradoxais em que, olvidando por instantes que de Narbonne fora responsável pelo assassínio de toda a sua família, nele pensava, evocando, de preferência, o seu porte belo e altaneiro, as maneiras polidas, a incontestável ternura de que a cercava. E murmurava nos recessos mentais:

"Sim, Luís! Como és belo e gentil! E como eu seria capaz de te amar e ser feliz contigo, se não foras justamente tu o algoz dos meus entes mais queridos! Quão orgulhosa eu me sentiria de ostentar o teu nome e o teu amor se, em vez do dever de odiar-te, eu antes me pudesse consagrar à alegria de te amar para sempre... Que fidalgo mais terno, mais arrebatadoramente amante do que tu, nesta pobre França maculada pela peçonha de Catarina?... Luís! Luís de Narbonne! Como deverei desgraçar-te?... Ainda não escolhi o gênero de castigo que te darei... Sim, porque meu dever será desgraçar-te... Matar-te-ei com uma punhalada traiçoeira entre um beijo e uma jura de amor?... Oh! Parece-me bem pouco para quem trucidou a família de La-Chapelle e seus colonos... e me levaria à forca... Ferir-te-ei, porventura, com a traição, torturando-te por meio do sentimento que me consagras, tal como deseja a minha Otília?... Que sei eu?... Que mal inventarei capaz de te atingir, tão altamente colocado tu te encontras?... Lograrei inspiração e coragem no momento exato?... Sim, se o espectro de Otília estender sobre mim as trevas do seu ódio... Não, se permanecer a sós comigo mesma... ou se o meu Carlos sussurrar aos meus ouvidos o perdão que já te concedeu... Deverei, no entanto, precipitar os acontecimentos... Otília! Otília! Vem a mim, querida amiga! Ajuda-me a desgraçá-lo quanto antes!... Livra-me de cometer o sacrilégio de vir a amar o próprio assassino dos meus entes mais queridos!..."

Exausta e alucinada, atirava-se às lajes da capela, deixava-se ficar imóvel, os olhos apavorados, o coração precípite, as mãos geladas, o peito penosamente oprimido por uma angústia invencível, deprimente, a alma inconsolável, cruciada, desorientada... E se porventura alguma religiosa por ali passava, olhava-a compungida, benzia-se beatificamente e se afastava na ponta dos pés, respeitosa e impressionada, murmurando para as contas do rosário:

— Seu pecado teria sido realmente monstruoso, para que um "arrependimento" como este pudesse sobrevir...

2

NÚPCIAS

Era o dia de Finados e a Igreja comemorava-o com toda a pompa do seu cerimonial sugestivo. À noite haveria procissão, porque seria necessário homenagear os mortos e impressionar o povo com o poderio invencível da religião que se impunha cada vez mais com a força social dos seus representantes. Envergando o precioso uniforme de estudante de Teologia, Luís de Narbonne vagarosamente caminhava ao lado do pálio, empunhando o bastão dourado dos religiosos militares, o cenho carregado, o corpo ereto e nobre, a fronte altaneira e vigorosa... pois ainda não obtivera a desejada dispensa já solicitada. Não cantava, como habitualmente se permitia em circunstâncias tais, e tampouco orava, porquanto, desde a primeira vez que se avistara com Otília de Louvigny, deixara de sentir a serenidade propícia para o que entendia por invocação aos Céus, dado que as emoções excitantes do coração abrasado o tornavam incompatível com o lenificante estado espiritual necessário ao feito.

Seis dias havia que não lograva avistar-se com sua querida Otília e por isso mesmo sentia-se enervado, desorientado. Visitava diariamente o Retiro onde se encontrava a jovem, tentando falar-lhe. No entanto, as ordens da Rainha eram formais, e voltava desolado, acreditando sua prometida supliciada sob as asperezas de rude expiação, ao mesmo tempo que se incriminava como causador do chocante fato.

"Tem fé em teu cavaleiro de Narbonne, minha princesa! Ele te recompensará por todos os dissabores que, por seu amor, sofreres, quando te tiver em seus braços e puder chamar-te esposa..." — escrevia ele à penitente, remunerando com altas quantias, a título de espórtulas para a casa, o favor de lhe fazerem chegar às mãos o amoroso recado. Visitara igualmente a Rainha, humilde e suplicante, ajoelhando a seus pés entre uma homenagem e uma imprecação, temeroso pela sorte de Otília, e dissera:

— Sois magnânima, senhora, bem o sei! Perdão, pois, para dois corações que sofrem, o meu e o de Otília... Ordenai que me restituam minha prometida esposa... e disponde de minha vida para vos servir...

Catarina, porém, que, além de má, era igualmente um tanto teatral e algo romanesca a seu modo, gostava de divertir a própria morbidez, contornando os crimes que praticava contra seus súditos e servidores, com encenações e pormenores dignos de um consumado comediante. Aliás, essa mulher temida e genial adornava-se com uma arte terrível, difícil de ser praticada, delicada, profunda, grandemente dramática: a arte de saber atraiçoar com dignidade e majestade, fazendo supor que servia e protegia; de saber ferir sutilmente, fazendo-se de generosa, concedendo a si mesma o prazer de libar todos os detalhes das situações irremediáveis nos labirintos ocasionais que a sua imaginação ardente, obsidiada pelas trevas, sabia criar para aqueles que condenava; a arte de perseguir, provando a todos que era perseguida; de martirizar, fazendo crer que o fazia inspirada por superiores virtudes e fiel a deveres sacrossantos. Catarina respondeu a de Narbonne:

— Meu jovem amigo, deixai que vossa noiva se purifique durante os dias da penitência marcada pelo seu confessor... Em verdade, Otília se encontra um tanto impura... e bom será que venha para os vossos braços completamente isenta dos pecados... ainda mais quando há bem pouco tempo houve de conviver com os renegados luteranos... pois não ignorais que estes enxameiam pelas margens do Reno, ao lado dos calvinistas, nas fronteiras da Alemanha... A propósito... sossegai o vosso coração... Vossa Rainha pensa em tudo, pois somente deseja a felicidade dos súditos de seu filho, os quais são também um pouco filhos seus... Mais alguns dias e vossa dispensa para o matrimônio estará em regra... Obtive do embaixador de Sua Santidade a vossa exclusão do quadro de noviços... e Otília de Louvigny será vossa esposa dentro de bem pouco tempo...

— Vossa Majestade é a mais gentil das soberanas... e a mais generosa das mulheres... Que o Céu a recompense!... E eu serei o mais submisso dos servos do trono e da França!...

Marchava, no entanto, a procissão sob a monótona cadência das passadas vagarosas, ritmadas pelo cantochão, quando, de súbito, Luís de Narbonne avistou uma jovem envolvida num grande manto negro de penitente, a cabeça coberta por um capucho típico, a vela de cera na mão esquerda, o rosário, também negro, enorme, à direita. Os cabelos louros e lindos escapavam do capucho grosseiro, envolvendo o rosto alvo e angelical, e os olhos tristes e grandes dir-se-iam nublados de pranto. Era Otília de Louvigny. Fitou-a, carregando porventura ainda mais o cenho, o coração acelerado por um toque de ciúme:

"Com que então, ela, sua noiva, com quem se consorciaria dentro de algumas horas, deixara o Convento sem preveni-lo para que a acompanhasse de retorno a casa, quando ainda naquela manhã procurara visitá-la no retiro santo, informando-se dela?... E como perambulava assim, na procissão, desacompanhada, exposta a críticas e perigos, ela, uma donzela respeitável, uma dama da Rainha-mãe?... Que significariam tão insólitas atitudes?..."

Examinou em derredor. Nenhuma aia, nenhum par a protegê-la, livrando-a de chacotas e impertinências sempre possíveis até mesmo num ato religioso. Seus olhos pareciam devorá-la e um acesso de impaciência inspirava-lhe ímpetos de gritar por seu nome e admoestá-la. Otília, porém, parecia absorta e tristonha, parecia não ter pressentido ainda a sua presença, empolgada nas contas do rosário...

Em verdade, ela o vira, e toda a encenação, que ao crédulo massacrador de huguenotes confundia, mais não era do que pormenores do programa de insinuação estabelecido pela senhora Catarina para a melhor maneira de contorná-lo, a fim de sutilmente destruí-lo.

Não se podendo conter, Luís apressou alguns passos, postando-se diante dela:

— Otília! — exclamou severo. — Que fazes aqui tão só, desacompanhada?... Quando te libertaram?...

Ela voltou para ele os olhos doces e amorosos e um encantador sorriso de satisfação lhe iluminou o semblante, desarmando nele a amargura esboçada.

— Oh, meu senhor!... Não estou liberta... faltam-me ainda dois dias... Ordenaram-me que peregrinasse com esta solenidade em honra aos mortos em estado de pecado, para desagravo dos meus próprios erros... Terminada a cerimônia, retornarei ao retiro das boas irmãs franciscanas que me acolheram...

— Mas... Por que te encontras só?... Onde está a tua dama?... Quem te acompanhou desde o Convento?...

— Não estou só, meu senhor, porque vós me acompanhais desde o primeiro passo... apesar de que somente agora prestastes atenção em vossa humilde prometida... Não dispus de um portador para prevenir minha dama... além de que me é proibido qualquer traço luxuoso durante a penitência... Apenas um pajem do Louvre acompanhou-me de longe, em silêncio, até a Igreja, por ordem de Sua Majestade, a Rainha...

Ele tomou-lhe da mão e osculou-a com sofreguidão, retirando-lhe o rosário e guardando-o consigo, diante dos olhos surpresos dos circunstantes. Arrebatou-a para junto do pálio, onde permanecia, e assim, segurando-a pela mão, como o teria feito a uma criança, seguiu com ela ao passo do cortejo, o coração palpitante, a alma dilatada por uma inesperada satisfação.

— Estás sendo joguete da caprichosa Rainha, que não perde oportunidade para me atingir... — murmurou ele aos ouvidos da menina, que se diria o mais belo anjo a ornar a procissão, humilde e tímido caminhando por sua mão. — Catarina me detesta e tortura-me na tua pessoa... Por que não me ordenou, a cruel, que te fosse buscar ao Convento e guiar-te nesta procissão?... Um pajem do Louvre como par! Um lava-pratos das cozinhas do Rei como cavaleiro de uma princesa como tu!...

— Senhor, eu sou apenas uma condessa... e, por tradição, somente... O título não foi herdado por mim...

Luís, porém, elevou a voz, como a defendê-la de um insulto:

— Mas serás princesa dentro de alguns dias!... Que digo eu?... Dentro de algumas horas!... Serás condessa, serás princesa, serás tudo, minha bem-amada, porque eu te elevarei até onde permitirem as minhas forças! Não nos separaremos mais, Otília, a partir deste momento até as nossas bodas!... Sinto-me tão extasiado por esta felicidade, tão cioso do teu amor, que temo que algo mo arrebate!... E por isso não nos separaremos mais... Depois de amanhã, realizar-se-á o nosso matrimônio... venham ou não venham as licenças... e até lá não ficarás sem a minha vigilância...

Aterrada ante a ideia daquele sacrílego matrimônio, a infeliz irmã de Carlos tentou uma alternativa a fim de se esquivar e ganhar tempo:

— Deverei retornar ao Convento, senhor, a fim de concluir a penitência...

— Ora, ora, penitência! Penitência!... E por que essa absurda penitência imposta pelo despotismo de uma Rainha que ousa intrometer-se em assuntos tão somente da competência da Igreja?... Que grande mal praticaste, para uma expiação que contraria o próprio Céu?... — volveu irritado. — Como se fosse a maior pecadora da França!... Tu, um anjo que Deus enviou à Terra para tornar-me feliz e compensar meu coração da solidão que o envolvia desde o berço!... Estará dementada, porventura, essa detestável megera a quem chamam Rainha da França?... Mostrar-lhe-ei que também eu ainda posso ordenar algo dentro da Igreja... Não retornarás à arbitrária prisão... Passarás a noite a meu lado, orando na Igreja de Saint-Germain... e ali concluirás os conselhos do confessor...

Conduziu-a, efetivamente, até a sua Igreja preferida, rodeando-a de carícias e atenções. Fez que viesse a sua dama, a fim de acompanhá-la. Obteve, em dois quartos de hora, de autoridades eclesiásticas competentes, a dispensa para o resto da expiação no retiro conventual. Ofereceu-lhe delicada ceia nas salas das sacristias, vendo-a esquálida e esmaecida em virtude dos prolongados jejuns. Osculou-lhe, transportado e terno, as mãos, os olhos, os cabelos perfumosos, com a veneração com que o faria a um ser angélico. Ofereceu-lhe flores. Acalentou-a do frio da noite com o seu manto quente e velou por seu sono ali, na sacristia, como o mais fiel e respeitoso dos amantes, o mais terno dos irmãos, o mais devotado dos pais! E pela manhã, acompanhando-a de regresso ao Palácio Raymond, fez que se postasse ali, para sua vigilância e defesa, uma guarda de seis cavaleiros armados, enquanto Rupert, o servo fiel, se instalou no saguão, armado de espada e bacamarte, para igualmente velar pelo descanso da futura ama, ao mesmo tempo que ensaiava aos sons da bandurra o hino encomendado pelo amo para os esponsais, saboreando o bom vinho que Gregório servia apreensivo e desgostoso...

Regressando, enquanto se dirigia ao Louvre a fim de se entender com a Rainha sobre as atitudes tomadas, o Capitão da Fé confabulava consigo mesmo:

"É uma pobre órfã abandonada, de quem serei devotado defensor nesta Corte corrompida... Casando-me, deixarei a França... Procurarei na Itália ou na Espanha um refúgio seguro para a minha felicidade... Eu temo Catarina, por mim mesmo e por minha Otília... Em meio desta celeste ventura que desfruto com o meu primeiro amor, oprime o meu coração o atro amargor de indefiníveis pressentimentos... Será, certamente, a ânsia insopitável pelo próximo enlace?... Entretanto, meu Deus! meu Deus! Jamais tive um só dia de felicidade até agora! Tudo me tem faltado, Senhor, com os afetos de uma família, que não logrei encontrar neste mundo! Tende misericórdia do vosso servo, Senhor Deus!... Admira-me como Artur abandona assim a pobre irmã..."

Alguns dias depois, pelas nove horas da noite, realizava-se, com efeito, o enlace matrimonial do capitão príncipe Luís de Narbonne, conde de S. com a jovem condessa Otília de Louvigny-Raymond. A cerimônia decorrera simples e nada concorrida, por exigências da noiva. A um canto da Igreja, quase totalmente imersa em penumbra, estarrecidos ante o que viam e a que assistiam desde alguns dias, Gregório e dama Blandina conversavam entre murmúrios tão discretos, que antes pareciam adivinhar os pensamentos um do outro, que mesmo externar ideias por intermédio de palavras:

— Creio que a infeliz menina enlouqueceu de dor após o massacre da família, a quem venerava... é tão jovem ainda para a intensidade dos sofrimentos!... Deixou os risos da infância à frente dos cadáveres dos pais e dos irmãos... — suspirou dama Blandina com amargura.

— Não compreendo mais o que se passa... Errou quando se arvorou em vingadora... Erra quando se dá em casamento sacrílego, sob um nome que não é o seu, ao assassino da própria família... E dizer-se que eu a vi nascer e crescer adorada por aqueles nobres corações que não mais existem! — lamentou Gregório, cujos olhos se nublaram de discretas lágrimas.

— A menina, de angelical que fora, tornou-se voluntariosa, ríspida, intimorata, audaciosa, verdadeira expressão do mal! Repele conselhos e sugestões prudentes que tentam protegê-la contra o abismo que para si mesma está cavando...

— Sim, dama Blandina... Não compreendo... E, por isso mesmo, como tenho responsabilidades perante a minha consciência e a memória dos meus infelizes amos... apelarei para o concurso de alguém, bastante inteligente e poderoso para tudo poder compreender e resolver melhor do que eu...

— Refere-se ao príncipe Frederico?... Irá vê-lo, porventura?...

— Sim, dama Blandina... Eu já o deveria ter feito bem antes... Coibiram-me, no entanto, três poderosos fatores: o respeito devido às vontades e às ordens da herdeira dos meus saudosos amos, o temor de vê-la expor-se em Paris, agitando-se na temerária aventura que estamos presenciando, completamente só e desamparada de qualquer auxílio e reconforto amigo... e o estranho fato de não ver o príncipe Frederico interessar-se por ela em face dos acontecimentos... Todavia, diante daquilo a que assistimos, tentarei... Irei à Baviera...

Repugnava a Blandina e a Gregório viverem sob o teto de um inimigo da sua fé, o qual fizera derramar o sangue generoso de tantos dos seus irmãos pelo evangelho. Não se sentiram suficientemente fortes ou generosos para calcarem nas profundezas da alma a repulsa que sentiam pelo dever de apresentarem um respeito e uma consideração diários quando a razão e o coração lhes autorizavam o afastamento para bem longe daquele algoz de huguenotes, o qual tantas desgraças semeara ao redor dos próprios passos, com o fanatismo religioso, muito embora cumprisse ordens recebidas de autoridades a ele superiores. Conquanto os dois dignos serviçais até então se curvassem às exigências da infeliz Ruth, cuja sanidade mental se diria obliterada por uma irreparável insensatez, agora, verificando que esta exorbitava das próprias inconsequências, se negavam a acompanhá-la, a fim de a servirem sob um teto considerado inimigo, o qual nem ela própria teria direitos de habitar, visto que o matrimônio fora realizado entre Luís de Narbonne e Otília de Louvigny-Raymond, que não mais existia sobre o mundo dos vivos, e que seu verdadeiro nome era Ruth de Brethencourt de La-Chapelle. Em vão a suposta Otília expôs a ambos os planos para a perda de de Narbonne, em vão confiou à sua discrição os entendimentos com a Rainha, às vésperas do enlace, para o ataque ao detestado capitão, e inutilmente lhes explicou que o casamento, tal como fora, entrara nos planos da Rainha como o meio mais seguro e mais suave de abatê-lo, visto que, frágil, não se poderia revoltar contra tão poderosa personagem, senão se utilizando de mil intrigas, insídias e dissimulações, pois que a própria Catarina não poderia, sem muitos escândalos e dificuldades, anulá-lo conforme desejaria, porquanto se tratava de uma personagem considerada grata ao clero e ao próprio Rei. Sinceros e honestos na própria crença, assim como no respeito ao Evangelho, os dois servos não compreendiam aquela singular vingança, como também se apavoravam ante a frágil menina, que levara a própria audácia ao sacrilégio de simular o ato sagrado do matrimônio, confessando detestar aquele a quem se unia! Ainda uma vez advertira Gregório, algumas horas antes da cerimônia:

— Fujamos, *mademoiselle*... Tremo ao prever os acontecimentos no dia em que fordes descoberta... porque não há dúvida de que o sereis... Uma situação como esta, anormal, insustentável, não se poderá equilibrar por muito tempo... Pensai em nós outros, se não quereis pensar em vós mesma... Sofreremos todos, como vossos cúmplices, que em verdade somos...

E Blandina:

— Detende-vos, menina, que ainda é tempo... Não tripudieis sobre as coisas santas... O matrimônio é um sacramento... e seja qual for a lei sob que se realize será respeitável e digno da nossa veneração... Como podeis utilizar um sacramento para motivos de vinganças?...

— Oh! — gargalhava ela, excitada por estranho nervosismo. — Não compreendestes ainda, querida senhora, que não existirá nenhum consórcio, visto que é Otília de Louvigny quem se casa e não eu, e que Otília já é morta?...

— O Senhor não proclamou a vingança, mas o perdão...

— Não posso perdoar, não posso, dama Blandina... Bem quisera atender-vos, mas é impossível! Confesso-vos, cheia de pejo, que me seria grato poder amar Luís de Narbonne, tão gentil é ele dentre todos os fidalgos de meu conhecimento... Mas não posso... Não posso! E terei de me precipitar no castigo que lhe infligirei, porquanto, se retardar, arriscar-me-ei a não poder fazê-lo jamais, porque, quem sabe?... o coração poderia atraiçoar-me... Eu poderia, afinal, aceitar vossos conselhos e perdoar... e como deixaria impune o carrasco dos meus entes amados?... Ademais prendo-me a um sagrado juramento, bem o sabeis, Blandina, Gregório...

— Somente as forças das trevas presenciaram tal juramento, querida menina... Deus reprova-o pelos mandamentos da Lei... E se a ele fugirdes, ao juramento, obedecereis a princípios cristãos, porque praticareis o verdadeiro ato do amor ao próximo, no que possui ele de mais elevado e meritório...

A infeliz cobriu o rosto com as mãos e prorrompeu em pranto cruciante, exclamando por entre dolorosas expressões de desânimo:

— Não posso, dama Blandina, não posso! A sombra de Otília me impele irresistivelmente para este pavoroso destino e eu não me poderei esquivar... Terei de prosseguir nesta aventura sinistra até a completa destruição de de Narbonne... Otília manda-me torturá-lo por amor, tal como a morte de Carlos, às vésperas das suas bodas com ele, até hoje tortura o seu coração!... Confesso que, por vezes, chego a lamentar que fosse precisamente ele, Luís, o algoz de minha família, pois eu, vergonhoso será dizê-lo, de bom grado o teria amado, tão terno e tão amigo se vem apresentando desde o primeiro instante... Mas não importa que eu mesma sucumba nessa missão ingrata que minha Otília a mim confiou... De que me valeria viver destituída de minha família e de...

— Concluí a frase, pobre criança!

— Oh, não! Não posso concluí-la! Seria vergonhoso demais, seria demasiadamente odioso eu mesma ouvir-me proferindo o maior dos sacrilégios, que eu mesma, que um ser humano, poderia cometer!... Fugi vós outros, deixai-me... Eu mereço a morte, mereço o suplício, o cárcere, a ignomínia... pois que pertenço às trevas... Ide para a Alemanha, ide!... Deixai-me entregue a este singular destino... Minha alma perdeu-se nas trevas do pecado, desde o dia em que Luís de Narbonne ordenou o massacre dos meus...

E, novamente ocultando o rosto entre as mãos, como sentindo o pudor afoguear-lhe as faces à frente de quem a contemplasse, recolheu-se ao seu aposento, passando horas seguidas a sós, desolada, ansiosa, submersa nos pegos dos próprios pensamentos acionados pelas inspirações trevosas da amiga morta em seus braços. Gregório e Blandina, porém, não fugiram, fiéis ao dever de zelarem por aquela que lhes fora entregue pelo destino e pela consciência, em circunstâncias percucientes. Continuaram, portanto, no Palácio Raymond, alertados para qualquer emergência grave, que esperavam a cada momento, afetuosamente velando, aflitos e inconformados, pela menina que lhes era tão cara.

Ora, justamente no dia dos esponsais da sua jovem ama, pela manhã, quando ainda uma vez se verificara a conversação que acabamos de relatar, Gregório pedira licença para com ela se entender sobre assuntos particulares, e foi direto ao alvo:

— *Mademoiselle* de La-Chapelle, uma vez que no momento não necessitais tão de perto de minha presença, e já que haveis por bem rejeitar meus conselhos quanto aos graves acontecimentos que a todos nos surpreendem, rogo-vos permissão para visitar o meu berço natal, na fronteira do além-Reno... Possuo ali alguns interesses que desejo regularizar, o que me não foi possível em ocasião oportuna, em vista da nossa retirada precipitada de La-Chapelle...

Supondo que o velho servo alemão desejava pôr-se ao abrigo dos acontecimentos melindrosos que se seguiriam ao seu casamento, os quais tudo indicava que seriam assaz importantes, a jovem dama fez-se compreensiva, não o retendo junto a si. Respondeu, portanto, bondosa e tristemente:

— Vai, meu caro Gregório... Apraz-me conceder-te a liberdade que desejas... Leva, porém, Camilo e Raquel... que sem ti e sem mim ficariam desamparados em Paris...

— Perdão, *mademoiselle*... Não levarei meus filhos... visto que me demorarei alguns poucos dias, apenas... Estarão ambos no Palácio Raymond às vossas ordens, servindo à dama Blandina...

— Como quiseres... e sê feliz...

Preocupada como se achava, preparando-se para uma visita à Rainha, com quem se entenderia pela última vez acerca da ingrata missão que se impusera, a suposta Otília de Louvigny não se animou a exigir minudências sobre a anunciada viagem, satisfazendo-se com a sucinta explicação do dedicado servidor de sua casa.

No dia imediato ao dos esponsais, Gregório efetivamente se punha em marcha, montado em bom cavalo e protegido por um salvo-conduto fornecido pelo próprio de Narbonne, que coisa alguma seria capaz de negar à sua formosa prometida, a qual lho pedira na véspera, ou seja, no próprio dia das bodas. Enquanto cavalgava pelas ruas de Paris, o servo alemão guiou o animal a pequeno trote, não desejando fazer crer aos observadores que levava pressa na singular viagem. Deixando os últimos arrabaldes, no entanto, e ganhando a estrada real em direção ao nordeste, esporeou o cavalo e entrou a galopar com tanto vigor quanto permitiam as forças do mesmo... E assim foi que alguns dias depois transpunha o Reno, em vez de se dirigir à sua aldeia natal. Internou-se pelo coração adentro da velha pátria germânica, até os confins da Baviera, atingindo, então, o solar dos príncipes de G., antigos amigos dos Brethencourt de La-Chapelle e irmãos de ideal religioso, como bons luteranos que eram. Ali chegando, solicitara uma audiência do jovem príncipe Frederico, o qual o recebeu sob o choque de inominável surpresa, visto que o supusera massacrado com toda a família de La-Chapelle, prontificando-se, democraticamente, à conferência que se prolongou por três longas horas. Certificou-se então, o Príncipe, de que sua antiga prometida Ruth Carolina de La-Chapelle escapara do morticínio do Castelo e que, ao contrário de todas as informações que a custo obtivera ao visitar o antigo solar depredado, vivia ainda e se encontrava em Paris, à beira de incomensurável abismo! Por sua vez, ficou Gregório ciente de que Frederico de G. somente não partira incontinente a inteirar-se dos lamentáveis fatos, porque as notícias haviam tardado a chegar ao seu conhecimento; e que, ao partir para La-Chapelle a colher informações, cautelosamente, fora informado de que Ruth falecera no Castelo de Louvigny e que Otília se retirara, desgostosa, para Paris; e que, do que fora o aprazível solar dos Brethencourt de La-Chapelle, existiam as ruínas que agora contemplava, e nem um só sobrevivente!

Ao findar da prolongada e patética conferência, Frederico de G., demonstrando no semblante os sinais da mais profunda preocupação, fez vir à sua presença o intendente da casa, e ordenou:

— Mande preparar uma viagem urgente e longa, para amanhã ao alvorecer. Será necessário reserva de cavalos e uma carruagem resistente, para ser usada somente ao regresso... Desejo viajar incógnito, sob o nome e a aparência de algum burguês comerciante... Retire os brasões de todos os apetrechos, que deverão ser os mais rústicos possíveis... Obtenha indumentárias femininas, para uma burguesa...

Deixemos, porém, o Príncipe amigo e seu modesto hóspede em preparativos urgentes para uma viagem, que, aos olhos do intendente, trazia muitos aspectos de romanesca aventura de amor, e voltemos a Paris, antes que ali apareçam ambos, reencontrando Luís de Narbonne radiante de felicidade ao lado daquela que supunha ser Otília de Louvigny e com a qual acabava de consorciar-se.

3

Consequências de um baile

Jamais um homem se sentira mais docemente enleado pelo encantamento adveniente do próprio matrimônio, como Luís de Narbonne se revelava desde a noite, para ele auspiciosa, que da Igreja de Saint-Germain trouxera, em carruagem de gala, para a própria residência, a jovem e formosa esposa que — supunha o infeliz fanático — o Céu lhe concedera. Sua felicidade era irradiante e contagiosa, tornando todos felizes ao seu derredor e fazendo desaparecer de sua casa aquele traço de sombria melancolia que fora o seu padrão doméstico até a véspera do risonho evento. Aos pés de Otília depusera ele a própria vida de envolta com as atenções e o luxo principesco de que a cercava, e, inteiramente vencido, escravizado pelo domínio da própria paixão, não vivia senão dos haustos que esse imenso amor lhe imprimia em todas as faculdades do ser.

Entretanto, se não se deixasse permanecer tão enceguecido pelas próprias emoções; se pudesse obter tranquilidade bastante, na sua demência afetiva, a fim de livremente observar aquele polo que tanto o atraía, e com o qual passava os dias, teria facilmente compreendido que as efusões, que a outra qualquer mulher teriam transportado de venturas, eram apenas suportadas pela jovem esposa, que se mantinha pouco expansiva, quando tudo em torno cantava hosanas ao amor, irradiando inebriamentos e alegrias irresistíveis. Depusera ele aos seus pés tudo quanto possuía de predicados morais elevados e posses materiais. Fizera-a condessa e princesa, dela se orgulhando porventura ainda mais do que daquela Igreja a quem trocara pelo matrimônio, a qual, sem que ele o entendesse, fora a mesma que cavara o abismo entre ambos, abismo que somente os séculos e a sábia misericórdia do Eterno teriam possibilidades de aplainar. Mas Otília, se em sua presença afetava o amor que lhe não poderia verdadeiramente consagrar, em sua ausência debulhava-se em pranto, a si própria afirmando, sem um coração amigo em que pudesse confiar as inauditas amarguras, visto que dama Blandina não a seguira após o sacrílego casamento:

"Esta comunhão de vida torna-se sacrílega e odiosa diante de mim mesma! Em seus braços, sob suas carícias abrasadoras e envolventes, apenas distingo diante dos meus olhos os corpos massacrados dos meus bem-amados, o sangue sagrado da minha família inteira, gotejante de suas mãos! Não poderei suportar tanta infâmia, sequer por trinta dias! Que fiz eu, meu Deus, que fiz eu?... Por que e como me pude submeter a este casamento?... Tudo isto é superior às minhas forças!... Deverei trucidá-lo quanto antes... para que eu própria não venha a me execrar ainda mais, amando o algoz dos meus próprios pais e irmãos... Oh! Quisera ver-me longe daqui, ao abrigo do jugo de Catarina, que não me poupará se eu poupar Luís..."

Todavia, o mesmo Luís aparecia... Observava em seus lindos olhos vestígios de lágrimas recentes... Tomava-a então nos braços amigos e fortes, como se o fizesse a uma criança... Desfazia-se em cuidados e ternas efusões, supondo-a desarticulada ainda no seu tão recente estado de esposa... E assim decorreram quinze dias céleres, quando deliberado fora, pela Rainha-mãe e o próprio Capitão da Fé, que Otília de Louvigny, agora Princesa de Narbonne e condessa de S. pelo casamento, fosse apresentada à Corte pelo próprio esposo, durante uma recepção e baile a que assistiria o próprio Carlos IX. Na noite aprazada foi, efetivamente, apresentada à Corte a angelical menina até então conservada reclusa no próprio Louvre, e que todos supunham tratar-se de uma dama da família de Louvigny, na ocasião já quase totalmente extinta.

Os salões regurgitavam de nobres cavaleiros e damas de alta linhagem. O próprio senhor de Guise, personagem então muito grada a Carlos IX e a Catarina de Médici, Henrique de Anjou, irmão do Rei e futuro soberano, que tombaria, mais tarde, sob o punhal de Jacques Clément,[40] outro fanático da Ordem dos Dominicanos, depois de, por sua vez, haver ordenado o assassínio do mesmo duque de Guise; todo um conjunto esplendente de damas e figuras que se impunham pelo fulgor das próprias honrarias e riquezas, ou pelo poder de que dispunham, ali se achavam abrilhantando a recepção e homenageando os soberanos. Dentre tantas altas personagens presentes, apenas duas conheciam o fato temerário de que aquela apresentação era insultuosa aos brios e dignidades dos circunstantes. Se soubessem da sua verdadeira história, aí teriam uma infâmia, um crime que certamente arrastaria o seu propulsor à ignomínia da forca, porque era a usurpação de um nome e um título respeitáveis, por uma personalidade fora da lei, uma huguenote.

Quando Catarina de Médici, amável e protetora, alvitrara a apresentação da bela senhora de Narbonne à Corte, não tivera outra intenção senão a de expor a suposta Otília ao conhecimento da fidalguia reunida, preparando os acontecimentos, a fim de que se patenteasse futuramente a sua inculpabilidade, no momento em que algo sucedesse a Luís ou que a intrujice do nome surgisse a lume, pois, então, ela, Catarina, apareceria como pobre Rainha ludibriada por uma audaciosa huguenote, que ousara até mesmo desrespeitar a Corte a fim de atingir Luís, vingando--se dele pelo massacre de sua família nos dias de São Bartolomeu. Ruth de La-Chapelle que, então, já estaria desmascarada, seria lançada numa masmorra da Bastilha, até o momento de marchar para as forcas de

---

[40] N.E.: Jacques Clément (1567–1589) foi um monge dominicano que assassinou, no Château de Saint--Cloud, o rei Henrique III de França, no contexto das Guerras de Religião.

Montfaucon,⁴¹ pois que, naqueles tempos sombrios, um nobre também poderia ser enforcado como qualquer vilão, tal fosse a gravidade do crime praticado ou desde que não contasse a seu favor com uma posição bastante destacada entre seus pares.

No entanto, a esposa de de Narbonne tremera ante a perspectiva da apresentação e contra ela relutara, suplicando ao marido o adiantamento da cerimônia de praxe, considerada indispensável no meio social a que pertenciam. Todavia, Luís era muito nobre de nascimento e vaidoso da posição que ocupava, muito orgulhoso se sentia ele da encantadora esposa que conquistara, muito ufano da sua palpitante aventura de amor, que já era do pleno domínio público e até cantada pelos menestréis mais notáveis de Paris, dada a sua qualidade de pretendente ao clero, que terminara tudo calcando pelo amor de uma mulher, para que se acomodasse ele à discrição de ocultar a própria felicidade entre as salas e os corredores do seu sombrio palácio, pois que a verdade era que o conhecido Capitão da Fé nem mesmo poderia abrir os seus salões para visitas e recepções, enquanto sua mulher não fosse oficialmente apresentada à nobreza, em presença do Rei e da Rainha.

...E a cerimônia realizou-se então, alguns dias após as núpcias, com todo o esplendor e as etiquetas próprias da época, havendo Luís de Narbonne apresentado a jovem esposa a cada um daqueles grandes senhores, depois de havê-la conduzido até o próprio trono, onde, taciturno e alheio ao que se passava, Carlos IX, sentado, ricamente trajado em veludo negro, dir-se-ia o lúrido espectro que obsidiava a própria França!

Um sorriso de benevolência esboçado em todos os lábios acolheu a gentil criatura, loura como o Sol, angelical e deslumbrante de mocidade e beleza, frágil e graciosamente tímida entre os esplendores da Corte famosa em toda a Europa, e que era conduzida pelo feliz mortal que a desposara, aquele agigantado Capitão da Fé que amava pela primeira vez,

---

⁴¹ N.E.: Famoso patíbulo constituído de três andares, com várias forcas habilmente arquitetadas como em grandes janelas, construído no século XIII e extinto em meados do século XVIII, em Paris.

que esperara pelo matrimônio protegido contra a corrupção do mundo pelos votos menores da Igreja, e que agora ali estava, feliz e sorridente, exibindo à frente de toda a Corte de Carlos IX o melhor tesouro que lhe coubera entre as muitas riquezas de que era senhor.

Entrementes, a jovem provinciana apresentada homenagearia o Rei e a Rainha, assim como a própria nobreza ali reunida, que tão galhardamente a recebia, com uma representação cuja perspectiva enchia de curiosidade a quantos da mesma tinham notícia.

O teatro era então muito admirado, os cantores e músicos considerados quase como seres à parte dentro da natureza, privilegiados e credores de enternecida admiração. Raros seriam os artistas, e os bons artistas mais raros ainda, exceção feita aos pintores e arquitetos, que tinham, na época, a sua fase áurea.[42] Qualquer jogral ou menestrel se via disputado com insistência pelas casas nobres, recebendo os melhores honorários da época e gozando de privilégios nos palácios e nos castelos, invejados, mesmo, por muitos fidalgos. Por isso mesmo as ciganas cantadeiras das ruas, como os seus companheiros de arte primitiva, eram assaz aclamados pelo encanto das suas canções dolentes ou suaves, saltitantes ou melancólicas. Não raro, o ciúme, a inveja de muitas damas que sabiam seus maridos ou amantes interessados nas pessoas daquelas populares cantoras, ou o despeito de muitos cavaleiros que se reconheciam preteridos nas inclinações amorosas das mesmas, vingavam-se torpemente, acusando-as de feiticeiras ou de hereges, a fim de eliminá-las na forca e até nas fogueiras, enquanto outros, simples jograis e menestréis, contavam com a proteção amorosa de damas da mais alta nobreza! Entre esta, porém, não existiam artistas. Pelo menos jamais se revelavam, ocultando seus gostos e pendores por temerem o ridículo, como se se tratasse de qualidades impróprias da classe. Seria fato excepcional mesmo um fidalgo dar-se à ribalta. O tom de elevado gosto ou de luxo requintado seria,

---

[42] N.E.: Durante a Renascença (séculos XV e XVI), um impulso vigoroso foi dado às Artes, às Ciências, à Literatura etc. Avultaram então os gênios da Pintura, da Arquitetura, da Escultura, os gravadores e eminentes poetas, e muitas conquistas do espírito humano se fizeram então. A Música, no entanto, e mesmo o Teatro só muito mais tarde atingiram a sua etapa brilhante.

então, a manutenção de um trovador, um bufão, um jogral ou mesmo um grupo de menestréis e atores para divertirem o castelão e a família ou os seus convidados, nos dias festivos.

As margens do Reno foram célebres desde tempos muito antigos pelo encantamento das melodias e dos versos que inspiravam aos seus músicos e poetas. Suas lendas, sugestivas, mimosas, arrebatadoras, de sabor muito sentimental, típico por excelência, impressionavam as almas sensíveis, inclinadas ao ideal e aos sonhos miríficos. Eram inconfundíveis as suas canções, enternecedoras e evocativas, e toda a Europa e mesmo grande parte do mundo se têm deleitado ante a inimitável harmonia nascida, de preferência, do lado alemão do lendário rio. Histórias emocionantes, lendas de amor, tragédias, mil argumentos encantadores originários das margens do Reno eram aproveitados pelos poetas e narradores de épocas ainda anteriores à que evocamos, como pelos músicos e trovadores e pequenos grupos de pobres artistas, que iam de castelo a castelo, de palácio a palácio, entreter os grandes senhores e seus comensais com a arte que, primitiva ainda, por esse tempo também era o que de mais elevado e mais fino existia em matéria de diversões. Assim, o que hoje se tornou raro existia naqueles tempos dramáticos, traduzindo um poder de transmissão de sugestões verdadeiramente excepcional! Eram os narradores de dramas e histórias verídicas, geralmente em versos, espécie de livro, de romance ambulante, de jornal, os quais, sozinhos, servindo-se do próprio talento declamatório e mímico de uma dramaticidade exuberante e atraente, empolgavam a assistência com a magia das próprias palavras, narrando-lhe os grandes dramas de amor, os feitos guerreiros ou épicos, tão do agrado da mentalidade de então, sem que sequer por um momento a assistência se revelasse desinteressada... tais como os filmes cinematográficos da atualidade, que ao vivo "narram" tudo quanto os seus organizadores desejarem para a edificação recreativa ou instrutiva de numerosas assembleias.

Tais costumes, incontestavelmente belos e indicadores de elevado bom gosto, declinaram à proporção que a Imprensa progredia, popularizando o livro, o que dispensava a presença dos narradores de histórias e de notícias, ao mesmo tempo que progredia a arte teatral, cujos espetáculos passaram a ser realizados em locais apropriados e mais bem adaptados às finalidades profissionais e comerciais. Todavia, o gosto pelos belos saraus artísticos, nos recintos domésticos abastados, avançou ainda até o século XIX,[43] e, nos dias atuais, não serão raros os recitais e concertos realizados em residências ricas, palidamente evocando o passado... enquanto que o advento do rádio e da chamada televisão mantém o antiquíssimo gosto pelas representações teatrais nos recintos domésticos, não obstante a grande modificação sofrida pelo uso, dentro do tempo.

Porém, aqueles artistas, repetiremos, só excepcionalmente pertenciam à nobreza. Eram os filhos do povo, as almas sofredoras e sensíveis, muitos deles educados em conventos, onde aprendiam as letras sob a orientação de eminentes, mas modestos e ignorados religiosos, caritativos e ciosos do ensino aos humildes e pequeninos. Eram os intelectuais da época, cujas ideias amadureceriam através dos séculos, para as reformas artístico-sociais posteriormente advindas, os quais, então, em vez de uma espada, um cavalo ajaezado e um par de esporas de ouro, manejavam de preferência as forças da mente e do coração... para reencarnarem, mais tarde, como grandes poetas e teatrólogos, artistas delicados e geniais, romancistas cujas produções arrebataram leitores ainda no século XIX, músicos que irradiaram, no século passado, para o mundo inteiro, até os dias presentes, o talento que os séculos e os milênios haviam cultivado nos refolhos abendiçoados das suas faculdades anímicas... como também o são os grandes diretores e mestres da cinematografia moderna...[44]

* * *

---

[43] N.E.: Ricos fazendeiros do Brasil, durante o Segundo Império, mantinham em seus solares companhias de teatro, não raro mandadas vir da Europa, propositadamente para determinadas temporadas, geralmente para abrilhantar a estação do estio, quando às fazendas acorriam ilustres convidados.

[44] N.E.: Já no século V, antes da nossa era, surgiram os "teatros de pedra", na Grécia. Na Roma antiga igualmente se construíram vários, à imitação da Grécia. Na Europa, porém, só muito mais tarde foram erigidos teatros confortáveis. As peças, mesmo para o público, eram representadas ao ar livre, em pátios aproveitados e adaptados, em barracões etc. Nos palácios eram comuns os espetáculos, conforme citamos.

Desde a véspera da apresentação corria o boato, pelas antecâmaras e corredores da Rainha, que a jovem esposa do conde de Narbonne viera das proximidades do Reno, que era uma artista consumada, não obstante tratar-se de uma aristocrata, e que desde o ingresso nos serviços da Rainha vinha a esta apresentando, como à sua Corte íntima, adoráveis canções que a França inteira gostaria de ouvir, e que era por ordens de Sua Majestade que deliciaria os convidados ao baile com alguns números da sua apreciada arte, o canto. A curiosidade seria, portanto, incomum, dado que a jovem desposada era uma condessa, quando tais predicados, conquanto muito admirados, seriam apanágio exclusivo da plebe.

E, pois, trajando longo vestido de cetim branco, simples e cintilante qual túnica de deusas, marchetado de flores douradas, ao qual uma cauda muito longa e majestosa emprestava sugestões irresistíveis; os longos cabelos de ouro esparsos negligentemente pelas costas e pelos ombros, mais brilhantes que as velas dos lustres que pendiam dos tetos dos salões; a fronte alva coroada de rosas brancas, uma cesta de contas de pérolas pendente do braço esquerdo, e de onde apontavam rosas em profusão; as mãos delicadas e quase diáfanas tangendo pequena harpa maviosa, cujos sons envolvidos em tonalidades flébeis enterneciam os ouvintes; assim graciosa e angelical como Ofélia[45] pelos corredores do velho Castelo de Elsenor, em busca das atenções do seu arredio Hamlet, Ruth Carolina de La-Chapelle, a quem, com exceção de Catarina de Médici, julgavam uma descendente de Louvigny, entrou no salão de baile, pondo-se a cantar, exatamente como o fazia na casa paterna pelas tardes domingueiras, em presença dos pais e dos irmãos, homenageando os companheiros de ideal religioso que acorriam em visitação. Ela era ali, em presença do Rei da França e da sua Corte reunida, a realização genial de uma imagem lendária do Reno, espiritual, meiga, ideal, as atitudes angelicais, a graça inimaginável de um ser celeste subitamente aparecido entre os mortais, o sorriso terno e cativante, a voz dulçorosa e envolvente, entoando as

---

[45] N.E.: Personagem da obra *Hamlet* de William Shakespeare. É uma jovem da alta nobreza da Dinamarca, filha de Polônio, irmã de Laertes, e noiva do príncipe Hamlet.

formosas canções outrora criadas pelo irmão saudoso, cuja trágica morte seu coração chorava ainda e sempre...

Um murmúrio de surpresa acolheu-a. A um canto, discreto e isolado, como habitualmente se portava em sociedade, Luís de Narbonne, o esposo daquela criatura a quem se diria personagem de lenda, emocionava-se e tremia, surpreendido por mais esse atrativo daquela a quem se unira, pois que o ignorava, enquanto Catarina comprimia os lábios com equívoca expressão, porque em sua boca jamais um sorriso, senão estranhos ríctus afloravam, e Carlos IX, invariavelmente taciturno e indiferente, fixava os olhos na cena inédita em seus salões...

A jovem evolucionava pela sala, cantando ao som da harpa. Ia e vinha em passadas ritmadas, cheias de arte e beleza; abeirava-se de um e de outro convidado, saudando-os, graciosa e simples, a todos oferecendo uma rosa branca da sua linda cesta, entre um agudo mais prolongado ou uma pausa inteligentemente escolhida para facilitar o gesto... Abeirou-se de início do trono. Curvou-se, cantando, numa vênia solene, depositando aos pés dos soberanos uma braçada de rosas... e evolucionou pela sala, provocando sorrisos enternecidos a uns, encantando a todos... Mas, nas profundezas do seu coração, enquanto seus lábios cantavam, destilavam a revolta e o ódio por aquela Corte de refalsados que haviam condenado seus irmãos de fé e trucidado seus entes amados, destroçando o seu lar e dela mesmo fazendo o ser diabólico que ali estava disfarçado em anjo; cantava os versos do irmão querido, e revivia, dentro dos mais sagrados pensamentos, em que uma saudade inextinguível construíra o seu eterno altar, o lar fulgente de afetos e alegrias que perdera, os vultos amoráveis dos velhos pais, a cândida bondade dos cinco irmãos varões, os risos inocentes dos sobrinhos pequeninos, os quais ela embalava nos braços gentis com aquelas mesmas canções que agora oferecia àquela aglomeração de abutres...

Então sua voz atingia o sublime, para aqueles ouvidos mais habituados à maledicência da politicagem e das intrigas criminosas.

Distinguiam-se lágrimas e estranhas doçuras na sua voz... ou vibrações de dor e anseios de revolta... Seus olhos, que agora fulguravam raivas ou esfuziavam vinganças, dentro em pouco se enterneciam recordando a figura protetora do irmão mais velho, que ajudara a sua criação por entre carícias e conselhos bons... E o instrumento suave, recordando a antiguidade dos reis que eram pastores,[46] acompanhava habilmente o canto mavioso que o bucolismo sugestivo do Reno soubera inspirar...

Ruth abeirou-se, porém, de Luís, o esposo feliz que seria também a maior vítima da sua genial maldade. Murmurou, terna e provocante, uma canção de amor aos seus ouvidos extasiados, como quem segreda... Falou-lhe de dores, de saudades, de tragédias desenroladas à beira do rio querido... e, sorridente e linda, ofereceu-lhe uma rosa-rubra, símbolo do sangue derramado — a única dessa cor que trazia entre tantas, que eram brancas...

Sôfrego e radiante, o Capitão da Fé beijou-lhe as mãos, recolhendo a dádiva... E o baile prosseguiu pela noite adentro, tendo a falsa Otília de Louvigny como a sua melhor atração...

Do alto da cadeira majestosa, de onde irradiava um governo férreo para a França inteira, Catarina de Médici, sem perder um único gesto de Ruth Carolina, murmurava consigo mesma: "O gato se diverte com o indefeso rato, antes de esmagá-lo... Creio que contamos com a mais consumada comediante da França, para o serviço do trono... Se essa menina não tivesse a inconveniência de se utilizar do nome de Louvigny para o seu caso particular, escureceríamos a sua qualidade de huguenote para conservá-la ao nosso dispor... Ela é, porém, excessivamente audaz e perigosa... Luís de Narbonne está perdido, realmente, com semelhante inimiga..."

* * *

---

[46] N.E.: Davi, rei de Israel, era músico e poeta, dedilhando a harpa com grande talento, segundo informa o Velho Testamento.

Dentre os oficiais que faziam a guarda pessoal do Sr. Duque de Guise, nessa noite de baile, com atribuições no interior do Louvre, destacava-se um que servira nas fileiras comandadas por Luís de Narbonne, quando dos inesquecíveis dias dos massacres dos huguenotes, pois, como deveremos estar lembrados, o moço capitão se unira às forças de Guise naquela ocasião. Esbelto e severo, muito compenetrado de zelos pelo trono, ao qual respeitava, esse oficial não perdia, naquela noite, um minuto sem observar aqui e ali se um inimigo sempre possível, das pessoas presentes, não houvesse penetrado nos salões para fins deploráveis. Exorbitava, como vemos, das próprias atribuições, as quais, no momento, se reduziriam à pessoa do ilustre Príncipe da Lorena. Atrevera-se, por isso mesmo, a acercar-se do salão de danças e, observando tudo, na inspeção conscienciosa que supunha dever, deteve-se numa porta lateral e, oculto entre os reposteiros, pôs-se a assistir ao mavioso recital de Otília, suntuoso e muito original para a época. Vendo-a, no entanto, quedou-se taciturno, a fronte carregada, o olhar irradiando desconfianças e intenções duvidosas. E enquanto os demais assistentes de nada mais cogitavam para se darem sem constrangimentos ao prazer de admirar a celeste aparição daquela noite, ele deixava confranger o próprio coração, revoltando-se intimamente a cada novo triunfo da linda cantora do Reno. O mesmo oficial frequentava assiduamente o Louvre, onde atendia a obrigações da sua classe, junto a Henrique de Guise, e, portanto, junto ao trono. Ouvira falar de Otília de Louvigny como rara beleza que a todos encantava, e no seu casamento com o capitão de Narbonne, mas não tivera ocasião de avistá-la senão naquele mesmo momento, vendo-a, então, pela primeira vez. Esse militar, circunspecto e rigoroso, era amigo sincero de Luís de Narbonne, e, conquanto se mantivesse discretamente distanciado de um convívio íntimo com o fanático clericalista, dada a diferença das posições sociais, pois era simples cavaleiro sem terras nem haveres, mercenário militar a soldo de quem melhor o remunerasse, admirava-o tão profunda e respeitosamente como um irmão submisso, pronto a dar por ele até a própria vida, se necessário. Fanático religioso ainda mais intransigente do que o próprio de Narbonne, permitiria o trucidamento da própria família, se esta ele julgasse prejudicial aos interesses da Igreja ou do trono. Às vésperas do terrível evento de São Bartolomeu, esse homem, cujo nome era Reginaldo de Troulles, já nosso conhecido, fora investido pelo Capitão da Fé da especial missão de levar à família de La-Chapelle a missiva de advertência, convidando-a a retirar-se do solo francês urgentemente, ou a penitenciar-se publicamente em Paris, renegando a Reforma. Reginaldo, como sabemos, não encontrando no Castelo o destinatário da mesma, o jovem luterano Carlos Filipe, permaneceu três dias como hóspede do Castelo, sendo tratado com as deferências devidas a um fidalgo e a bonomia que caracterizava a família de La-Chapelle. Admitiram-no, como vimos para trás, no culto ao Evangelho da pequena igreja doméstica mantida pelo jovem Carlos Filipe na casa paterna; e, no desenrolar da augusta cerimônia, ouvira falar os irmãos Filipes, na ausência de Carlos, e também a jovem Ruth Carolina, que com o irmão mais velho aprendia a orar, recitando os *Salmos* de Davi. Na tarde de domingo, que entre eles passara igualmente, assistira aos ensaios teatrais habituais entre a família, onde pais e filhos se revelavam artistas insignes, e, assim, tivera ensejo de admirar de muito perto, encantado e perplexo, a formosa e meiga Ruth Carolina exibir-se com as lindas canções do seu repertório, de suas mãos recebendo mesmo uma linda rosa — tal como agora via acontecer no salão de Catarina de Médici.

Surpreso e atordoado, Reginaldo de Troulles não teve outro remédio senão a si mesmo confessar que aquela encantadora jovem, festejada em pleno Louvre, em presença dos reis da França e pela Corte reunida; que aquela mimosa criança, recém-desposada por um vulto como Luís de Narbonne, e a qual todos, este inclusive, acatavam como se se tratasse de uma dama da respeitável família de Louvigny, outra não era senão a mesma a quem conhecera no Castelo de La-Chapelle sob o nome de Ruth Carolina, uma huguenote luterana, filha dos condes de Brethencourt de La-Chapelle, massacrados nos dias de São Bartolomeu, sob comando do próprio Luís de Narbonne!

Enquanto perdurou a solenidade, Reginaldo não mais perdeu de vista a infeliz irmã de Carlos Filipe. Mil ideias contraditórias turbilhonavam em seus pensamentos:

"Que fazer, ante a crítica emergência?..." — pensava preocupado. — "Denunciar a impostora ao Rei ou à Rainha?... E se estivesse enganado, e se se tratasse apenas de uma extraordinária coincidência?... Pediria audiência particular a Luís de Narbonne, confidencialmente prevenindo-o de que fora vítima de um engodo, uma traição, casando-se com uma de La-Chapelle, e não com Otília de Louvigny?... Mas... e a reação do Capitão da Fé, qual seria?... Como e por que essa jovem usurpara o nome de família tão conhecida?... E a verdadeira Otília de Louvigny, onde pairaria?... Existiria, porventura?... Conheceria a infâmia perpetrada contra sua personalidade?... O fato pareceria, efetivamente, inacreditável, mas era real! Que fazer, portanto?... Silenciar?... Mas... e seus deveres de consciência ante uma realidade que feria a razão?... E seus deveres de militar, zeloso do decoro social?... E seu dever de amigo e admirador de um varão íntegro, compreendendo-o enredado em uma tão extraordinária intriga que somente visaria ao crime?... Pois repugnava a Reginaldo admitir que Luís se envolvesse voluntariamente na trama que adivinhava tecida pela cantora huguenote, a quem ouvia que elogiavam, exclamando: 'É uma de Louvigny!' Ademais, onde encontraria audácia para apresentar-se ao ilustre Capitão da Fé e dizer: Casastes com uma inimiga, a sobrevivente única dos huguenotes mortos por vossa ordem no Castelo de La-Chapelle, exatamente aquela a respeito de quem me destes ordens para procurar até ser encontrada, a fim de lançá-la na Bastilha, para ser processada como herege!"

Apreensivo, viu o baile terminar, os convidados deixarem lentamente os salões iluminados, o silêncio pesar sobre os grandes corredores do palácio... Retirou-se ele próprio, montando guarda ao seu duque... e não conciliou o sono naquele término de madrugada, meditando sobre o que deveria tentar em face de tão caprichosa circunstância. Pensara em escrever à dama dos cabelos de ouro, participando-lhe de que fora descoberta e exigindo uma fortuna para guardar silêncio, ou a proteção junto do marido a fim de galgar facilmente na sociedade em que agia. Obtemperou, porém, consigo mesmo, que a linda mulher, se se arriscara a tão perigosa aventura, era que estaria disposta às mais violentas atitudes, mesmo à perda da própria vida, pois que, uma de La-Chapelle, casando-se com Luís de Narbonne, sob um nome suposto, dois meses depois do massacre de São Bartolomeu, somente o faria visando a algo de terrível e odioso... estando, portanto, muito bem preparada para qualquer eventualidade. E tremeu o intrépido Reginaldo de Troulles, apavorado ante a previsão do que para si próprio resultaria se irritasse aquela menina frágil, em cuja personalidade reconhecia um incompreensível poder de magia para penetrar o próprio Louvre sob um falso nome, enganar Catarina de Médici, ludibriar de Narbonne, cativar e engodar, com seus encantos pessoais, aquela Corte que ele acabava de contemplar reverente ante seus inúmeros predicados.

Durante o dia viram-no taciturno e mal-humorado. À tarde, no entanto, dispôs-se Reginaldo a assistir aos ofícios religiosos em Saint-Germain.

Conservava-se prosternado entre o povo, imerso em meditações, como era de uso se afetar desde que irrompera as matanças de "hereges". Quem o observasse assim humilhado e reverente a um canto da Igreja, julgá-lo-ia abstraído em santas confabulações com os Céus. A verdade era, porém, que o cavaleiro de Troulles só tinha um pensamento, somente se agitava sobre uma preocupação desde a véspera: denunciar a formosa de La-Chapelle! Nem por um momento se deixou enternecer à ideia de que aquela pobre criança poderia estar sendo presa de amarguras inconsoláveis, visto que tudo perdera com o desaparecimento da família, e cujos desorientados atos responderiam pela intensidade do desespero que lhe extravasaria da alma ferida por aqueles mesmos que lá estiveram a aplaudi-la durante o baile.

Subitamente vislumbrou ao longe, retirando-se de ao pé do altar, a figura cabisbaixa de monsenhor de B., a quem sabia mestre e antigo tutor do conde de Narbonne, e ideia genial lhe aflorou na mente sedenta de lutas e dramas tumultuosos.

Haveria confissões... Monsenhor de B., como sempre modesto e prestativo para a posição que desfrutava, atenderia as ovelhas penitentes ao confessionário, então muito frequentado pelos fiéis. Desejando, entretanto, prevenir o velho religioso da importante confissão que acabara de resolver, escreveu algumas palavras num retalho de papel, que a custo obtivera com um leigo que servia na fiscalização, e fez que este mesmo as levasse àquele. Monsenhor de B., já aboletado no seu posto de perdoador de delitos alheios, desdobrou o bilhete em silêncio, e leu, enquanto carregou a fronte:

"Monsenhor,

Necessito urgente confissão convosco. A honra de uma pessoa que vos tem sido muito cara, desde a infância, encontra-se ameaçada, e tenho valiosas revelações a fazer."

Levava assinatura singela, que monsenhor bem conhecia. Evidentemente o assunto se referia a Luís. O velho sacerdote amarrotou vivamente o papel, interessando-se pelo penitente. Fervoroso crente, piedosa ovelha a quem os demais fiéis contemplariam sinceramente submissa, Reginaldo acercou-se do confessionário e relatou ao antigo tutor de Luís de Narbonne a singular descoberta do baile da véspera, depois de declarar sua condição de oficial da guarda de Guise, e pedindo, hipocritamente, conselhos para o que deveria tentar. Discreto e digno, monsenhor pronunciou apenas estas únicas palavras, após ouvir o minucioso relatório:

— Agradeço-vos o zelo demonstrado, Sr. oficial. Guardai segredo, porém, da descoberta que fizestes, a qual causaria a vossa ruína pessoal, se fosse propalada.

Para o velho religioso, semelhante revelação não constituiria surpresa. Esperava mesmo, dentro de curto prazo, poder averiguar a verdade a respeito da personalidade mais que suspeita da esposa de de Narbonne. Monsenhor conhecera as famílias de La-Chapelle e de Louvigny-Raymond o bastante para poder distinguir nas feições da suposta Otília os traços característicos da primeira, e não da segunda. Sabia que uma dama desta última raça estivera para contrair matrimônio com um varão de La-Chapelle. O coronel

Artur de Louvigny-Raymond, seu antigo discípulo, antes de seguir para o estrangeiro, havia com ele confidenciado a respeito, rogando-lhe conselhos acerca do projetado consórcio da irmã, não obstante omitir o prenome desta, tendo ele mesmo, monsenhor, advertido o ex-discípulo de que não seria aconselhável a aliança, por todos os motivos, mormente quando eram projetadas perseguições a huguenotes, no solo francês, pelos poderes civis e temporais, e em virtude de ser o pretendente à aliança um huguenote de muita evidência, o que desgraças imprevisíveis ocasionaria à família de Louvigny. Ele próprio, monsenhor de B., indicara a internação da jovem irmã de Artur no Convento das Ursulinas de Nancy, três anos antes, a título de hospedagem temporária, na esperança de que fosse o romance de amor esquecido pela impossibilidade de entendimentos entre os dois jovens, escrevendo mesmo à sua madre superiora, a quem muito de perto conhecia, recomendando a reclusa. Todavia, em virtude da própria dignidade pessoal e do respeito devido às normas da instituição a que servia, cauteloso ante a ideia do desabono que valeria para a posição de Artur na Corte e para o futuro da própria menina, a intriga desse infeliz noivado, uma vez fosse ele do domínio público, jamais se referira ao fato, nem mesmo diante de Luís, terminando por tudo generosamente esquecer, dentro de algum tempo.

Entrementes, no dia seguinte ao da entrevista que tivera com seu filho adotivo, da qual sério estremecimento resultara entre ambos, monsenhor de B. fizera um correio à superiora das Ursulinas, de Nancy, suplicando fosse a ele revelado o nome de batismo da jovem condessa, irmã do coronel Artur de Louvigny-Raymond, por ele, monsenhor, recomendada à instituição, e ainda o seu paradeiro, isto é, se continuava no Convento, conforme ordens do irmão, ou se se desligara da tutela da mesma congregação. Tardara, no entanto, a resposta, somente chegando ao conhecimento do ansioso sacerdote após o enlace de Luís, ou seja, pouco antes da denúncia de Reginaldo, durante o segredo da confissão. Monsenhor leu a missiva da religiosa, que narrava o seguinte:

"A condessa por vós recomendada, irmã do coronel Artur de Louvigny-Raymond, tendo atingido a maioridade há pouco mais de um ano, desejou retirar-se para as suas terras. Não existindo recomendações particulares para que esta casa a retivesse após a maioridade, e em virtude do seu precário estado de saúde, dispensamo-la dos nossos cuidados, visto que era uma aluna que concluíra a educação, e não uma pretendente aos véus. Retirou-se, pois, acompanhada da preceptora Blandina d'Alembert. A infeliz condessa, no entanto, já bastante enferma desde algum tempo, veio a falecer logo após os desastrosos acontecimentos que atingiram a família huguenote de La-Chapelle, em cujo seio pretendia casar-se, devendo estar sepultada no carneiro de Louvigny-Raymond, em Nancy, segundo informações aqui chegadas. *Otília* era o seu nome de batismo."

Monsenhor leu e releu a carta a sós com as próprias apreensões, em seu gabinete de estudos e meditações. Depois, com um profundo suspiro, disse a meia-voz, guardando-a em seguro cofre:

— Não há dúvida de que se trata de uma cilada, de uma trama genialmente engendrada para represálias terríveis... A esposa do meu Luís será, portanto, como bem percebi, uma descendente dos huguenotes de La-Chapelle — aliás honrados fidalgos! —, e não Otília de Louvigny, como ele próprio supõe... Mas... em que trevoso enredamento essa infeliz criança se comprometeu?... Quem a estará dirigindo ocultamente?... Talvez huguenotes poderosos, que tentam desforras pavorosas?... Catarina, porventura?... Não, não é provável que a Rainha se alie a huguenotes!... E como ousou a pobre menina arriscar-se tanto? Ajamos, contudo, com inteligência e humanidade... como devido entre os que se proclamam cristãos... Não desejamos sua perda... Mas não poderemos deixar que Luís sucumba em suas mãos. A questão será salvá-lo, sem a perder... Creio, meu Deus, que assim agindo serei prudente e justo aos teus olhos... Pobre Luís! De qualquer forma será desgraçado, pois a ama perdidamente! Funesto destino trouxe ele, já com o nascimento!... Quantas vezes aconselhei-o a não se envolver na política nefasta de Catarina! Seu lugar seria junto de Deus, dedicando-se ao bem, como todos os que nascem marcados pelo sofrimento!... Mas os jovens jamais atendem aos pobres velhos, que, no entanto, somente o que desejam é vê-los ditosos... Essa pobre louca de La-Chapelle já terá sofrido bastante para que tenhamos coragem de torná-la mais desgraçada do que ela própria já se fez! A vida de Luís corre perigo... Que fazer?... Que fazer?...

A inspiração não tardou a socorrer-lhe a indecisão, e, certamente, a justa ideia que lhe aflorou ao pensamento partira bem da intervenção de entidades amigas do Invisível, que, observando falar tão lealmente em seu íntimo os sentimentos de humanidade, o animavam a uma tentativa salvadora que, aceita pela bela de La-Chapelle, evitaria a ela própria períodos seculares de lutas pela recuperação moral-espiritual de si mesma.

Assim agindo, portanto, monsenhor de B. incumbiu um dos seus fiéis acólitos de ir à localidade indicada pela superiora das Ursulinas, isto é, a mesma Nancy, e obter das autoridades eclesiásticas competentes a certidão de morte e sepultamento da condessa Otília de Louvigny-Raymond, arma com a qual contava para convencer a si próprio, como a esposa de Luís e a este mesmo, de que se viam todos diante de lastimável e perigoso enredamento, ao qual seria necessário conjurar, para o bem de todos. O religioso regressara a Paris alguns dias após a denúncia de Reginaldo, com a singular declaração, escrita do próprio punho daquelas autoridades, de que a condessa de Louvigny-Raymond absolutamente não morrera, pois que deveria estar residindo em Paris, naquele momento; que, contrariamente ao que monsenhor supunha, a jovem falecida no Castelo de Louvigny era a sua amiga de infância *mademoiselle* de Brethencourt de La-Chapelle, cuja família fora trucidada pela valente cavalaria do Sr. de Narbonne, quando dos dias "benfazejos" de São Bartolomeu, tendo a menina falecido em virtude de fundos abalos daí consequentes, pois que já era enfermiça de males incuráveis, estando provavelmente sepultada no túmulo de seus avós, na aldeia de F., próximo a La-Chapelle, e não em Nancy.

Ora, Reginaldo de Troulles reconhecia na esposa de de Narbonne a jovem Ruth de La-Chapelle... e, por isso, duplamente apreensivo, monsenhor meditou profundamente durante algumas horas, tomando, após, definitiva deliberação. Certo de que tão estranha intriga, que resultara até mesmo em um enlace matrimonial e na morte duvidosa de uma importante personagem, visaria a fins vingativos contra a pessoa de seu filho muito querido, dirigiu-se ao palácio de de Narbonne, pretendendo entender-se com a jovem desposada antes de qualquer outra atitude, no intuito de salvar aquele por cuja vida temia a todo momento, admirado de que algo não houvesse sucedido ainda.

O Capitão da Fé recebeu-o com atenciosas efusões, depois de vários dias de desgosto e agastamento. Encontrava-se o altivo conde em seu gabinete de trabalho, consultando papéis, despachando mensagens, conferindo notas, atendendo este ou aquele cortesão que o procurasse, pois desde o evento do matrimônio limitara os compromissos da vida aos quartéis. A um lado, junto a rica secretária, sobre um estrado em que se via suntuosa poltrona em mongol torneado, a falsa Otília, por exigências do feliz esposo, quedava-se sentada, a pequena harpa nas mãos, de cujas cordas, de vez em quando, tirava maviosos acordes para encantar o marido, pois Luís não se permitia perdê-la de vista à hora dos seus afazeres internos. Ao ver entrar monsenhor de B., desceu do estrado, cumprimentou-o solenemente, osculando-lhe a mão que lhe fora paternalmente estendida. Ele próprio foi o primeiro a falar:

— Trago-vos a minha bênção, queridos filhos, com a primeira visita ao vosso lar depois que vos casastes... Não desejo, porém, perturbar vossos muitos afazeres, senhor conde... Permiti-me, portanto, retirar-me com vossa esposa, com quem terei grato prazer de conversar mais intimamente, pois apenas nos conhecemos... enquanto concluireis vossos despachos para irdes ter conosco... pois ficai sabendo ambos que não me retirarei daqui sem que me ofereçais de jantar e de cear...

Riram-se os esposos. Encantado, Luís permitiu a retirada da esposa, visto que era seu próprio pai, ou aquele que como tal considerava, que o exigia amistosamente, enquanto Ruth, acompanhando o visitante por entre sorrisos cativantes, ia confabulando consigo mesma: "Eis o pior inimigo! Seu olhar devassa os refolhos do meu pensamento! Juraria que desconfia da verdade!... Vem a mim, Otília, querida amiga, querida irmã! A mim, Otília! A mim, Otília! Pelo amor do teu e nosso Carlos!..."

4

ANJO DAS TREVAS

Na manhã desse mesmo dia passara-se um fato singular, que não desdenharemos relatar.

Atendendo aos deveres de militar, muito embora já os houvesse limitado sensivelmente após as bodas, Luís de Narbonne passava as manhãs fora de casa, algumas vezes durante a semana. Sabedora de tal particularidade, porquanto as pessoas temerosas de perseguições se devem a preocupação de tudo observar, a senhora d'Alembert, depois de alguns dias de ansiosa expectativa, à espera de uma oportunidade mais favorável, escolheu exatamente essa manhã para se apresentar à antiga discípula a título de visitá-la após o enlace matrimonial, mas, em verdade, procurando desincumbir-se de importante tarefa, certa de que o conde se encontrava ausente. Blandina nutria a mais absoluta aversão pelo Sr. de Narbonne, o que, examinando-se os fatos, seria justificável. Todavia, longe estava de aplaudir qualquer gesto vingativo contra esse perseguidor dos seus irmãos de crença, e, no íntimo de sua alma já inclinada ao progresso moral, perdoava-lhe por amor ao evangelho, ao qual respeitava e cujas leis quisera levar em consideração.

Dirigindo-se ao palácio de de Narbonne, sobraçava pequeno volume, que procurava ocultar sob a capa ampla. Recebida afavelmente por sua antiga aluna, foi direto ao que pretendia:

— Venho da parte de Sua Alteza, o príncipe Frederico de G., que desde há alguns poucos dias se encontra em Paris, esperando oportunidade para se comunicar convosco... e vem para vos oferecer préstimos na emergência difícil em que vos colocastes, atendendo aos projetos de vingar os nossos mortos queridos... Gregório foi à Baviera, informando-o detalhadamente das ocorrências cruéis... O Príncipe tivera notícia dos acontecimentos muitos dias depois do morticínio... e afiançaram-no que havíeis falecido no Castelo de Louvigny, minada pelo desespero, razão pela qual não correu ao vosso encalço senão agora, quando tudo se esclareceu. Aqui tendes a missiva que vos envia e mais este volume contendo disfarces que julgou necessários...

Ruth Carolina tomou a carta e o volume e leu emocionada:

"Eis-me aos vossos pés, *mademoiselle* de La-Chapelle, rogando-vos o cumprimento da promessa firmada por nossos pais, ou seja, pronto para vos desposar, como desde nossa infância fora projetado por nossas famílias. Há bem poucos dias eu soube que ainda pertencíeis a este mundo... Quando me inteirara dos trágicos sucessos que vitimaram vossa família, dirigi-me a La-Chapelle, sendo informado então que havíeis falecido em Louvigny, sendo esta a causa única de não vos ter procurado a tempo de evitar a crítica situação do momento. Vinde comigo para nosso Castelo da Baviera. Tereis uma pátria que vos agasalhará com amor, tereis novo lar, um esposo dedicado, pois eu vos amo desde muito; amigos que vos consolarão, fazendo-vos esquecer do mau passado... e liberdade para cultuardes a vossa fé, que também é a minha. Esquecei a França e as lágrimas que aí chorastes pela paz que vos oferece o meu coração amigo e respeitoso."

A jovem condessa sorria ao atirar a carta às chamas que crepitavam na lareira, exclamando para Blandina, que esperava em silêncio:

— Esse caro Frederico aparece em ocasião mais do que oportuna... Eu tencionava mesmo pedir-lhe asilo, caso escapasse. Diga-lhe que aceito, Blandina... Aceito tudo... Partirei com ele... Mas que esteja a postos, esperando-me por mais alguns dias... Poderei partir a qualquer momento, ou jamais partirei... se o que pretendo ocasionar minha morte ou se me encarcerarem nas masmorras da Bastilha ou nos segredos do Louvre. Fui informada pela própria Rainha de que existem terríveis subterrâneos entre os alicerces do seu grande Palácio... Que importa?... Gregório informou-o de que...

— Gregório informou o Príncipe de tudo, de tudo, *mademoiselle*!

— Ainda bem... Não terei o trabalho de explicar a razão de toda essa comédia... Sim, irei, Blandina, irei se sobreviver... A comédia já me cansa... as circunstâncias complicam-se... Este casamento não estava nas minhas previsões e dificulta-me a ação... Sou uma pobre prisioneira do despotismo amoroso do meu senhor e esposo... Desconfio de Catarina, que preparou estas bodas com muita arte... Ela deseja que, além de de Narbonne, eu a livre de mais dois ou três cavaleiros que a incomodam... Mas creio não convir a mim tal servilismo... A arte mais difícil agora é enganar Catarina... porquanto nossa Rainha não me ama... e certamente me estenderá as garras no final do drama... É enganá-la e ir-me da França sem me tornar assassina e sem ser perseguida... Eu não quero assassinar ninguém, sabes?... Não quero e não posso matar ninguém... porque o mandamento da Lei proíbe matar...

— *Mademoiselle*... Vós não sois má... Estais apenas alucinada, desorientada... Esquecei daquele nefasto juramento, que nenhum valor terá junto de Deus, visto se achar fora da sua Lei... e partamos, já, agora... Nenhuma guarda do palácio desconfiaria se vos visse sair agora... para irdes visitar a Igreja, por exemplo... A carruagem de Louvigny, com os brasões retirados, graças à previdência de Gregório, está à vossa porta, passando por minha... Sua Alteza, disfarçado em burguês comerciante, Gregório à boleia...

— Sim, minha querida preceptora, irei! Mas primeiro hei de ferir de Narbonne, despedaçar-lhe a vida e o coração, com a perda do ser amado... tal como ele próprio fez a mim e à pobre Otília, que foi também sua vítima...

— Perdoai, *mademoiselle*, e obtereis paz para o coração... Buscai consolo no amor de Deus, pois este é o ensinamento do nosso santo evangelho, pelo qual somos perseguidos e massacrados...

— Oh! não derramarei sangue, dama Blandina, esteja sossegada! Sou demasiadamente frágil para isso... Minha Otília disse, lembra-se?... A senhora estava presente: "A dissimulação é a arma da mulher, mais poderosa do que a espada dos cavaleiros..." Vá, minha Blandina, e diga ao meu Frederico que aceito... que me espere ainda um pouco, se é que realmente me quer... já que desde a infância me espera... E mande-me Camilo... Necessito dele para certos desempenhos graves...

A dama retirou-se pensativa e sucumbida, participando ao nobre alemão a resolução irrevogável da voluntariosa menina. E Frederico, fiel a um compromisso de honra como a uma terna afeição do coração, aquiesceu em esperá-la, acabrunhado ante a sombria expectativa dos acontecimentos. Fizera alugar uma água-furtada pelas imediações, transformando-se em mercador burguês, e com seu criado, que outro não seria senão Gregório, aguardou pacientemente, temeroso pelo que sucederia à sua formosa noiva.

Meia hora depois, Camilo chegava e ela o tomava a seu serviço.

Atarefado e confiante e, ademais, ausente no momento, de Narbonne de nada desconfiara.

* * *

Após o almoço, chegara, então, monsenhor de B. Sua conferência com a jovem renana foi longa e discreta. Ele falara com mansidão e carinho, nada lhe reprovando nem interrogando, apenas declarando que descobrira tudo e pedindo-lhe que se ausentasse de Paris, que deixasse em paz o infeliz de Narbonne, que fugisse dele, daquele palácio, passando-se para a Alemanha, já que possuía afinidades com aquela nação e onde poderia ainda conseguir felicidade. Ele, monsenhor, protegeria sua fuga, dar-lhe-ia a máxima garantia, interpondo-se entre ela e o crime que pretendia praticar, para que nenhuma consequência má a atingisse... e consolaria Luís da dolorosa decepção...

Ruth Carolina silenciava. Baixara a cabeça, cruzara as mãos sobre os joelhos e ouvia, enquanto lágrimas desciam dos seus olhos, inundando-lhe as faces. E monsenhor repetia baixinho, para que nem as próprias paredes se apossassem das palavras que proferia, revelando-as aos criados, persuasivo, paternal:

— Não sei, pobre filha, quais os teus planos ao representares um drama tão arriscado para ti própria... e nem tos pergunto... Presumo tratar-se de uma vindita contra esse pobre Luís, que se tornou subitamente louco de amor por ti... Dou-te razão: sofreste um inominável martírio com o desaparecimento dos teus! És, porém, uma criança infeliz, que não conta sequer 20 anos, e que necessita voltar-se para Deus a fim de lograr consolo e paz para o prosseguimento da existência, e em cuja fronte angelical não assenta bem o estigma do crime! Perdoa a Luís, minha filha, o mal que te causou, eu te suplico! Peço-o com minha alma prostrada diante de ti... porque eu o amo, ele é meu filho, eu o embalei e criei de pequenino como melhor não o teria feito sua própria mãe, que ele não logrou encontrar debruçada sobre o seu berço... e não queria vê-lo sofrer, não queria perdê-lo! Perdoa porque — fica certa —, se te conhecera antes do malsinado dia de São Bartolomeu, ele se teria detido ante as ordens da própria Catarina de Médici! Perdoa-lhe e rejubila-te, se é que lhe desejas mal. Doravante será um desgraçado, para quem a felicidade não mais será possível! Vai! Vai! Eu protegerei a tua fuga!

— Se eu partir, Luís sucumbirá de dor! — murmurou ela finalmente, por entre lágrimas.

— Repito-o, eu o consolarei! Estou certo de que se conformará e aprovará a tua retirada, sabendo toda a verdade... quando mais não seja, por temor a Deus e no intuito de evitar as iras de Catarina contra ti. Entre vós ambos existe toda a tua família sacrificada sob sua responsabilidade! Vossa união é impossível, é um crime!

— Enganai-vos, monsenhor, ele partirá como louco à minha procura ou não me deixará partir... Não viverá sem mim...

— Não o creias, filha! É altivo, orgulhoso, um homem honrado que se não diminuirá aos próprios olhos!

Pequena pausa pesou sobre ambos. Ruth chorava, torcendo as mãos. Monsenhor de B. insistiu:

— Então, que resolves?...

Ela caiu de joelhos, trêmula e desesperada, e quem a visse, humilde, desolada, desfeita em lágrimas, acreditaria tratar-se de uma alma sincera e sofredora a quem se deveria amparo e compaixão. De súbito, exclamou:

— Senhor, tende compaixão de mim! Ouvi-me! Protegei-me! Sim, vim a Paris com o intuito de assassinar Luís de Narbonne, a quem responsabilizo pelo trucidamento de minha família... Não tive, no entanto, forças suficientes para atingir o alvo que trouxera... Um acontecimento anormal, um fato certamente inspirado pelo inferno, que me vem perseguindo, sobreveio entre mim e os meus vingativos projetos... Senhor! Diante de vós encontra-se uma mulher sacrílega, que deveria expirar na forca ou na fogueira! Ai de mim! Bem cedo compreendi ser impossível a vingança... porque amei o próprio algoz de minha pobre família! Amo-o, amo-o, monsenhor! E não tenho forças para castigá-lo nem abandoná-lo!

Perplexo, o velho sacerdote retrucou impressionado:

— Mas... Tal sentimento é, com efeito, impossível, sacrílego! Está fora da natureza humana e teu dever é renunciar a ele quanto antes! Luís é meu filho pelo coração e eu o quero acima de todos os bens deste mundo! A realidade ordena que se reconheça que entre vós ambos, separando-vos, não apenas a diferença da fé existe, mas também uma caudal de sangue... o sangue sagrado de teus pais e irmãos... Somente vos cabe, portanto, um dever: a renúncia! Por isso mesmo reitero a minha súplica para que, a bem de ti mesma, a bem dele próprio — oh! a bem da salvação das vossas almas — partas para sempre, separando-te dele! Encarrego-me de participar a tua partida a fim de que nenhuma desgraça mais venha a suceder... e saberei amparar Luís, dando-lhe conhecimento, eu mesmo, ainda hoje, agora, do que existe...

Ergueu-a paternalmente, com atenções e solicitudes, fazendo-a sentar-se. Depois do que, observando-a mais serena:

— Sim, partir! Providenciarei ainda hoje meios para o teu transporte...

A jovem pareceu vacilar ainda, demonstrando aflição. Mas, de súbito, ergueu-se resoluta:

— Está bem, monsenhor! *Partirei ainda hoje!* — declarou. — Atenderei vossos arrazoados, que sei partirem de um sábio e de um santo! *E prometo não fazer correr o sangue de Luís!* Partirei perdoando-lhe, para que Deus me perdoe e console nos dias futuros... mas antes quisera ver o pobre Luís e pedir-lhe, por minha vez, que também me perdoe...

Monsenhor de B. tomou-lhe então a cabeça e beijou-a na fronte, retirando-se em busca do pupilo, não, porém, sem murmurar comovido:

— Apressemos este desenlace... Uma situação assim insustentável e dramática deverá decidir-se com presteza... Saberei confortar meu filho...

Ficando só, Ruth enxugou bruscamente as lágrimas, murmurando consigo mesma:

— Sim! preciso vê-lo ainda e contemplar o efeito que lhe causará a verdade, ainda que tal coisa me custe a vida! Oh! como eu desejava este momento!... E dizer-se que foi o próprio monsenhor de B. que o criou, para satisfação minha!... — Depois, fechou cuidadosamente a porta. Sua fisionomia seria impenetrável. Ninguém afirmaria se essa angelical menina dissera uma verdade ao confessar a monsenhor que amava Luís ou se cometeria uma perfídia a mais, tirando o melhor partido das circunstâncias, porque aproveitando ensejos oferecidos pelo próprio interlocutor. O certo foi que, indiferente ao perigo que corria ou certamente dominada por influenciações obsessoras a que fizera jus por meio das próprias revoltas ante o infortúnio que desabara sobre seus passos, ela se aproximou de um belo e pequeno móvel, onde conservava apetrechos de escrita, pegou do papel e traçou uma carta nos seguintes termos:

"Majestade! Acabo de descobrir tenebrosa conspiração contra a estabilidade e a grandeza do trono, chefiada por Luís de Narbonne. Tentar-se-á, possivelmente, segundo o que acabo de surpreender, contra a vida de nosso adorável senhor Carlos IX, de hoje a três dias, exatamente. Estarei aqui, no meu posto, vigilante, a fim de informar detalhadamente a Vossa Majestade. E, desejando evitar, de qualquer forma, surpresas muito desagradáveis e quiçá dolorosas para todos nós, tal como venho prometendo entregarei a Vossa Majestade, de forma mui discreta e sutil, Luís de Narbonne, para receber de vossas mãos de soberana justiceira o castigo merecido, já que as minhas são demasiadamente frágeis para atingir tão alta personagem. Amanhã, até o amanhecer, apontarei e entregarei os seus cúmplices, os quais igualmente se acham tão altamente colocados que me não atrevo a apontá-los em uma carta, preferindo fazê-lo junto de vós, em audiência particular, que pedirei. Esteja Vossa Majestade atenta: o conde de Narbonne irá ao Louvre hoje à noite, à minha procura. Chegará a Vossa Majestade, possivelmente... E então a minha Rainha saberá como agir... Use Vossa Majestade como senha para este caso o meu nome 'condessa de Narbonne', e substitua a guarda real pela dos serviços secretos, a fim de que o acontecimento não transpire com facilidade..."

— Este artificioso noticiário agradará à megera governante, que nele acreditará, porque convirá aos seus planos pessoais dar-lhe crédito... ou fará que nele acredita, a fim de contentar a consciência pusilânime... ao mesmo tempo fá-la-á deter-se, esperando outras vítimas que supostamente lhe porei nas mãos, enquanto partirei com o meu caro Frederico, se Luís me poupar a vida... — monologou a audaciosa intrigante, terminada a carta.

Fez vir Camilo, que esperava ordens, entregou-lhe o importante documento, devidamente lacrado, e ordenou, sem qualquer emoção, entregando-lhe ainda um "passe" para pronto ingresso nos apartamentos de Catarina:

— Corre ao Louvre, à residência de Sua Majestade, a rainha Catarina. Um guarda de nossa casa acompanhar-te-á. Aqui tem esta ordem de entrada franca... Dirás à camareira que se trata de um recado urgente, da parte da condessa de Narbonne, e quaisquer obstáculos desaparecerão, pois estarás acompanhado de um guarda da casa de de Narbonne, para maior garantia. A Rainha te receberá imediatamente, quando a camareira particular pronunciar meu nome... pois, em nosso código especial, meu e dela, o nome "condessa de Narbonne" valerá por um alarme... Diante da Rainha, descobre a cabeça, ajoelha-te, depondo a mão direita sobre o coração, como devido é aos da casa de de Narbonne. Pronunciarás estas palavras, confirmação do nosso código particular, pelas quais ela reconhecerá que realmente vais de minha parte: "Amor e vingança." Entrega-lhe esta carta. A camareira te fará sair para os corredores. Não esperes por mais nada. Não dirijas a palavra a quem quer que seja... Esta missão é perigosa e eu somente em ti confio para desempenhá-la... Voltarás naturalmente, indiferentemente... e ninguém te dará atenção... Não retornes, no entanto, a este palácio. Procura o príncipe Frederico e dize-lhe de minha parte: "Se *mademoiselle* não partir com Vossa Alteza dentro de doze horas, o mais tardar, é que terá deixado de existir ou foi encerrada na Bastilha. Que esteja vigilante, aqui pelas imediações..."

Camilo saiu vibrátil e confiante, com o entusiasmo da adolescência que se vê enleada numa grande e arriscada aventura. Ruth Carolina então se recompôs, apurando o talhe e o vestuário. Perfumou-se, e, ornando-se de rosas, tomou da harpa e se dirigiu novamente ao gabinete de trabalho do marido, certa de que poderia contornar a situação, pois não só confiava no sentimento apaixonado de Luís, como sentia curiosidade irreprimível de revê-lo após a conversação anunciada por monsenhor de B.

Entrando no gabinete, cuja porta um criado abrira cortesmente, ela notificou palidez significativa no semblante de Luís, suas feições transtornadas, suas mãos trêmulas, sustendo a custo um papel. Do outro lado da rica secretária, postava-se monsenhor de B., sério e grave, tendo ao lado um oficial da casa de Guise, cujas feições duras causariam impressão a qualquer outra mulher não preparada para os acontecimentos. Era Reginaldo de Troulles, a quem monsenhor de B. rogara o acompanhasse à presença de seu pupilo, a fim de testemunhar a verdadeira identidade da mulher a quem desposara, e que aguardara na portaria do palácio o chamamento em ocasião oportuna. Ruth reconheceu-o imediatamente, sentindo com firmeza a gravidade do momento. Sem trair, porém, qualquer impressão desagradável, a jovem renana sorria aos três homens com o mais formoso e doce sorriso que poderia aflorar em seus lábios, e esperava, enquanto bradava nas profundezas do pensamento vigorosamente fixado no alvo que desejaria atingir: "Vem a mim, Otília! Chegou o supremo momento! Tu disseste que eu venceria! Estamos à frente dos algozes do nosso desgraçado Carlos!".

5

FIM DE UM SONHO

Os três homens fitavam-na em silêncio, porém insistentemente, como que petrificados em sua presença. Não corresponderam ao cumprimento que lhes fora dirigido. Monsenhor revelava um misto de pesar e severidade em seu olhar compassivo. Reginaldo bradava por justiça e represálias, numa atitude odiosa. Monsenhor acabava de informar o pupilo dos lamentáveis acontecimentos, paternalmente aconselhando-o à separação da esposa, corroborado pelo testemunho do oficial de Guise, ambos temerosos de que qualquer delonga nessa resolução fosse fatal àquele que tanto queriam e admiravam. Quanto a Luís de Narbonne, não cremos que um ser que jamais sentiu a dor de uma traição de amor chegue a compreender em toda a sua profunda extensão a expressão intraduzível com que fitava a suposta Otília de Louvigny. Seu aspecto geral era a revelação do assombro dolorido, da decepção cuja amargura ultrapassou a possibilidade humana de ser aceita por um coração que era feliz porque confiava; era o pesar que duvida ainda da realidade atroz, arrogando-se o direito de uma suprema esperança; era o coração ardente das chamas paradisíacas de uma elevada paixão, despenhando-se de um delicioso sonho de venturas para as torrentes geladas de trevas irremediáveis, numa desilusão brutal e ofensiva; e era ainda o pensamento desnorteado, aturdido pelo traumatismo incompreensível da decepção infernal, a interrogar o destino caprichoso: "Como pôde tal coisa acontecer?..."

Nenhum daqueles três homens sentia forças para romper o silêncio. Um momento augusto, para o qual o Céu se dilatara enviando testemunhas invisíveis para presenciá-lo, pesava sobre o ambiente luxuoso e outrora sereno, mas para onde a desgraça entrara dias antes na pessoa de uma formosa virgem que se dera em matrimônio simulado a um varão que nela confiava e todas as magnificências esperava do destino... esquecido de que ao seu encalço o eco dos dias malsinados de São Bartolomeu corria célere, repercutindo sobre os seus passos, numa permanência expiatória que cobriria séculos!

Ruth Carolina, que se havia sentado, levantou-se alguns instantes depois, afetando só então haver notificado a atitude insólita das três personagens. Conservava-se de pé sobre o estrado em que se assentava a rica poltrona de mogno. Dominava, portanto, com seu porte esbelto e digno, qual deusa vingadora no momento de expedir o golpe fatal, a cena patética que se passara entre o esposo e os dois delatores, a qual adivinhava. Dir-se-ia então uma soberana — a cauda dos vestidos recobrindo os degraus atapetados do estrado — ou uma ninfa do Reno ornada de rosas, recendente de doces aromas, a harpa nas mãos como os anjos o fariam no paraíso... E fitando, altiva e intimorata, ela, a vítima, os algozes que se diriam diminuídos em sua presença, intimidava-os, tolhendo-lhes a ousadia de serem os primeiros a admoestá-la, a acusá-la, a feri-la pelo crime que ela pretendia cometer.

Por quê?...

Porque se sentiam excessivamente culpados diante da órfã a quem haviam destroçado a família! Porque no íntimo de si mesmos se exprobravam, reconhecendo estigmatizadas as suas personalidades perante suas próprias consciências e perante Deus!

Subitamente, a dúlcida voz que cantara diante da Corte reunida da maior soberana da Europa as mais suaves melodias que a França jamais ouvira; a voz enternecida e maviosa cujas tonalidades arrebatadoras lograram elogios do Sr. de Guise, rude guerreiro e mandatário da espada, e as atenções do frio Sr. Carlos IX de Valois; aquela voz infantil e terna que o desventurado Capitão da Fé ouvia de coração comovido e alma diluída em ternuras, elevou-se do silêncio hostil do gabinete e, levemente emocionada, falou, enquanto sua portadora fitou com desassombro o próprio senhor de Narbonne:

— Sim, Luís de Narbonne! Tu agora sabes a verdade! Eu sou aquela descendente dos huguenotes Brethencourt de La-Chapelle, a quem procuraste para também trucidar! Não! Mil vezes não! Eu não sou Otília de Louvigny, irmã do teu companheiro de infância! Otília morreu em meus braços, incitando-me à vingança, porque mataste aquele que era a sua única felicidade, seu noivo e meu irmão Carlos Filipe! Vim a Paris tencionando vingar aqueles pobres e inofensivos de La-Chapelle, que tu e tua malta de salteadores a soldo de Catarina mataram! Mas falhei nos meus intentos de justiça porque, mais miserável ainda do que todos vós, tive a desgraça de me apaixonar por ti! Estou à tua mercê, Luís de Narbonne! Mereço morrer porque não me encorajei à vingança! Mata-me de uma vez! Prende-me! Encarcera-me na Bastilha, pois esse é o teu dever: eu sou huguenote!...

Aterrorizado ante o que mais poderia suceder, monsenhor de B. interveio, dando dois passos para ela, com a mão estendida:

— Contém-te, pobre criança! Não provoques com tais reptos um homem que sofre! Não insultes com tua terrível vingança um coração despedaçado, porque poderias criar irremediável drama nesta casa onde Deus é respeitado e em cujas salas jamais correu o sangue de alguém!

Luís, porém, não respondeu àquela a quem considerava sua legítima esposa. Deixou-se cair qual massa inerte sobre a poltrona, apoiando o rosto entre as mãos, debruçado sobre a secretária. Todas as suas energias morais, a sua bravura de soldado, o seu orgulho de fidalgo decaíam em fragoroso colapso diante do acontecimento inesperado que a revelação de monsenhor, o testemunho de Reginaldo de Troulles, a carta da superiora das Ursulinas, as informações das autoridades de Nancy e a confirmação da própria esposa lhe atiravam à frente como turbilhões de raios que despedaçassem a sua própria vida, e ele, então, colhido assim de chofre, não encontrava suficiente valor para reorganizar rapidamente as ideias traumatizadas pela estarrecedora verdade, a fim de analisar toda a extensão daquela catástrofe que se abatera sobre ele. Ruth Carolina, desatendendo a monsenhor, repetiu:

— Oh! Por que não feres?... Por que não arrancas do meu ser esta vida que eu desprezo e odeio desde que destruíste o meu lar assassinando a minha família inteira?... Eis-me aqui... Por que me poupas?... Sou aquela que procuraste para trucidar também!...

Um brado de desespero, como o de um leão ferido de morte, ouviu-se então, sobressaltando as duas testemunhas da cena, mas deixando impassível a ousada cantora do Reno. Erguera-se Luís num repelão violento, atirando para o lado a poltrona em que se deixara cair, correu para Ruth, que continuava impassível, e, como louco, trêmulo, transtornado, tomou-a entre as mãos, sacudindo-a enraivecido:

— Oh! cala-te, desgraçada! Cala-te, por Deus, desgraçada! Porque prefiro a morte a continuar ouvindo o que me falas!

Não a feriu, porém. Abraçou-se a ela num ímpeto incontrolável e instintivo, num amplexo que tanto traduziria desespero e angústia como amor ferido inconsolável, e repetia alucinado, sem mais perceber seu antigo mestre, sem se lembrar de guardar o devido decoro diante de um subalterno:

— Oh, perdoa-me, por Deus! Perdoa-me pelo amor daqueles mesmos por quem choras! Mata-me tu antes, minha pobre amiga, porque me será impossível viver deste momento em diante!

Tomou-lhe a cabeça nas mãos, como teria feito a uma criança ou a uma boneca, e contemplou seu belo rosto angelical durante alguns momentos. Ela notou que lágrimas umedeciam aqueles olhos que talvez jamais houvessem conhecido o amargor de um pranto aflitivo, e compreendeu que suas feições estampavam a dor no que havia de mais pungente, enquanto o ouvia repetir:

— Otília! Otília! Bem-amada esposa! Seria preferível que tivesses vingado teus mortos queridos fazendo correr também o meu sangue! Tiveste-me à tua mercê! Adormeci em teus braços, reconfortei-me sob a doçura dos teus carinhos, por que não me mataste então?...

Ela afastou-o brandamente, num gesto talvez estudado, mas realmente emocionada:

— Não o poderia fazer! Apaixonei-me por ti... Somos muito desgraçados... Adeus, Luís de Narbonne! Não poderei permanecer nem uma hora mais sob o teu teto... Perdoa o mal que te causei, assim como eu perdoo as desgraças causadas a mim e aos meus... Adeus... Retorno ao local de onde jamais deveria ter saído, isto é, para as ruínas do meu solar depredado por ti e por teus homens... já que não me queres prender e matar, como seria teu dever...

— Nunca! Nunca! — protestou raivoso, decidido a violências. — Jamais deixarás minha companhia! Possuo direitos sobre tua pessoa! És minha mulher!

Todavia, um sorriso gelado de Ruth, contrastando com a declaração de amor proferida antes, deteve-lhe o ímpeto afetivo, pois que revidou ela, levando ao infeliz a confirmação da perfídia engendrada:

— Não sou tua esposa! Nenhum direito possuis sobre minha pessoa! Tu te casaste com Otília de Louvigny e eu sou a huguenote de La-Chapelle!

Ele ia responder, talvez com uma violência, mas a voz rude de Reginaldo dominou a situação, vencendo o escrúpulo que o mandava calar diante de um superior e ainda mais numa questão doméstica, pessoal:

— Ordenai, senhor, e conduzirei à Bastilha essa huguenote execrada, que ousou ultrajar-vos com uma inominável traição!

Luís, porém, olhou-o com assombro, os olhos desvairados. Não respondeu. Talvez nem mesmo o tivesse compreendido. Talvez nada mais compreendesse além da sua felicidade destruída, do seu amor singularmente atraiçoado e rejeitado, da sua honra ferida, dos seus sonhos duramente despedaçados. Ele tomou Ruth nos braços vigorosos, levou-a para o interior da casa, louco, teatral, sem responder a monsenhor, que tentava detê-lo e aconselhá-lo, sem se aperceber da surpresa dos criados, que o olhavam sem saberem o que imaginar. Subiu escadarias com ela nos braços, atravessou galerias e chegou finalmente ao último andar do edifício amplo e belo, e empurrou a porta, que facilmente cedeu à pressão. Penetrou então uma sala extensa, que a jovem desposada não tivera ensejos de conhecer antes. Tratava-se de apartamentos simples, porém, confortáveis, conjugação de sala de estar e quarto de dormir. Era a prisão nobre do palácio. Luís depositou seu precioso fardo sobre uma poltrona, correu os ferrolhos na porta, antes que alguém o impedisse, e se ajoelhou aos pés da sua prisioneira. Tomou-lhe das mãos, beijou-a como louco, proferindo mil frases incoerentes e ternas, mil súplicas e lamentos que bem traduziam seu temperamento ardente e apaixonado, de envolta com carícias ingênuas. Qualquer outra mulher ter-se-ia certamente comovido ante a aspereza da vindita que provocara. Mas Ruth continuava impassível, levemente pálida, o seio de vez em quando arfando com mais vigor, denotando emoção mais forte, cuja natureza ficaria ignorada pelo observador. Permanecia em silêncio. Apenas ouvia que o esposo, ludibriado por tão singular traição, repetia:

— Sim, serás minha prisioneira, já que não és minha esposa! Serás minha escrava, eu serei teu senhor! Mas serei o mais fiel e apaixonado dos carcereiros, o mais devotado dos senhores! Nenhum mal te sucederá, minha querida, apenas ficarás aqui, e eu te defenderei contra o mundo inteiro, se necessário! E não me separarei de ti, e não te deixarei partir, jamais, jamais! És a minha querida huguenote, sim, a minha querida huguenote!... Amo os huguenotes em ti... Ruth! Ruth de La-Chapelle, e não Otília de Louvigny! Que importa o nome?... Não és a mesma pessoa?... Acaso o nome é que faz a personalidade?... Muda-se de nome, mas não de personalidade... E eu que julgava o nome de "Otília" suave e lindo como a melodia dos anjos!... Mas o teu verdadeiro nome é ainda mais lindo e mais doce, minha Ruth!... um nome sagrado, porque é o teu nome, aquele que teus pais escolheram, o nome de uma heroína bíblica... O livro de *Rute*, no Velho Testamento, é atraente e formoso como tu mesma... e glorifica uma mulher que se conservou fiel a si mesma... Eu serei huguenote também, minha linda princesa de La-Chapelle... Sê-lo-ei contigo e por ti... Serei até o mais renegado demônio dos infernos... Mas o que não posso é viver sem ti, não quero, não posso, não posso! E nem mesmo creio na tua traição. Mandarei buscar Artur na Espanha, para que ele afirme, vendo-te, quem tu és... Mandarei exumar o cadáver da jovem morta há dois meses no Castelo de Louvigny, a fim de verificar qual das duas realmente morreu... Poderei fazê-lo, sou uma autoridade... Se fosses uma La-Chapelle, como afrontarias o próprio Louvre, dizendo-te uma Louvigny... Sim, és Otília, ex-noiva de Carlos Filipe... e que agora se apaixonou por mim... Semelhante ousadia não seria praticável por uma criança como tu... Estou louco, estou louco, Otília, todos estão loucos dizendo que és uma huguenote... Porventura não te hei visto contrita e comovida aos pés do altar, imersa em orações?... Perdoa-me, oh, perdoa-me, por Deus, eu não sabia, eu estava louco... Se te conhecera um minuto antes, "aquilo" não se daria... Confesso-te que, ao penetrar naquela sala com os meus homens... o coração me advertiu que me detivesse, que não desse a ordem... Vacilei... Mas eu era subordinado a um compromisso de honra... não mais me poderia deter... Eu estava cego, minha querida! Fui sempre tão infeliz, desde o berço... Só não posso é viver sem ti, minha Ruth, minha Otília, meu Céu e meu inferno, meu amor, minha desgraça!...

Debruçou-se sobre o seu regaço e chorou como o infeliz desesperado que deprecasse compaixão, implorando, por meio da própria dor, a esmola de uma palavra de esperança, o encorajamento de um gesto afetuoso. Mas nada obteve. Ruth pensava, apenas. Pensava no meio de se poder eclipsar daquela crítica situação para fielmente desempenhar o papel que se traçara e seguir com Frederico de G. para o seu longínquo domicílio da Baviera. Ela dir-se-ia a estátua da indiferença, a esfinge singular que não traduz senão mistérios, dúvidas, segredos, incompreensão. Pálida, como que petrificada, ela veicularia, certamente, os sentimentos irradiados daquela amiga infeliz que morrera em seus braços, e que, agora, em Espírito invisível presidia, odiosa, os fatos, vingando-se daquele a quem responsabilizava pela sua desventura suprema no amor! E Ruth como que pressentia murmurarem das trevas invisíveis aos seus ouvidos:

"Tua arma será a dissimulação... Mente, Ruth! Intriga! Dissimula ainda e serás salva!... Vinga o teu e nosso Carlos... O sangue generoso de tua família, derramado por Luís de Narbonne, ainda palpita sob a terra..."

De súbito, aquela mão que pendia inerte, sem se dignar à misericórdia de um gesto consolativo, movimentou-se, ergueu-se, pousou docemente sobre os cabelos revoltos daquele Capitão da Fé que ali estava, e os envolveu em afetuosas carícias. Perpassou depois por suas faces e lhe enxugou os olhos... Dois lábios, como que tímidos, delicados, depunham em sua fronte um terno ósculo, como de angélico perdão, enquanto, tremente, ele se reanimava de uma suprema esperança.

— Ouve, meu pobre Luís... — murmurou Ruth como num sopro, aos seus ouvidos atentos. — Tu me desgraçaste, porque arrasaste meu lar, matando minha família... No entanto, perdoo-te, porque também me amaste muito... Infelizmente eu também te amo... e por isso não me poderei vingar, como era meu mais ardente desejo... Porém, nossa situação é crítica, dolorosa... Prometo-te todos os esforços a fim de conciliá-la com o nosso amor... Necessitaremos meditar profundamente para nos reajustarmos, recuperando-nos para nós mesmos... Façamos uma penitência hoje, agora, em nossa Igreja preferida... Eu já não sou huguenote... Creio mesmo que jamais o fui... Reneguei a minha fé e não será possível mais retornar ao seio da Reforma... Adotarei, portanto, a tua fé... pois que, ainda que minha alma se perca, confesso-te que, desgraçadamente, nem eu poderei viver sem ti... Confessemo-nos hoje a um sacerdote bastante santo, que nos possa bem aconselhar... narremos-lhe tudo... isso nos aliviará o peso do coração... peçamos o batismo da tua Igreja para mim... e vejamos o que decidirá ela a nosso respeito... Se necessário, iremos a Sua Santidade rogar conselhos... e se todos nos renegarem e execrarem... restar-nos-á o nosso amor, sem o qual não viveremos mais...

O infeliz fanático sentia-se em desespero de causa. Aquele coração ardoroso que jamais havia amado, que não conhecera nem mesmo os doces afagos maternos, senão as austeras disciplinas dos conventos e dos quartéis, essa alma que agora se dilatava para as ânsias do primeiro amor e experimentava o maior tormento que jamais poderia conceber, beijou aquela mão com veneração e murmurou somente, quedando-se depois em silêncio:

— Sim, minha querida, façamos o que quiseres... tudo o que quiseres... Iremos a Saint-Germain, à nossa Igreja... o que não posso, o que não quero, o que será impossível é separar-me de ti...

A tarde caiu, desceu o crepúsculo, frio, chuvoso... e os encontrou na mesma atitude, unidos, abraçados, silenciosos...

Entrementes, monsenhor de B. e Reginaldo, assustados, ignorando o que se passava para além da porta da prisão, e temendo a realidade de uma desgraça que parecia iminente, bateram seguidamente na mesma, bradando vigorosamente por Luís. Igualmente assustados, mas sem nada compreenderem, Rupert e alguns demais serviçais mais dedicados coadjuvavam monsenhor, certos, porém, de que um desentendimento se fizera entre este e aqueles em virtude do casamento realizado, que não obtivera a aprovação do pai adotivo do noivo. E tanto clamaram e bateram que Luís, entreabrindo a pesada porta, acudiu de mau humor, respondendo secamente:

— Seria preferível que jamais me houvésseis participado da verdade... Deixai-nos em paz... Deliberamos sobre o que faremos de nossas vidas... — e fechou novamente a porta, com estrondo.

Então, perdendo a serenidade, temendo alguma desgraça para o filho querido, monsenhor deixou pender os braços, desanimado, e apostrofou, resolvendo exatamente o que coadjuvaria a irremediável ruína daquele a quem desejaria salvar:

— Não há outra solução! — murmurou consigo mesmo, discreto até o final. — Eu bem quereria conciliar os acontecimentos de outra forma, em benefício de ambos... Mas a situação é desesperadora para meu filho... Marchemos para o Louvre... a participar à Rainha da terrível serpente que agasalhamos no seio... Tomo o Céu por testemunha de que não era esse o meu desejo... Porém, antes de tudo será necessário salvar o meu pobre Luís... Uma huguenote! E dizer-se que, intimamente, eu os lamentava a todos! Execrados, é o que são! Serão necessárias medidas que não poderei tomar... Ao Louvre, pois! Levarei Reginaldo, excelente testemunha... Rupert ficará aqui, de guarda... Não convirá nenhum alarme...

Chamou o escudeiro em particular e recomendou:

— Teu amo teve sério desentendimento com a esposa... Sinto-me preocupado... Preciso retirar-me durante uma ou duas horas... mas voltarei a ver se se reconciliaram... Ficarás aqui de guarda... e, se saírem, acompanha-os... não perca de vista a senhora condessa...

Admirado, Rupert fez um cumprimento, disposto a cumprir a ordem, embora considerando-a extravagante, por atribuí-la à má vontade de monsenhor para com a linda renana que tantas belas canções sabia entoar para encanto de todos os ouvidos...

* * *

Eram aproximadamente oito horas da noite e já fazia muita escuridão, pois estava-se no inverno, quando Rupert ouviu correr o ferrolho da porta vagarosamente, e, não desejando ser notado por aquele a quem antes de tudo temia e respeitava, ocultou-se apressadamente atrás de uma grande pilastra que amparava as vigas do teto, projetando sombras para o vasto salão, e para o qual deitavam várias portas idênticas àquela, todas pertencentes a recintos de prisões ou a dependências da criadagem, como de uso nos antigos palácios.

O conde de Narbonne apareceu sereno, quase risonho, os olhos e as atitudes inundados de ternura, amparando a esposa, a quem docemente enlaçava. Por sua vez, a condessa, delicada e frágil, abraçava-se mui meigamente à cintura do esposo, testemunhando uma harmonia, um encantamento insofismáveis... Falavam-se em murmúrios como terno casal de namorados, descendo as escadarias para o interior da enorme residência. Vendo-os, Rupert monologou:

— Monsenhor de B. deve ter enlouquecido ao supor ver desentendimentos onde os demais somente alcançariam harmonias e blandícias... São assim os recém-casados... Monsenhor mantém prevenções contra a formosa condessinha de Narbonne... Desejava o pupilo feito um sacerdote, como ele próprio... Porém, no momento, pelo menos, meu amo é o mais apaixonado dos amantes e o mais feliz esposo existente sob a luz do sol... Comporei uma canção exalçando esse sentimento tão lindo, que fez de um noviço um grande amoroso... e de um soldado um escravo da mulher amada...

Acompanhou-os durante alguns minutos sem se tornar pressentido. Depois, vendo-os entrar em suas dependências particulares, compreendeu que a tarefa de que fora incumbido estava cumprida e, desinteressando-se da vigilância, retirou-se, murmurando para si mesmo: "se precisarem de alguém, hão de certamente chamar..."

Um quarto de hora mais tarde, no entanto, Luís e sua esposa deixaram aqueles aposentos envergando vestes completamente diversas: ela trajava simples vestido negro, como de burguesa, pobre e sem atavios, exatamente o que dama Blandina lhe trouxera pela manhã, uma capa muito ampla, que lhe ia aos pés, um véu negro sobre a cabeça, espécie de capuz então muito usado para a noite, discreto e desgracioso, mas que compunha mui favoravelmente, dificultando o reconhecimento da pessoa que o levasse. Dir-se-ia um traje de penitente, mas quem a observasse com atenção poderia também supor um disfarce para viagem incógnita. Quanto a ele, igualmente de negro, nada mais parecia que um simples cavaleiro, sem adornos nem insígnias. Ao saírem, Luís não pôs reparo nos trajes de sua mulher. Ela dissera, ao se desvencilhar da prisão em que ele quisera detê-la:

— Vestir-nos-emos como simples burgueses penitentes... — e agora, vendo-a assim trajada, não fez objeções, talvez nem mesmo o notasse, dada a apreensão atroz que dominava seus sentidos. Todavia, no momento de abandonarem o aposento, Ruth pareceu vacilar, indecisa e emocionada. Tornou-se mortalmente pálida, como se algo de estranho intimamente a inquietasse, fitou o marido com expressão que se diria de prematuro remorso, e advertiu, como que ansiosa:

— Não te armas, Luís?... Onde está tua espada?...

— Para que, minha querida?... — retorquiu acabrunhado. — Para nos apresentarmos diante de Deus, nada mais será necessário que o coração humilde e fervoroso...

— Contudo, traze um punhal ao menos... é noite... e tudo será sempre possível, mesmo no recinto de um templo...

Ele preferiu não resistir e afivelou a espada. Obedeceria a tudo o que ela sugerisse, porque o terror de perdê-la e a complexidade do desgosto em que se absorvia tolhiam-lhe a vontade, o raciocínio, as forças de ação, como se nada mais fosse que miserável mosca à mercê das garras traiçoeiras de uma aranha que o enredasse sempre mais, em seu infernal magnetismo.

Saíram ambos, tomaram a carruagem do palácio e dirigiram-se para a Igreja de Saint-Germain. Apenas a guarda dos portões os havia visto sair, sem contudo reconhecê-los devidamente, dado o disfarce que usavam. Ao chegarem ao destino, a própria condessa adiantou-se ao marido para recomendar ao cocheiro que não os esperasse e regressasse a casa, enquanto o Capitão da Fé procurava entendimentos com um sacerdote da sua confiança e estima, participando-o de que ele próprio e a esposa desejavam seus valiosos conselhos por meio de uma confissão circunstanciada e muito grave. Atendendo-o com bondade, o religioso aconselhara exame prévio de consciência durante alguns minutos, não ultrapassando o tempo de dois quartos de hora. Aquiescera o antigo estudante de Teologia, ainda mantendo nas próprias convicções aquela fé sem bases sólidas que somente a dor seria capaz de purificar nos abismos de sua alma. Voltou-se para a esposa, convidando-a à meditação no genuflexório que lhes era próprio na capela-mor. Os olhos baixos, a fronte triste, a voz humilde e apagada, como a de alguém que sofresse, Ruth contestou:

— Não, meu querido amigo... Para os pecadores como eu, e os penitentes, o genuflexório seria, talvez, conforto ofensivo a Deus... Oremos aqui mesmo, sobre as lajes duras da nave, onde choram os desgraçados...

Como sempre, de Narbonne não interpôs objeções. Ajoelharam ao lado um do outro e baixaram a fronte contritos. E meia hora escoou-se sem um único murmúrio ser trocado, apenas parecendo ao infeliz capitão que sua esposa chorava baixinho...

Eram nove horas...

A Igreja mal iluminada deixava sombras acentuadas sobre a nave, onde as colunas enfileiradas dir-se-iam discretas testemunhas dos dramas acerbos que durante séculos ali, naquele mesmo recinto, se haviam desenrolado. Um religioso leigo aproximou-se, procurando o jovem militar de Carlos IX entre os vários devotos que se encontravam aguardando a confissão, e, encontrando-o, murmurou-lhe aos ouvidos:

— Monsenhor, o capelão aguarda Vossa Alteza para a confissão...

Ele voltou-se para Ruth, galante e terno pela última vez:

— Vai tu primeiro, minha querida... a fim de não te fatigares demasiadamente, ajoelhada nestas lajes...

E ela, emocionada, sussurrou, mentindo-lhe pela última vez:

— Ainda não me sinto assaz preparada... Vai tu... Esperarei por ti... Sou mais pecadora do que presumes...

Que poderia o infeliz crédulo retorquir?... Que poderia suspeitar mais, se era sincero e ingenuamente se supunha amado, como todo coração que ama lealmente e necessita dessa crença para expandir as ardências que lhe crepitam na alma?... Há naturezas mui fortes e vigorosas, mui valentes diante de todas as nuanças da vida, porém, frágeis e demasiadamente crédulas no amor, porque extremamente leais nas expansões do próprio coração.

Convencido, pois, da realidade de quanto ela tão docemente lhe afirmava, não suspeitando sequer da possibilidade de uma cilada, visto que, na torturante situação em que se reconhecia, seu coração, suas ânsias e todo o seu ser dele exigiam a crença em tudo quanto ele próprio desejaria fosse verdadeiro, Luís de Narbonne beijou a fronte da esposa e afastou-se, dirigindo-se para a capela do confessionário.

Ruth Carolina viu-se a sós na pesada penumbra da Igreja, penumbra que as sombras avantajadas das colunas acentuavam. Alguns poucos minutos se escoaram, durante os quais, furtivamente, ela examinara em derredor. Acabava de ajoelhar ao seu lado um adolescente, um pajem, afetando timidez. Ela reconheceu Camilo, e disse em tom murmurante:

— Entregaste a carta a Sua Majestade?...

— Sim, minha senhora, em suas próprias mãos...

— Vai então... e dize a teu pai que sairei agora, pela direita...

Ao que o jovem servo respondeu:

— Senhora, tudo preparado à vossa espera... Por quem sois, não vos demoreis mais... nossa expectativa tem sido rude...

O servo desapareceu entre as sombras, sem que os circunstantes lhe prestassem atenção. Em seguida, a senhora de Narbonne retirou do bolso dos seus toscos vestidos um pedaço de papel convenientemente lacrado, no qual se liam algumas palavras já escritas, e levantou-se encaminhando-se para um religioso que, mais além, montava sentinela, conduzindo os penitentes para a confissão, enquanto confabulou consigo mesma: "Necessitarei de coragem. Tê-la-ei. É questão de vida ou de morte. Luís, que me ama, se porventura tudo descobrir agora, poderá estrangular-me num acesso de desespero... Catarina, que a ninguém ama, se me vir falhar, poderá lançar-me nas masmorras do Louvre, que, segundo dizem, são mais discretas ainda de que as da Bastilha, porque já em desuso, ignoradas... Que me importa o destino?... Tenho porventura coração, depois que vi meus seres amados massacrados, meu lar arrasado?... Terei porventura amor à vida, depois que cheguei à conclusão de que é justamente a Luís que eu... Oh, por que foi ele, justamente, e não outro, o comandante daquela expedição assassina?... Por que se aliou às forças da província, se o seu setor era Paris?... Que fatalidade haverá em todo esse lamentável drama?... Sua Alteza, o príncipe Frederico espera-me... Entrevi-o na escuridão ao entrar com Luís pela porta principal... Não, ninguém prestará atenção numa pobre burguesa em orações, como eu, e que se retira... E aqueles que porventura me reconhecerem não ousarão suspeitar da mui nobre e mui alta condessa de Narbonne... Otília, minha Otília! Estás porventura ao pé de mim?... Sinto que me faltarão forças para desgraçar Luís, se me abandonares... Ajuda-me, pois! Realizei quanto desejaste! Agora, entrego-te Luís de Narbonne... É teu... Ele marchará para o Louvre à minha procura, porque este bilhete, já previamente preparado, e que para ele ao leigo entregarei, assim o decidirá... e então será contigo e Catarina... Não disponho de coragem para mais... realmente, minha Otília, não disponho de coragem para mais... Dou-me por vencida..."

Acercou-se efetivamente de um religioso leigo que velava, e murmurou respeitosa:

— Rogo-vos, respeitável irmão, entregueis ao senhor de Narbonne este bilhete, uma vez regressando ele da confissão...

— Quem o envia, minha senhora?...

— A condessa de Narbonne, sua esposa...

Dirigiu-se depois, serenamente, para uma porta lateral, como quem pacatamente regressasse ao lar após as orações da noite. Um vulto, que se mantinha vigilante entre as sombras, seguiu-a. Era ainda Camilo. Galgou a porta da direita, achou-se na calçada, estava na rua! O frio da noite enregelou-lhe o corpo e ela se envolveu melhor na capa... Outro vulto aproximou-se, sussurrando aos seus ouvidos, a fim de se fazer reconhecido:

— Por aqui, *mademoiselle*, por aqui... Está tudo preparado...

— Obrigada, meu bom Gregório, por tanta dedicação... — retorquiu tão calma e serena que admirou ao próprio servo. — Partamos sem demora...

Ela subiu, a portinhola fechou-se, a carruagem partiu mansamente, naturalmente, atravessando as ruas mais centrais, cujas casas deixavam ainda distinguir sinais de movimentação interior através dos vidros das janelas, de onde jorravam pequenos jatos de luz. Ninguém a deteve, nada a perturbou. Atingindo, no entanto, as ruas mais desertas, o cocheiro estugou os cavalos e a carruagem correu mais apressadamente. E finalmente, uma hora depois, já na estrada real, os cavalos se puseram a correr com toda a velocidade possível numa estrada sofrível àquela hora da noite, em direção ao Nordeste. Na boleia iam o cocheiro e Gregório, e mais um pajem, isto é, Camilo. Na traseira dois homens armados trazidos da Baviera pelo Príncipe, para sua guarda. E no interior um casal de namorados, irradiante de mocidade e esperanças, ou seja, Ruth Carolina de La-Chapelle e Frederico de G.

Para trás, cercado de opróbrios e desesperos ficava Luís de Narbonne, o ingênuo Capitão da Fé, fanático no amor como o fora na religião, atingido exatamente naquilo que de mais precioso e augusto a vida lhe poderia conceder: um sentimento da alma cuja grandeza e lealdade ajudá-lo-iam a galgar as escarpas do progresso moral através do tempo. Ele seria, já, na vida daquela menina que abusara das próprias forças de sedução, como a figura sombria do passado que seria preciso esquecer... Era um sonho delicioso e grato para ele, mau e terrível para ela, e que agora se desfazia sob a realidade daquele prosaico rodar de carruagem que fugia e que dentro em breve estaria ao abrigo de qualquer perseguição...

No entanto, a sombra desse passado, que a linda fugitiva quereria apagar para olvidar os traços do seu crime de vingança, voltar-se-ia contra ela própria, enredando seu destino através dos séculos, pela lei das reencarnações, interpondo-se entre ela mesma e tudo quanto seu coração mais ansiava conseguir: o amor daquela família, que era a sua, cuja morte ela vingava com uma perfídia inominável; a terna convivência daquele irmão Carlos Filipe, o seu segundo pai, cuja ausência de suas futuras existências planetárias ela própria acabava de aprofundar com o desrespeito às leis do perdão, com a traição infligida àquele desgraçado Luís de Narbonne, que bem deveria merecer a sua comiseração pelo muito que a havia amado!

Dama Blandina e a jovem Raquel haviam partido horas antes com os pequenos valores que Ruth possuía e alguma bagagem da casa, devendo esperar os demais para além do Reno, já em terras da fria e nostálgica Alemanha.

Ruth de La-Chapelle abandonara no Palácio Raymond, num envelope subscrito e lacrado para Artur de Louvigny, os títulos de fortuna, joias e papéis de família com que Otília a presenteara antes de morrer.

FIM DA SEGUNDA PARTE

Terceira Parte

Mas a vida prossegue...

Se perdoardes aos homens as faltas que cometeram contra vós, também vosso Pai celestial vos perdoará os pecados, mas, se não perdoardes aos homens quando vos tenham ofendido, vosso Pai celestial também não vos perdoará os pecados.[47]

---

[47] Marcos, 11:25 e 26

1

UM CRIME NAS SOMBRAS

A conferência de Luís de Narbonne com o capelão do dia, em Saint--Germain, levou cerca de uma hora. Ajoelhado, humilde, por vezes excitado, de outras quase lacrimoso, mas verdadeiro sempre, suplicava aflito, terminada a exposição do melindroso drama que vivia:

— Desejo, oh, sim! fazer duras penitências para merecer de Deus altíssimo a clemência e a proteção de que tão necessitado me sinto. Rogo--vos, monsenhor, pelo amor do Cristo crucificado, que supliqueis a Deus por mim, porque me reconheço aniquilado pelo infortúnio... e, com a vossa reconhecida piedade, dai-me qualquer penitência, mas não aquela que me obrigue à separação da mulher que amo, porque eu vos desobedecerei, porquanto não sei nem posso viver sem ela! Trata-se de uma questão não apenas de vida como de morte, mas até mesmo da salvação da minha alma, pois sinto que, apartado dela, eu me perderei nos evos, escasseando-me forças até mesmo para continuar alimentando a minha confiança em Deus... Exigi de mim, monsenhor, que abandone o mundo e me retire para uma ermida, porém, com ela... e nenhum ermitão será mais humilde e mais santo do que eu... Mandai que renuncie à minha posição na Corte, que legue aos pobres de Paris ou à Igreja todos os meus bens, os meus palácios, os meus títulos, para viver numa choupana, alimentando-me das plantas que eu mesmo cultivar com o esforço dos meus braços, tal o último camponês da França... e eu vos atenderei sem uma réplica... Mas deixai-me a minha mulher, porque sem ela — eu já vo-lo disse — não mais saberei respeitar nem ao próprio Deus!

— Blasfemai, senhor conde! Proíbo-vos que assim continueis na vossa confissão! Um sentimento de tal natureza é ofensivo à Divindade e brada aos Céus! Sois religioso, fostes um quase sacerdote... Lembrai-vos de que Paulo esclareceu que a caridade, isto é, o amor é paciente, é resignado, é perdoador, tudo sofrendo e suportando de boa mente, sem se revoltar... O drama que acabais de relatar é doloroso e terrível, com efeito. Não creio que essa mulher, que jogou a própria honra pessoal para vingar na vossa pessoa a morte da família, que um decreto do Rei, e não propriamente vós, havia condenado; que arriscou a liberdade e a vida com tão grande indiferença pelo que adviesse, possua um coração compreensivo bastante para que, esquecendo o sangue derramado sob o vosso comando, a vós mesmo se entregue, a não ser, efetivamente, perpetrando uma dessas vinganças que estarrecem quantos dela tenham notícias...

"Mas aquele que ama lealmente e todo se consagra ao anelo de ser igualmente amado estará sempre inclinado a compreender no coração alheio o ardor que o seu próprio coração é o único a sentir, a desculpar o ente amado das suspeitas que até a própria lógica dos fatos aponta, forçando-se a uma confiança que a razão repele e os acontecimentos desmentem."

— Senhor, ela me teve à sua mercê, escravizado a seus pés, adormecido em seus braços... — volveu ele num esforço para a si mesmo convencer do que afirmava. — Poderia ter-me assassinado facilmente e não o fez... Mostrou-me, ao contrário, desde o primeiro dia, uma ternura cativante... Afirmo-vos que desejou vingar-se, mas não o pôde fazer, porque o amor surpreendeu-lhe o coração, tolhendo-lhe a ação...

Angustioso silêncio seguiu-se, durante o qual não se saberia quem o mais apreensivo, se Luís de Narbonne ou o seu confessor. Aquele, porém, orava chocado e temeroso, iniciando já na própria mente, com os trabalhos da dor, o arrependimento pelos excessos dos dias execráveis de São Bartolomeu:

— Meu Deus, tende misericórdia de mim! Foi pela honra da vossa Igreja que procurei arredar os traidores da verdadeira fé! Tende misericórdia... *Mea-culpa, mea-culpa...* Tende misericórdia...

Subitamente, sintetizando a decisão, o capelão murmurou confuso e sincero, incapacitado para outro alvitre diante da gravidade do assunto:

— Senhor conde de Narbonne! Vosso caso não poderá ser resolvido pelos homens! Transcende para além das decisões que me são atribuídas! Dirigi-vos antes ao clero maior ou mesmo a Sua Santidade. Sinceramente, creio que o exposto em vossa confissão alçou ao limite onde somente as Leis onipotentes poderão intervir! Se a mulher que amais vos quer, tomai-a sem nenhuma penitência autorizada pela minha incapacidade! Tomai-a... e esperai que Deus decida...

O penitente levantou-se esperançoso, murmurando, todavia, como tecendo sonhos róseos à beira de um abismo, a si mesmo se consolando na desesperadora situação em que se encontrava:

— Não, não me separarei dela jamais... Partirei sim, para a Itália ou para a Espanha, dentro de alguns dias mais... Deverei afastar minha Otília... minha Ruth... das iras de Catarina, que a perseguirá, certamente, ao descobrir o engodo... Deverei, ademais, livrá-la dos possíveis processos que Artur moverá ao descobrir a usurpação do nome de sua irmã... Sim, partirei quanto antes... É uma pobre órfã, cuja família assassinei... Devolhe amor e proteção... repararei o mal que lhe causei, com a própria vida escravizada ao seu amor...

Chegou à nave da Igreja, dirigindo-se ao local onde a deixara. Não a encontrando, nem assim se preocupara no primeiro momento, crédulo e bem-intencionado, julgando com o próprio pensamento:

— Enquanto fazia minhas orações na capela das penitências, minha Ruth foi para o confessionário. Vi monsenhor ordenar ao irmão leigo que a introduzisse...

Sentou-se, pois, humilde e solitário, nos bancos franqueados ao público, que as sombras velavam, e esperou. Passaram-se longos minutos. Meia hora foi transposta. A Igreja tornara-se completamente deserta. Forçando-se a uma serenidade que principiava a impacientar-se, esperou ainda alguns minutos. Finalmente, não se podendo mais conter, levantou-se, procurando aproximar-se do recinto do confessionário e entrever o interior, em busca da silhueta bem-amada. A porta da capela, completamente fechada, indicou que o expediente fora encerrado desde muito. Retornou à nave, iludindo-se, já inquieto, com a suposição de que se desencontrara daquela a quem considerava realmente esposa. Apenas reconheceu o noviço que o atendera de início, conduzindo-o à confissão. Interrogou-o:

— Monsenhor, o capelão, onde se encontra?

— Retirou-se, senhor, para o descanso da noite...

— Mas... a senhora de Narbonne confessava-se... Estou à espera...

— Ah! perdão, senhor conde! O acúmulo de serviço fazia-me esquecer da incumbência que tenho para vós... A senhora de Narbonne não se confessou hoje... Retirou-se da Igreja acompanhada por um homem da vossa casa, um pajem... tão logo entrastes para a confissão... Eis aqui um comunicado que me confiou para vos entregar...

Febril, Luís abriu o bilhete e leu:

"Sua Majestade, a Rainha, chama-me urgentemente ao Louvre. Peço-te procurar-me ali, para nos inteirarmos do que se passa e acompanhar-me no regresso a casa. A senha será 'condessa de Narbonne', para seres conduzido até mim."

Retirou-se então o Capitão da Fé, a angústia estorcendo-lhe a alma, presumindo que Catarina, informada dos acontecimentos por monsenhor de B. e Reginaldo de Troulles, aos quais reconhecia declaradamente hostis à sua mulher, mandara-a buscar a fim de esclarecer o temeroso assunto, e que, àquela hora, estaria a pobre jovem respondendo a um interrogatório sucinto para receber o castigo, pois a megera, a quem chamavam Rainha da França, comumente não aguardava o raiar do dia para a prática das abominações que resolvia; antes, agia de preferência dentro das trevas da noite, por mais propícias à encoberta dos seus crimes. Uma associação de ideias e suposições imediatas desfilou à sua imaginação traumatizada pelo desespero de causa em que se reconhecia, tal sucede aos homens que, imprevidentes, impulsivos, inexperientes diante dos dramáticos embates da existência, se deixam vencer por uma série de circunstâncias fatais, que seriam evitáveis se, comedidos, pautassem os próprios atos à luz do raciocínio prudente e lógico. Luís concluiu consigo mesmo, decerto sugestionado ainda pela sua feraz inimiga do plano invisível, cujo nome tão frequentemente era por ele evocado por entre vibrações vigorosas:

"O recado de Catarina teria seguido para o Palácio de Narbonne... Rupert recebeu-o... Trouxe-o a Ruth... pois sabe que, a estas horas, não nos achando em casa, é que estaríamos em orações vespertinas em Saint-Germain... A guarda dos portões viu-nos passar em trajes de penitentes..."

Precipitou-se então para fora da Igreja, decidido a chegar ao Louvre dentro do menor prazo possível, e, não vendo a carruagem que os trouxera, atirou-se para a primeira que encontrou à espera de fregueses, ordenando apressado:

— Ao Louvre, com a maior rapidez...

Desde muitas horas antes acometido por violenta excitação, debatendo-se mesmo em um estado mórbido de choques nervosos, o Capitão da Fé não teve a previdência de voltar ao seu palácio, a fim de se acompanhar de uma escolta de defesa, na ausência do seu escudeiro, que supunha ter seguido com Ruth, ou, mesmo, pensou encontrá-lo no próprio Louvre, com a escolta comum nos serviços dos grandes senhores da época. Assim, dirigiu-se sozinho para a residência da grande Rainha.

Enquanto, porém, o desventurado Capitão da Fé segue apressadamente pela escuridão das ruas de Paris, já imersas em silêncio, longe de suspeitar do tenebroso destino que o aguardava no fim daquela sentimental aventura, entremos nós outros no Louvre, antecipando-nos à sua chegada, e procuremos os aposentos da estranha governante.

* * *

Catarina de Médici era valorosa e enérgica, porém, intimamente, assaz medrosa de que alguma fatalidade a atingisse. Cercava-se de defesas e cautelas talvez descabidas, oriundas de uma auto-obsessão de terror, certa de que a rodeavam perigos iminentes, pois, ao dobrar de uma esquina daqueles imensos corredores do seu Louvre, poderia morrer — pensava ela — traiçoeiramente, e que qualquer dos seus filhos, ao se dirigir para o leito, igualmente poderia encontrar a morte sob os cortinados de seda, como comumente sucedia, desde o passado, a muitos ilustres príncipes da Europa.

Essa mulher estranha, cruel ao se presumir justiceira, desconfiada até dos próprios sentimentos, pois realmente não amava a ninguém, temendo enternecer-se e fraquejar no rigor com que agia a favor do trono e da França; que jamais se apiedava de quem quer que fosse, cuja mente enfermiça pela sua malvadez a obsidiava com mil espectros da própria criação imaginativa, além de, realmente, ser grandemente influenciada por entidades desencarnadas malfeitoras, que desde séculos perambulavam pelas câmaras do palácio, à cata de aventuras com que saciassem as paixões nefastas, com as quais transmigraram para o Invisível; Catarina, dissemos, comumente dormia pouco, velando diretamente pela vida de si mesma e dos filhos. Nela, porém, o amor materno, que aparentava existir, cedia lugar à ambição de ver apenas o seu sangue — o sangue dos Médici — com as honras do trono mais famoso da Europa. Velava, portanto, mais pela dinastia dos Valois que pela vida e a felicidade de seus filhos Carlos, Henrique e Margarida. Velava pelo poder que empunhava com mãos férreas, convencida de que os pulsos e o cérebro frágeis de Carlos IX não aguentariam dirigi-lo, e não pela felicidade pessoal do mesmo. Possuía, era certo, servidores fidelíssimos, aos quais cumulava de favores, pronta, não obstante, a exterminá-los de qualquer forma, se tal conviesse a ela mesma ou ao Estado; e, certa de que neles o interesse sobrepujaria qualquer outro sentimento, tornando-os servis, não confiava plenamente em nenhum e, por isso, fiscalizava pessoalmente, quanto possível, a tudo, inteirando-se sempre do que houvesse, averiguando, intrigando, espionando, deduzindo, julgando, matando! Alguns dos seus sequazes seriam porventura mais odiosos do que ela própria. Outros, no entanto, colhidos pela sua rede infernal, incapazes de resistirem ao terror que ela inspirava-lhes, obedeciam-lhe cegamente as ordens, apavorados ante a perspectiva do destino que os aguardaria, se lhe caíssem das boas graças. Comia e dormia pouco e velava e trabalhava muito essa mulher genial que tudo via, de tudo sabia, tudo dirigia e resolvia sem outro cérebro que, em verdade, a ajudasse a raciocinar, pois que era despótica. Daí proviria, certamente, das suas grandes vigílias, do seu continuado esforço nervoso, aquela cor baça, marmórea, cor decantada por tantos cronistas de todos os tempos, que lhe emprestavam aspecto cadavérico, e a magreza constante que, depois dos 40 anos, lhe acentuou as rugas das faces, tornando-a declaradamente feia. Por tudo isso, Catarina padeceria esgotamento nervoso, teria pressão arterial baixa, seria excessivamente neurastênica e despótica, mesmo histérica, e pelo pouco que dormisse seria acometida de aflitivos pesadelos, ao passo que, dado o seu nervosismo, comprimido por uma vontade rija de dissimulação, sofreria gastrites e dispepsias, distúrbios do sistema neurovegetativo, males estes de origem antes psíquica do que mesmo física, só curáveis pelo saneamento moral-mental, o que a ela seria impossível pela época.

Essa mulher, que preferimos classificar de singular, porque em verdade obsidiada pela própria mente sempre atribulada por pensamentos pecaminosos, e influenciada por entidades invisíveis inferiores, não só acreditava na existência de fantasmas, pois que os via, como até pretendia evocá-los, valendo-se de mil artifícios ineficientes, aprendidos em antigas lições de magia, afinando-se, desta forma, de mais a mais com as sombras do mal; essa mulher também acreditava em tudo que seus servidores lhe dissessem acerca de pretensas conspirações para derribarem os Valois ou de assassínio contra as pessoas dela própria e dos filhos.

Ruth Carolina compreendera nela tal tendência, desde os primeiros dias, auxiliada que foi pelas informações de Otília de Louvigny, que, por sua vez, as obtivera de Artur e de seu próprio pai. E, igualmente acionada pelas individualidades inferiores do Invisível, as quais atraíra por meio dos sentimentos ultrizes que abrigava, preparou o enredamento para ferir de Narbonne, uma vez que lhe seria impossível atingir o trono, como tanto desejaria, para vingar o massacre da família. Por sua vez de Narbonne, colocado em sinistro encadeamento de prejuízos com as atividades deploráveis a respeito dos acontecimentos do dia de São Bartolomeu, não lograra inspirações protetoras para se furtar ao jugo perseguidor que sobre seus passos se avolumava com a presença do fantasma vingador de Otília de Louvigny, não obstante em consciência ser sensivelmente superior às suas implacáveis inimigas — Otília de Louvigny, Ruth de La-Chapelle e Catarina de Médici. O seu próprio senso de responsabilidade consciencial, acionado por seguras intuições e agravado pelos deméritos de existências passadas, advertira-o desde a juventude de que seu destino seria atrozmente dilacerado pela mulher, e, por isso mesmo, dela se esquivara tanto quanto possível, até que deparara o anjo louro que o deveria infelicitar.

Realmente, esse homem em quem apenas o fanatismo religioso seria o censurável, esse mancebo modelar em todos os setores da vida, até o dia fatal de São Bartolomeu, fora abandonado, voluntária ou involuntariamente, pela própria mãe, ao nascer; fora atraiçoado pela mulher a cujos pés depositara o coração ardente de imorredoura paixão; fora perseguido, do mundo invisível, pelo Espírito de odiosa mulher que não soubera compreender nele o fanático instigado por leis arbitrárias de uma sociedade escrava do pecado, e não o verdadeiro perverso; também fora castigado por uma Rainha despótica a quem respeitava e servia, a qual nada apresentaria em seu desfavor senão uma admiração invejosa e um insopitável despeito, compreendendo-o credor de favores do próprio trono ocupado por seu filho.

Ora, recebendo, na manhã do dia cujos acontecimentos descrevemos, a artificiosa carta de Ruth, acusando de Narbonne de desejar assassinar o Rei, dentro daquelas próximas horas, Catarina de Médici, cuja mente não se apartava de motivos criminosos, e a quem convinha o desaparecimento do infeliz capitão, deu, ou fez que deu, absoluto crédito a versão, autossugestionando-se de que a carta encerrava uma incontestável, terrível verdade! Tomou as necessárias providências a fim de deter o suposto conspirador, fazendo vir à sua presença um oficial da sua polícia secreta, ou antes, um dos chefes de seu batalhão de sequazes, que mantinha para os serviços da sua política, e deu-lhe as seguintes instruções:

— Ponde uma guarda, oculta, de cinco ou seis homens vigorosos e bem armados, pelas imediações dos aposentos de Sua Majestade, o Rei, com ordens para espionar quem o visita. Se o conde de Narbonne porventura aparecer, pretendendo avistar-se com ele, matai-o sem vacilações. Vede outros tantos homens e disponde-os, bem armados, pela sala das colunas que antecedem os corredores de acesso aos meus aposentos particulares. Ordenarei para que os vigias comuns se retirem à hora aprazada... O conde de Narbonne virá ao Louvre a fim de me visitar, à procura de sua mulher, a condessa de Narbonne, uma das nossas damas dos serviços secretos. Expedirei ordens para que as sentinelas dos meus apartamentos o deixem passar até a sala das colunas, desde que pronuncie a senha particular para este caso, isto é, "condessa de Narbonne". Hei de aparecer e falar-lhe. E quando o mesmo nome "condessa de Narbonne" for pronunciado por mim ou por ele, que nossos homens apareçam e o prendam, atirando-o nos subterrâneos do declive... Agi, porém, com inteligência. O conde é valente e vigoroso. Poderá vencer-vos, matar-me, matar o Rei, perder a França, pois descobriu-se que é perigoso conspirador que deseja apoderar-se da Coroa... Vossa liberdade, vossa fortuna, mesmo a vossa vida responderão pelo êxito da empresa. Será indispensável sigilo, se estimais a vós mesmo... A Bastilha sempre guardou com fidelidade os servidores infiéis e palradores. Os nossos homens emboscados não deverão saber de quem se trata de prender... Não o mateis, porém, senão em última instância, e evitai feri-lo...

E acrescentou em pensamento, para si mesma, com o olhar vagamente perdido no vácuo do pequeno gabinete onde se encontrava: "É filho de Henrique... Não desejo agastar o fantasma do pai, fazendo correr o sangue do filho... o sangue dos Valois..."

O oficial retirou-se submisso e disposto a executar fielmente as ordens recebidas, como sempre. O que, no entanto, à argúcia da grande Rainha escapara, fora que, escrevendo aquela carta, Ruth pretendia, acima de tudo, desviar as atenções de si mesma, a fim de que se tornasse possível sua imediata fuga para a Alemanha, conforme pretendia, pois, enquanto se perturbasse Catarina com a detenção de de Narbonne e a expectativa da apreensão dos seus supostos cúmplices, necessariamente não se preocuparia com ela, Ruth, senão para aguardar novas detenções.

Ao anoitecer, Catarina surpreendeu-se com a visita de monsenhor de B., acompanhado do oficial de Guise, os quais, ignorando sua inteligência com a menina de La-Chapelle, relataram o enredamento genial pela mesma movida contra de Narbonne, assim como a sua qualidade de huguenote. A soberana ouviu-os com atenção, como era habitual, sem que um único gesto indiscreto os informasse das impressões recebidas ante o enfadonho relatório. Percebendo, porém, que monsenhor de B. e Reginaldo seriam estorvos aos acontecimentos que se sucederiam possivelmente ainda naquela noite, Catarina respondeu após alguns instantes:

— Surpreende-me vossa narrativa, pois não previ complicações ao admitir nos meus serviços essa astuta comediante... Fui, como presenciais, brutalmente ludibriada... Agradeço-vos, não obstante, o zelo pela nossa honra, tão desrespeitada agora pela execrável huguenote... Providenciarei imediatamente a sua prisão, a tempo de salvar o pobre de Narbonne... Todavia, sejamos cautelosos, para não escandalizarmos a Corte prematuramente e não perdermos a presa... que, se se reconhecer perseguida, poderá seguir o vosso conselho, fugindo da França para ficar impune do crime que cometeu... Rogo-vos, porém, permaneçais aqui, para testemunhardes no inquérito que estabelecerei imediatamente, a fim de que ninguém duvide de que a vossa Rainha faz justiça à altura da grandeza e da honra do trono.

Em seguida, fez chamassem oficiais da sua guarda, aos quais deu ordens particulares... Depois, convidou monsenhor a repousar em aposentos da sua casa, suplicando-lhe amavelmente aguardasse chamamento para o indispensável testemunho, local para onde logo após quatro alabardeiros do palácio se dirigiram, montando vigilância rigorosa à porta, a pretexto de que nenhum incômodo viesse a sofrer o ilustre hóspede, enquanto repousasse. Menos feliz, Reginaldo viu-se detido em sala forte, cujas janelas gradeadas e portas chapeadas, guardadas por sentinelas, não animavam a previsões risonhas, não obstante a informação de que assim estaria aguardando, com absolutas garantias, a presença do casal de Narbonne, para os esclarecimentos em que figuraria como a mais importante testemunha.

Entrementes, pensava a meticulosa intrigante: "Pelas informações que acabo de receber de monsenhor, a astuta de La-Chapelle estará em apuros para se livrar do esposo, que a sequestra... Apressemos o desfecho..."

Valendo-se ainda de um oficial da guarda do palácio a seu serviço, ordenou:

— Mandai um emissário do Louvre ao Palácio de Narbonne dizer ao senhor conde que me venha ver imediatamente, caso ainda se encontre em casa, pois que o espero desde esta manhã...

Passada que fora uma hora, o oficial regressou com a notícia, auspiciosa para a Rainha, de que Luís de Narbonne e sua mulher se haviam ausentado de sua residência, em trajes de penitentes, o que indicaria estarem em orações vesperais no recinto de alguma Igreja, possivelmente a de Saint-Germain, para algum voto especial.

Satisfeita, pensou a singular soberana: "Minha dama já não está sequestrada pelo esposo, conforme informações de monsenhor de B. Ela sabe o que faz... Esperemos, portanto..."

E, com efeito, esperou tranquilamente.

* * *

Luís chegou ao Louvre sem quaisquer incidentes. Passavam alguns minutos já da meia-noite quando transpôs os portões laterais de acesso à casa da Rainha. Cedo ainda, houvera ordens para que o deixassem passar por todos os postos de sentinelas que antecedessem os aposentos da soberana, desde que proferisse o nome da esposa, ou seja "condessa de Narbonne", o qual, em verdade, não seria a senha do dia, mas um meio de identificar aquele que era esperado pela mesma. Ele, pois, passou sem se deter, afoito, ansioso, dirigindo-se sem mais tardança aos apartamentos de Catarina, em procura da esposa, como era habitual, qual a mísera ave atraída pelo magnetismo absorvente da víbora invencível. A meio caminho, um homem dos serviços de Sua Majestade esperava-o, sem que ele o percebesse, para conduzi-lo ao local previamente indicado, isto é, à sala das colunas.

A casa da Rainha — ou os aposentos do Louvre por ela e sua Corte habitados — era vasta e contornada de múltiplas salas, galerias, câmaras, como conviria a um palácio daquelas dimensões. Luís, com o pensamento concentrado na possibilidade de se encontrar com Ruth Carolina em poder de inquiridores que a estariam martirizando, suspeitando-a de conspirações e espionagem, não pressentia, de modo algum, uma possibilidade de cilada contra ele próprio, nem reparava a estranha facilidade com que obtinha acesso a todas as dependências da Rainha àquela hora da noite. Venceu, portanto, apressadamente, alguns aposentos... e, seguido do introdutor, que não conhecia, encontrou-se, de súbito, num salão de grandes dimensões, espécie de praça interna, tão comum nas edificações muito vastas de outrora, disposto em círculo e rodeado de portas, a antecâmara de acesso aos apartamentos da grande Rainha. Algumas daquelas portas eram por ele reconhecidas como o ingresso obrigatório a dependências franqueadas aos cortesãos, visitantes, delegados, ministros etc. Outras, porém, lhe eram inteiramente desconhecidas, visto que, tratando-se de passagens guardadas por sentinelas, e pertencentes, ademais, à residência particular da própria Rainha, não lhe seria permitido investigá-las. Não lhe ocorreu jamais o desejo de conhecê-las. De Narbonne não era um intrigante, não era cortesão ocioso que preferisse passar o tempo a investigar escândalos e particularidades alheias. Seria, antes, operoso e atarefado, estudioso e discreto, tal como convinha a um futuro religioso, a quem não ocorreriam intenções subalternas para suspeitá-las chamejantes nas mentes alheias.

A sala era escassamente iluminada por duas pequenas lanternas de uma vela. As pesadas e grossas colunas de suporte, dispostas em círculo, projetavam sombras impressionantes pelo chão e pelas paredes. Um silêncio de sepulcro se alongava pelos recintos próximos. Dir-se-ia o Louvre desabitado naquela noite ou sinistramente emboscado para mais um crime entre suas paredes. Vagamente impressionado, somente agora pressentindo algo de anormal e pensando em que fizera mal de não ter voltado em casa para se acompanhar de uma guarda, Luís circunvagou o olhar em torno, à procura de uma sentinela, estranhando que nenhuma ali houvesse, ou de um pajem que lhe informasse onde se encontraria a Rainha, visto que o introdutor desaparecera, e saber, mesmo, se era esperado. Mas o salão deserto não lhe mostrava senão sombras... Inquieto, bateu palmas, as quais ecoaram lugubremente pelos cantos sombrios do compartimento, e esperou. Inesperadamente, em vez de um camareiro ou uma dama, de um pajem ou de um introdutor, eis que a própria Catarina de Médici, a primeira pessoa da França depois da augusta pessoa do Rei, assomou a uma porta, trajada de negro, as faces marmóreas petrificadas como as de um cadáver, as feições duras, os olhos amortecidos, como abismados em profundas visões.

Admirado, notando que a própria soberana vinha atendê-lo, Luís dobrou-se sobre um joelho, como conviria a um cavalheiro diante de Sua Majestade, em cumprimento respeitoso. Todavia, Catarina deteve-o ainda longe, e perguntou, com voz mansa e sombria:

— Ao que vindes, senhor conde?...

— Majestade!... Atendo ao chamado urgente de minha esposa, que me espera para conduzi-la a casa...

— Suponho, pois, que procurais alguém?...

— Oh, sim, minha senhora! — acudiu afoitamente, impressionado ante a atitude equívoca daquela a quem sabia pérfida e infiel. — Procuro a condessa de Narbonne, que me precedeu aqui a vosso chamado... — concluiu o infeliz, como que impulsionado por poderosa sugestão estranha... a mesma sugestão que levara Ruth a prever os incidentes daquela noite, descrevendo-os na carta dirigida à Rainha pela manhã, o que indica que o fantasma de Otília de Louvigny tudo acionava com inteligência, prestes a atingir o alvo a que se atirara.

A resposta de de Narbonne, esperada pela sinistra mulher, fora a senha que os esbirros desta, ocultos pelas sombras da sala, aguardavam.

Num instante, o famoso Capitão da Fé viu-se atacado por dez, por vinte homens armados, surgidos das sombras, cujas feições patibulares lhe eram desconhecidas. Recuou num impulso ligeiro o antigo estudante de Teologia, e, presto, desembainhou a espada, aparando os golpes que porventura lhe dirigissem, compreendendo, porém, de imediato, que não desejavam assassiná-lo, pois que não investiam com verdadeira disposição. Compreendeu que, finalmente, Catarina o apanhara em suas redes, pois só tardiamente verificava que bem urdida cilada fora armada sobre ele. Então, luta heroica feriu-se na solidão daquela dependência do famoso palácio. Os homens da Rainha, em dado momento, avançaram em massa. Luís viu-se agarrado de todos os lados, tolhido, manietado por vinte, por cem braços que o impossibilitavam de servir-se da espada. Ainda assim, continuou lutando ferozmente, debateu-se, conseguiu livrar-se, atacou furiosa, intrepidamente, à direita, à esquerda, fazendo meia-volta para atacar os que lhe ficavam às costas, mas compreendendo que a finalidade que tinham não seria matá-lo, e sim, certamente, aprisioná-lo, tardiamente constatando que sua esposa não seria estranha à espantosa cilada que o vencia. Debateu-se contra o assalto com todas as vigorosas forças dos seus 25 anos, com todo o seu coração desejoso de viver e de poder vencer, com todas as energias da sua honradez atraiçoada, do seu terror de ver que caíra irremediavelmente nas garras de Catarina, por quem se sabia observado desde muito. Desesperado a tal convicção, desfazia-se das mãos rudes que o atavam para se ver novamente agarrado por outras tantas. Impossível defender-se à espada. Todos sobre ele, não haveria espaço onde agitar-se. Defendia-se com os pés, com a cabeça, distribuindo pontapés e cabeçadas, com o próprio corpo em contorções desesperadas, tentando desvencilhar-se para sacar do punhal, já que a espada lhe seria impossível. Mas desarmaram-no de vez dez, vinte homens exasperados, cujas vidas respondiam pelo êxito da empresa sinistra, atando-lhe os pés, contorcendo-lhe os braços, arrastando-o em direção da porta do fundo, exatamente uma daquelas que ele jamais transpusera. Em dado momento, no auge da angústia e do terror, reconhecendo-se vencido, irremissivelmente perdido, vendo Catarina ali, impassível, presidindo à cena revoltante, Luís bradou com aquela sua voz possante, que agora se fazia emocionada e suplicante, vibrando no silêncio da sala, tentando um derradeiro esforço em benefício próprio:

— Senhora, por Deus, salvai-me! Sou leal servidor do trono, defensor dos direitos reais, amigo do Rei da França e vosso amigo... Por que me desgraçais?... Salvai-me, senhora, por quem sois!... Oh, meu Deus! meu Deus! vinde em meu socorro!

No entanto, a própria Rainha talvez não conhecesse bem as razões por que desgraçava de Narbonne. As acusações de Ruth Carolina haviam sido tão frágeis, a versão da paternidade de Henrique II quanto ao mesmo jovem fora tão discreta, que a um caráter normal não levaria à decisão de desgraçá-lo. A Rainha da França, porém, era uma alma sombria, rodeada de complexos, a quem bastaria pequenina centelha de sugestões ofensivas para que o incêndio lavrasse em sua mente, concitando-a à destruição de alguma coisa, mesmo da honra, da vida de um ser humano.

À súplica suprema do desgraçado Capitão da Fé, nem uma só fibra de sua alma se comoveu ou se ressentiu. Continuou caminhando lentamente atrás do grupo sinistro, que já transpunha a porta, aberta por um dos assaltantes... Uma galeria extensa desvendou-se fria e escura, apenas alumiada por pequena tocha empunhada por um dos homens. E Catarina deteve-se no limiar, continuando a contemplar a cena, sem pronunciar uma só palavra!

Arrastado pelos algozes, Luís resistiu sempre, mas em vão. Resistia e bradava, suplicando o socorro daquela mesma que, tal como Ruth de La-Chapelle, desejava a sua perda. Seus pensamentos atingiam a intensidade da loucura. Ele julgava sonhar, supunha-se vítima de pesadelos infernais, não compreendendo que avalanches de desgraças, súbitas e incompreensíveis, se abatiam sobre ele desde a manhã daquele terrível dia! Remoinhos exasperadores deprimiam-lhe o cérebro. Seu coração comprimia-se de raiva e de angústia, e incomensurável terror desnorteava-o ao reconhecer que seria impossível escapar daqueles celerados, que mais o tolhiam a cada instante, e então bradava, num supremo instinto de defesa:

— Senhora, salvai-me, por Deus! Nada quero, senhora, nada desejo senão servir ao Rei e à França... Por que, pois, me prendeis?... Por quê?... Por quê?...

Ao fundo dessa galeria havia uma porta, e, além desta, um declive longo, suave, que levava às antigas prisões subterrâneas. Essa porta foi aberta como o fora a primeira. Quando os assaltantes a transpunham com Luís, inteiramente dominado, porque manietado de pés e mãos, Catarina bradou:

— Alto!

O grupo parou e Luís de Narbonne concentrou a própria vida no que se passaria, esperançado de que as súplicas proferidas houvessem tocado o férreo coração da sua feraz inimiga. Mas a soberana apenas retirara do bolso dos vestidos um papel dobrado — uma carta — e, atirando-o de longe para o homem que a atendera, exclamou em voz grave, cava, tal a voz de um espectro:

— Deixa com ele a tocha para que possa ler isto... e não acusar demasiadamente a sua Rainha...

Esse papel era a carta que Ruth Carolina a ela escrevera pela manhã, entregando-lhe de Narbonne numa cilada admiravelmente urdida...

O sequaz palaciano levantou do chão a carta, transpôs a porta, fechando-a com estrondo. Desaparecera, assim, o grupo insidioso e, com ele, para sempre, do mundo dos vivos, o belo Capitão da Fé, alcunhado também o "Irrepreensível", graças à digna conduta que soubera manter dentro da sociedade do seu tempo.

Vendo-se só, entre a solidão do recinto e as sombras, a Rainha contemplou durante alguns instantes aquela porta fechada e impenetrável, e murmurou para si mesma, sem que alguém que porventura a ouvisse pudesse avaliar se o que ela proferia seria um lamento de pesar ou um brado de triunfo:

— E assim desaparece para sempre o único Valois digno de um trono!...

Depois, vagarosamente, a cabeça baixa, entrou em seus aposentos particulares, ajoelhou à frente do seu oratório, que pequena lâmpada de azeite alumiava, e passou o resto da noite em orações...

2

O DESTINO DE UM CAVALEIRO

Enquanto o desgraçado senhor de Narbonne caía irremediavelmente na rede tecida pelas três eminentes figuras femininas que se afinavam com as trevas dos próprios caracteres, isto é, Ruth Carolina, Catarina de Médici e a entidade desencarnada Otília de Louvigny. A primeira, como vimos, deixava Paris em fuga precipitada, a fim de escapar de uma possível perseguição daqueles a quem acabava de atraiçoar, pois seria bem certo que, se de Narbonne descobrisse a tempo a singular cilada que lhe fora preparada, não descansaria até que a encontrasse novamente, enquanto Catarina, igualmente ludibriada, pois Ruth lhe prometera novas delações, e monsenhor de B., que, necessariamente, dela suspeitaria se Luís morresse ou desaparecesse, empregariam todos os esforços para capturá-la. Dir-se-ia, no entanto, que os gênios do mal, aos quais se aliara a jovem renana desde o dia em que se submetera às injunções de um desejo de vingança, ou simplesmente, que a sombra odiosa de Otília de Louvigny, que a dominara desde os últimos dias vividos sobre a Terra, continuando para além do túmulo a nefasta ascendência, protegiam-na contra a possibilidade de quaisquer investidas contrárias, tal como os criminosos e comparsas terrenos, que melhor se auxiliam e protegem do que o fazem entre si os demais homens investidos de autoridade.

Na primeira muda, o príncipe Frederico, receoso pela pessoa da sua jovem prometida, a quem de boa mente perdoava as peripécias da inaudita aventura, atribuindo-a aos desvarios da insuperável dor de haver perdido os seres amados, como à sua extrema juventude, que não saberia medir consequências, Frederico substituiu a carruagem por bons cavalos corredores, que os levassem mais rápida e seguramente ao projetado destino. Ao entardecer do segundo dia, já se achavam à beira do Reno. E ao amanhecer, já em terras da Alemanha, descansavam a salvo de qualquer surpresa desagradável na abastada residência de um dedicado reformista, amigo das duas famílias, o qual se prontificara a servi-los com a mais leal alegria, e em cuja guarda estacionava a carruagem trazida da Baviera para o regresso. Blandina e Raquel se lhes juntaram então, ali.

Todavia, a formosa irmã de Carlos Filipe não demonstrava qualquer vislumbre de satisfação, tampouco sentia a aprovação íntima da consciência, uma vez consumada a obra de requintada vindita contra Luís de Narbonne. Ao pisar o generoso solo em que se exilava, abundantes lágrimas prorromperam de seus olhos, atestando as torturas incontroláveis do coração. Em vão Frederico procurava socorrê-la, cercando-a de atenções. A jovem renana mantinha-se desolada e inconsolável, murmurando consigo mesma, nos recessos mais sagrados do pensamento, obsidiado, já agora, pela recordação da imagem varonil que se decalcaria para sempre nas sutilezas da sua mente, como sublime aspiração à ventura de um amor integral:

— Infame e desgraçada que sou, perseguida de demônios! Amo, porventura, o exterminador de minha própria família?... Estarei louca, Deus meu?!... Perdoem-me, bem-amados pais! Perdoem-me, irmãos queridos! Carlos, ó Carlos! Perdoa-me! Eu mesma já não sei se amo ou se odeio Luís de Narbonne!

Em dado momento, quando pretendiam os viajantes atravessar o rio lendário, ainda no solo francês, súbita desesperação acometeu-a. Gregório e Frederico viam o seu olhar chamejante, alucinado, o gesto expressivo torcendo as rédeas da montaria a fim de forçá-la a retroceder a marcha, retornando à estrada que deveriam deixar, e, enquanto denunciando estranha excitação, exclamava fora de si:

— Oh, não! Não prosseguirei! Voltarei a Paris... Preciso salvá-lo! Pobre Luís! Que fiz eu, meu Deus! Que fiz eu?!...

No entanto, os dois homens detiveram-na, esforçando-se por dominar a crítica situação:

— É tarde para arrependimentos, minha querida! Deverias ter meditado antes de realizares esta estranha aventura!... — advertiu o Príncipe. — Deixai-o! O que estiver feito a estas horas será irremediável... Catarina prendê-lo-ia de qualquer forma, a despeito de ti mesma... Daí, quem sabe?... Talvez houvesse escapado... e já se encontre ao nosso encalço... Atravessemos sem demora o nosso amigo Reno e estaremos ao abrigo de tudo... Espera-nos a felicidade sonhada por nossos pais desde muitos anos...

A custo detiveram-na. E, algumas horas depois, ela se estirava exausta sobre o leito que lhe ofereciam, adormecendo como se a própria morte a houvesse reduzido a eterno aniquilamento.

* * *

Sentindo-se atirado ao calabouço por vinte braços férreos, invencíveis, o conde de Narbonne perdeu o equilíbrio, deslizando no solo úmido e limoso, para estender-se no chão, atordoado, em queda imprevista. Desamarraram-no rapidamente os sequazes de Catarina, retirando-se mais apressadamente ainda. A loucura, então, ameaçou invadir o raciocínio do infeliz capitão. Zumbidos desconcertantes alvoroçaram-lhe a audição e continuadas vertigens faziam-no imaginar-se rodopiando no ar, enquanto a surpresa execrável, a desesperação do coração ultrajado e ferido, mais do que o próprio corpo, que a bruteza dos celerados contundira, atordoavam-no, negando-lhe serenidade para examinar a situação, com o rigor da realidade que se estampava em proporções aterradoras. Assim aturdido, procurava equilibrar-se da queda rude, viu, indistintamente, qual pesadelo de que se esforçava em vão por despertar, que seus algozes prendiam a um gancho a tocha de resina acesa, e lhe atiravam aos pés um pedaço de papel, um pergaminho com suas próprias armas timbradas em lacre, habilmente dobrado. Viu ainda que a pesada porta se fechava com estrondo e que o rumor das trancas e cadeados se cruzava, avisando-o de que estava preso. Como louco, o desgraçado filho de Henrique II deu um salto e jogou-se de encontro à sinistra porta, tentando em vão abri-la ou arrombá-la de qualquer forma, por entre gritos e protestos de revolta, promessas e ameaças, lágrimas e brados de socorro que teriam tocado o coração de qualquer mortal menos rude que Catarina, se ela o pudesse ouvir, ou convencido uma razão menos amordaçada do que a daqueles homens que todos os crimes cometeriam sob o terror das perseguições e represálias da própria Rainha a quem se haviam escravizado. Estes desgraçados, por ela arrancados do fundo dos calabouços ou das bordas do patíbulo para os seus serviços secretos particulares, eram-lhe fiéis e submissos como não o seriam os mais nobres cavaleiros à honra da França. Luís sabia que suplicava em vão, que todas as promessas que fizesse ou tentativas de suborno para poder libertar-se seriam inúteis, porque nem mesmo eram ouvidas, e daí o desespero em que deixava naufragar a própria razão. Estava certo de que sua prisão era ignorada de todos, fora obra secreta e longamente premeditada, para não deixar vestígios, por inimigos dissimulados. O próprio monsenhor de B. desconheceria o seu verdadeiro paradeiro. Em sua casa, apenas a guarda dos pátios vira-o sair. E no Louvre ninguém, certamente, recordaria que naquela noite ele para lá entrara e não saíra, tão grande era o fluxo e refluxo de cortesãos a homenagearem diariamente a grande governante. E assim raciocinando aceleradamente, por entre nuvens de loucura e punhadas na porta, também pensava:

"Não serei jamais socorrido! Estou sepultado vivo sob os alicerces do Louvre! Para sempre! Para sempre!"

Nas voragens do pecado

Pouco a pouco resvalou para o chão, deixando-se cair exânime, e silenciou, fitando o vácuo penumbroso que a chama vacilante da tocha tornava tétrico e fumarento, sufocando-o. Angustiosa calma sobreveio, permitindo-lhe melhor pesar os acontecimentos. O calabouço era espaçoso, porém, baixo, úmido, fétido, repugnante. De estatura elevada, Luís não se poderia erguer naturalmente, precisando antes curvar o dorso para não contundir a cabeça ao se pôr de pé. Pôs-se a refletir, sentado no chão pegajoso e úmido, que centenas de animais daninhos povoavam. O panorama dos acontecimentos desfilava por sua mente, enquanto, abatido, pávido, pesava a apavorante gravidade da situação. Pensava em Ruth, a mulher santamente adorada, mas repugnava-lhe confirmar à própria convicção que dela, da sua maldade requintada, da sua monstruosa traição adviera aquela desgraça. Preferia então acusar somente Catarina, não só pela sua posição pessoal, como por algo que tivesse acontecido a Ruth, pois esforçava-se em supor que a esposa se vira atirada em masmorra idêntica... embora nas profundezas do espírito estivesse certo de que assim se enganava, para que o desespero em que se sentia soçobrar lhe não despedaçasse demasiadamente o coração. E sentia que uma voz secreta e incorruptível, a voz da consciência, que despertava para corrigir e redimir, advertia:

"Trucidaste a família dela, pelo simples desejo de agradar a autoridades poderosas... pois tu bem poderias compreender que o Criador de todas as coisas não exige o sangue do sacrifício para ser adorado... Por que o fizeste?... Os de La-Chapelle eram corações amigos e simples, inofensivos e discretos, prestativos e honrados, que amavam o próximo e respeitavam a Deus... e teu zelo injustificável houve de procurá-los na longínqua Renânia, forçando até mesmo a lei das províncias, as quais não te diziam respeito, a fim de trucidá-los... Como, pois, quererias ser amado por aquela que tudo perdeu sob o teu ferro assassino?..."

Todavia, fora de si, respondia à consciência o coração flagelado pelo desconsolo da saudade e do pesar, sedento de algo reconfortador e esperançoso:

"Sim, ela me amava! Ela me amava! Eu o sentia, eu o sinto, meu Deus, apesar de saber-me o destroçador dos seus! Deus, meu Deus! Como pôde isto acontecer?..."

Subitamente, lembrou-se de que tinha um papel na mão e que Catarina mandara atirar-lho, para que o lesse. Levantou-se de um salto, contundindo-se no teto baixo, achegou-se à tocha e leu, com efeito, a carta que Ruth Carolina escrevera à Rainha, naquela manhã, entregando-o à prisão. Desse momento em diante o desgraçado compreendeu, finalmente, tudo. Compreendeu que Ruth e Catarina eram cúmplices desde os primeiros dias, pois a carta trazia a verdadeira assinatura: "Ruth de La-Chapelle." Não mais sentiu esperanças nem alívio para a sua desgraça, nem suposição de que fora amado, nem consolo para sua miséria de prisioneiro irremediável, com as recordações dos transportes de felicidade que o amor lhe facultara. Fora tudo ilusão, fora engodo e perfídia o que a sua boa vontade recebera como suprema conquista da vida! Um único desejo agora o absorvia: evadir-se! Sair dali, procurar Ruth, encontrá-la, ainda que estivesse também prisioneira, como ele, matá-la, supliciá-la, e depois morrer também, beijando-lhe as faces lindas, os cabelos sedosos, os olhos adorados!

O que foi a tortura desse coração jovem e amoroso, que não sabia odiar, atirado a um calabouço infecto, o que foi a demência exacerbada desse fanático religioso que amava a sua religião sem amar verdadeiramente a Deus, que venerava o sacerdote sem possuir a fé que tanto propalava, que levava em alta conta os dogmas da sua Igreja e não amava o próximo, e a quem, por isso mesmo, a resignação e a fé, a humildade e a esperança nos dias futuros, a submissão e a paciência faltaram quando mais necessitado delas se encontrou o seu coração; o que foi a percuciente raiva desse temperamento dinâmico que se viu tolhido, anulado no fundo dos alicerces de um grande edifício, atraiçoado e batido por frágil mulher, como se fora o seu mais insignificante brinquedo, somente ele próprio e o Criador, que tudo sabe e tudo sente do que com sua Criação se passa, o compreenderam! Seu martirológio na prisão foi cruel e requintado. Preso em masmorra úmida e lodosa, não lhe concederam sequer um monte de palhas para repousar. Alto, atlético, dinâmico, sepultaram-no vivo num cárcere onde não se poderia erguer para se pôr de pé! Saudável e forte, muitas vezes seus carcereiros se esqueciam de lhe levar a ração e a água que lhe aplacaria a sede da febre que o devorava. E o desgraçado, então, sofria a tortura da fome, além da tortura da sede, avolumando-se, assim, a intensidade da sua expiação! Comumente contundia-se até sangrar, de encontro à porta, tentando despedaçá-la por entre gritas de réprobo, inconsolável e demente durante crises de desespero que teriam abalado o coração dos seus inimigos, se estes o pudessem supor de tal forma atormentado sob as garras da grande e cruel Rainha! E, para maior desgraça, desde que para ali se vira arrojado, nem uma só vez pudera orar! Suas antigas devoções, quando passava noites seguidas genuflexo sobre veludos e brocados custosos, ao pé de altares dourados, envolvidos de doces aromas, debandaram de suas crenças ao advento da dor, no momento da expiação, deixando com ele apenas o negro vácuo de uma decepção humilhante, a decepção de se julgar um privilegiado dos Céus, porque um poderoso da Terra, um religioso insigne, e ver-se, repentinamente, relegado a situação mais miserável que a do escravo ultrajado e infamado! Até que, certa vez, depois de longo tempo passado nas inconcebíveis dores da prisão, alguém que pelos corredores transitava, levando o pão negro e o cântaro d'água a algum outro desgraçado em condições idênticas, ouvindo-o bater tão desesperadamente na porta e suplicar socorro em voz já rouca pela exaustão das gritas ininterruptas, abriu subitamente a portinhola, para saber o que se passava. Luís achegou-se palpitante, e investigou o exterior com o olhar, esbarrando, porém, apenas com outros olhos que procuravam ver os seus, parcamente aluminando-se com frágil lanterna, pois a penumbra era idêntica para além da porta. Tratava-se de um substituto do carcereiro, que pela primeira vez desempenhava as tristes funções do ofício. Ignorava ele que aquela masmorra se mantivesse habitada, porquanto apenas fora informado da existência de dois prisioneiros naquela galeria, quando agora encontrava três.

Certamente esse homem não tivera ainda o coração endurecido no malsinado desempenho de algoz, pois que se penalizou ante a ideia de que três dias havia que por ali transitava sem servir, ao prisioneiro número três, a respectiva ração de pão negro e de água.

Percebendo o rosto trágico do desgraçado, que ele iluminava com a lanterna, afastou-se impressionado, para se chegar novamente, em seguida, tal o desbarato entrevisto naquelas feições que se diriam hedionda máscara, na qual a doença, a raiva, o horror e a amargura, a dor no que ela poderá apresentar de mais trágico e pungente, multiplicavam ao superlativo a sua ignóbil devastação.

— Quem és?... — perquiriu o auxiliar de carcereiro, curioso e como surpreendido e aterrado.

E Luís respondeu, alvoroçado de uma insensata e súbita esperança, que durante alguns minutos lhe aliviou os sofrimentos:

— Sou o príncipe Luís de Narbonne, conde de S., chamado Capitão da Fé... A rainha Catarina prendeu-me secretamente, não obstante ser eu amigo do trono, inocente de qualquer crime... Ajuda-me tu, por Deus e por Maria virgem! Sou poderoso. Farei tua fortuna e a felicidade daqueles que amas... Sejas tu quem fores, eu te elevarei... Abre esta porta, ajuda-me, oh, ajuda-me, e terás agradado a Deus, pois estou inocente...

O homem pareceu aterrorizado, pois recuou num gesto de surpresa e horror, e, baixando a voz, murmurou, como que profundamente tocado no coração:

— Vós, senhor de Narbonne! Pois sois vós, então!

— Sim, bom homem, meu amigo, ajuda-me, salva-me! Não me deixes morrer aqui, porque será demasiadamente ignóbil para um homem semelhante morte! Já não posso gritar nem chorar, porque minhas cordas vocais se irritaram, tornando-me rouco... Tenho febre, estou doente, vê!... Advieram-me uma afecção na garganta, uma doença pulmonar, pois a tosse me tortura sem tréguas, e sinto dores... A paralisia ameaça reduzir-me à invalidez... Aqui é frio e úmido, sento-me e arrasto-me sobre água... e não me posso deitar para descansar e nem pôr-me de pé a fim de desentorpecer as pernas... Salva-me, salva-me, por Deus! Abre a porta... e terás cometido ação meritória à face de Deus!

Sem voltar a si do espanto de que se sentia possuído, o homem murmurou em resposta, enregelando de maiores angústias o coração despedaçado do infeliz fidalgo:

— Não tenho as chaves... Não poderei abri-la... Matar-me-iam, se o fizesse... Agora compreendo... Passais por morto, senhor! Diziam que éreis também filho do nosso defunto rei Henrique, e por isso... Tínheis também grandes direitos entre os príncipes de Valois... Compreendo... O rei Carlos celebrou solenes exéquias por vossa alma, em Saint-Germain... A Rainha cobriu-se de luto, com suas damas, durante três dias... Constou que vossa morte verificou-se na Espanha, durante um duelo com certo cavaleiro... Tudo isso há já dois anos... Nosso rei Carlos IX acaba de falecer... Subiu ao trono seu irmão Henrique... Henrique III... Mas outros dizem que fugistes para o estrangeiro com uma jovem e linda aventureira que usurpou o nome e a fortuna de uma ilustre família francesa, a fim de espionar o trono, a soldo de huguenotes... Sim, muitas coisas disseram... Disseram que professastes e viveis encerrado num convento, depois de haver matado a mesma jovem huguenote... envergonhado pela burla de um casamento simulado a que ela vos levara... Outros afirmam que aderistes às ideias de Calvino, e por isso fugistes, pois a mesma dama, uma mulher pagã, feiticeira, diabólica, casara-se convosco, sendo também huguenote, e diante da cruz desaparecera da Igreja, evaporando-se nas trevas... Tudo isso se falou, senhor, até nas cozinhas, nos pátios e nas cavalariças do Louvre... Vossos bens foram revertidos ao Estado, porque, disseram, não tínheis herdeiros e haviam sido doados pelo próprio Estado, quando nascestes... Senhor, não mais existis para este mundo!... e estais aqui, vós, o grande senhor de Narbonne!... Ninguém, ninguém soube que fostes preso!

— Sim, eu! Leva, ao menos, um recado meu a monsenhor de B., o superior do Convento de... Dize-lhe que me venha salvar, que interceda por mim junto ao clero... O clero amava-me... Não aguentarei por muito tempo mais... Que ao menos me matem, pois será preferível... Não aguento mais, não aguento mais...

— Monsenhor de B. é morto... Disseram que se finou de desgostos pelo vosso desaparecimento, que ninguém jamais se certificou de como realmente foi... Afirmavam que monsenhor jamais acreditou na vossa morte e que vos procurou durante muito tempo, com o auxílio de Sua Majestade, o Rei...

— Por Deus, meu amigo, traze-me roupas, traze-me chaves... e eu farei o resto... tua fortuna, inclusive...

O substituto, no entanto, bateu a portinhola, receoso de que as próprias paredes o ouvissem, e correu precipitadamente pela galeria afora... E nunca mais o desgraçado de Narbonne percebeu sua presença, trazendo-lhe a bilha d'água e o pão negro da ração...

Tão desesperador inferno prolongou-se por dois anos e alguns meses, devido à constituição orgânica poderosa do infeliz prisioneiro.

Como poderia um homem, porém, suportar o acervo de tantas desgraças sem enlouquecer em alguns dias e sucumbir no primeiro mês de martírio? Luís era enérgico, valoroso, nobre, um verdadeiro filho de rei. Talvez que a esperança de ser libertado tão logo seu pai adotivo fosse informado da sua detenção o houvera reanimado para que vivesse, a fim de tragar até o fim a negra taça das consequências da própria intromissão nos desatinos do dia de São Bartolomeu. Todavia, ele sofrera o máximo nesses dois longos anos e não pôde resistir por mais tempo. Sua ruína física e moral era total. A paralisia geral, motivada pelo frio e a umidade do local, a congestão pulmonar degenerando numa tísica irremediável, a infecção da laringe, que o privara da voz, nos últimos meses que vivera, a completa desorganização do aparelho digestivo, das funções hepáticas, do sistema nervoso, no período de quase três anos, reduziram o galhardo Capitão da Fé a um miserável destroço humano! Perdendo a esperança da volta do substituto de carcereiro com as chaves e as roupas que lhe pedira, ele, desanimado e vencido, não mais obteve forças para sofrer. Deitou-se finalmente no solo úmido e putrefato e não mais se pôde erguer! Sentiu que a paralisia invadia até mesmo o cérebro, dificultando-lhe o pensamento... No fundo de sua desventurada alma, a certeza de que ia morrer foi mais um travo de amargura inconsolável, despedaçando-lhe o coração:

"Morrer!" — pensava, num supremo esforço para reunir ideias, deixando que lágrimas angustiosas banhassem suas faces já invadidas pelos palores da agonia. — "Morrer degradado sob os alicerces do Louvre! Não conseguir por túmulo a bênção de uma porção de terra, aquele que desde o berço fora assinalado pela desgraça... mas o solo fétido, nauseabundo de um cárcere subterrâneo! Mas... que venha a morte, ainda que degradante! Deixarei, certamente, de sofrer... Ó, Otília! Otília! Ó, Ruth de La-Chapelle! A ti devo a minha inacreditável desgraça!... Amo-te ainda e sempre e tudo te perdoarei, porque tinhas razão... Sem o meu excessivo zelo, talvez que os pacíficos de La-Chapelle passassem despercebidos na longínqua província!... Perdoa-me tu, meu Deus, já que ela me não pôde perdoar!..."

Essa foi a sua única oração desde que entrara para o cárcere, e os últimos pensamentos que conseguiu coordenar... Depois sobreveio um como invencível e pesado sono, durante o qual ele se agitava, revendo a própria vida como num panorama excruciante:

— Filho bastardo de um rei... assinalado, portanto, pela desgraça, desde o berço... privado dos carinhos maternos, que não conseguiram reter junto de si aquele que trazia nas veias um sangue adulterino, conquanto real... As disciplinas férreas do convento... Os rigores do quartel... As devoções religiosas como único atrativo de uma vida sem alegrias... Catarina de Médici e sua política malsinada... São Bartolomeu... Sangue! Horror! Sua indébita aliança com os governos provinciais para a caça aos huguenotes...

As margens do Reno... A família de La-Chapelle... Otília de Louvigny encobrindo a personalidade de Ruth, "a linda princesa dos cabelos de ouro", que lhe transformara a vida, reduzindo-o àquele impressionante destino...

Nesse dramático ocaso, eis que revia a formosa renana, atraente e graciosa, a harpa nas mãos, de onde tirava acordes maviosos para se acompanhar em ternas melodias que encantavam sua alma, mas que agora extraíam lágrimas de saudade do seu coração exangue, que já não mais poderia sofrer...

E finalmente dormiu, isto é, expirou na ignomínia de uma aviltante masmorra, sob os alicerces do grande Louvre, onde todos ignoravam que ainda houvesse prisões...

* * *

No dia seguinte, abriu-se a portinhola como de costume, e a voz brutal do carcereiro trovejou para dentro, a boca rente ao nível da pequena passagem:

— Ração!

Apenas o silêncio respondeu. O infeliz ali detido não veio receber o pão, não apresentou o vasilhame para que lhe renovassem a água. Gritou novamente. Permanecendo a quietação, atirou com o pão para o interior da imunda cova, fechou a portinhola e levou consigo a água. No segundo dia, a cena repetiu-se. No terceiro, porém, ao abrir o tétrico postigo, um fétido execrável de podridão humana denunciou ao seu olfato que o desgraçado prisioneiro não mais existia.

É provável que mais de um funcionário de Catarina de Médici, ou de outras grandes e poderosas personagens do passado, se visse constrangidos, por circunstâncias tenazes, irremovíveis, a servir de algoz de quem nenhuma ofensa recebera. Naqueles dificultosos tempos, muitas vezes o homem se deparava em situações deploráveis, contrárias aos seus próprios desejos e inclinações, durante as quais havia de afivelar a máscara da indiferença no próprio rosto e amordaçar o coração, caso não possuísse abnegação suficiente para se elevar à categoria de herói ou reformador, ou se ver surpreendido por situações idênticas às daqueles que padeciam em suas mãos por ordem de outrem. O certo foi que aquele homem — o carcereiro de Luís de Narbonne — fechou vivamente o postigo, enervado ante o asqueroso fétido. Postou-se em seguida a olhar para a porta fechada, que a lanterna iluminava parcamente. Passou a mão pela fronte e pelo rosto, que se aljofraram de singular suor, enquanto ligeira palidez lhe alterou a fisionomia. Olhou depois, parvamente, o pão e a bilha d'água... e no fundo de sua alma palpitou esta vibração que, certamente, foi a única salmodia que acompanhou ao Além-túmulo o Espírito recém-libertado das torturas de um duplo cárcere:

— Pobre senhor de Narbonne! Tão jovem e tão digno! Jamais se teve notícias, segundo dizem, de que houvesse cometido deslizes... a não ser durante os horrores de São Bartolomeu... Que Deus lhe perdoe e dele se apiede...

Uma hora depois, um dos oficiais da guarda secreta da grande Rainha, exatamente aquele que vimos preparando o aprisionamento de de Narbonne, cerca de três anos antes, apresentou-se a ela, pedindo vênia. Concedido o favor, o oficial disse-lhe algo em voz muito baixa, que as damas presentes não conseguiram ouvir, proferido, ademais, em dialeto italiano, linguajar por elas ignorado. E a Rainha respondeu em tom mais baixo ainda.

E, à tarde, pequena turma de dois pedreiros e o mesmo oficial desciam ao subterrâneo, penetravam a galeria que conhecemos e muravam com pedras e argamassa a porta da miserável masmorra, onde expirara o Capitão da Fé.

Alguns anos depois, alguém que porventura visitasse aquelas infernais dependências do Louvre, suporia ver ali somente insignificante detalhe dos alicerces que sustinham o magnífico edifício...

3

PARCELAS DO MUNDO INVISÍVEL

Exatamente no dia em que o distribuidor da ração aos desgraçados cativos da galeria subterrânea, que vimos citando, percebera que Luís de Narbonne não mais existia, um fato digno da observação daqueles que se interessam pelos acontecimentos do mundo invisível passava-se no interior da mesma infame masmorra onde este sucumbira. Se, efetivamente, muitos homens encarnados hão de expiar em situações acres, deploráveis, como reajuste consciencial, os desequilíbrios verificados, em existências pretéritas ou mesmo nas vigentes, e se tais situações são chamadas muitas vezes infernais, um desses aspectos de inferno seria, justamente, a prisão em que expirara o garboso Capitão da Fé. Além de martirizante pelo desconforto, propositadamente disposta para que o ocupante não tardasse a sucumbir, essa masmorra seria também o escárnio, a humilhação, o opróbrio, o aviltamento para aquele que não sairia dali jamais com vida, e que ali permaneceria ainda após a morte, porquanto, prisioneiro secreto, não lhe seria dado um punhado de terra para túmulo honroso, senão o próprio cárcere imundo e degradante. Era a morte ignominiosa e blasfema, a humilhação suprema para alguém bastante orgulhoso ou bastante honrado, o local sinistro onde os desgraçados agonizavam investigando a consciência, a fim de cotejarem os próprios erros cometidos, analisá-los, confrontando-os com o grau dos infortúnios suportados, a verem se existiria justiça entre os homens que se honravam em se proclamarem cristãos e filhos de Deus! Geralmente, o horror enlouquecia tais prisioneiros antes que a morte os redimisse do opróbrio, e eles expiravam depois de um largo período, quando a própria razão deixara de neles traduzir uma personalidade.

As masmorras do Louvre, nos tempos de Catarina, já eram consideradas extintas. Mas, a grande Rainha possuía a sua política particular, os seus segredos patrióticos; tinha os seus inimigos, verdadeiros ou imaginários, como o fora o infeliz Luís de Narbonne, e também os seus castigos, vinganças e repressões. Seus prisioneiros raramente seriam ouvidos por uma justiça regular ou condenados por uma corte legal. Condenava-os ela própria a martírios inimagináveis, e os fazia prender e até matar. Se o seu prisioneiro era reconhecidamente perigoso ao Estado ou às pessoas da família real, iria para a Bastilha, para o Templo ou o Châtelet.[48] Se se tratasse, porém, de alguém que, por sua importância pessoal, lhe opusesse o perigo de complicações e incômodos, encobria-o ela no seu Louvre, às ocultas de todos. E desaparecia para sempre a personagem, sem que jamais alguém se atrevesse ou pudesse acusá-la.

Luís de Narbonne, pois, reconhecendo que teria a morte mais ignominiosa que jamais esperara, deitara-se sobre o lodo e não mais se levantara. Sonolência profunda, um aterrador desmaio, ou seja, o estado pré-agônico pesou sobre suas faculdades, as quais se retraíram pávidas, como que chocadas com a antevisão do mundo espiritual. Ele se sentia vagar no vácuo, imerso em trevas, nos abismos do qual percebia vagos rumores assustadores: trotar de cavalos... Tilintar de espadas... Vozerio blasfemo de pragas e açulamentos a tropas, para que atacassem... Gemidos de agonizantes... Brados de horror e gritos de socorro... Choro convulsivo de crianças assustadas, que enlouqueciam à frente da carnificina humana... Os trágicos dias de São Bartolomeu, tais como seus olhos

---

[48] N.E.: Antigas e célebres prisões de Estado, em Paris.

humanos o tinham presenciado... Mas tudo era tão profundo dentro de si próprio, e ao mesmo tempo tão real e sutil, que ele a si mesmo juraria que seriam ecos da sua própria mente profanada, revendo e sentindo ainda os choques hediondos então verificados...

Subitamente, nada mais... Perdeu-se numa pesada inconsciência...

Quanto tempo duraria o terrível esquecimento de si mesmo, não o saberia ele dizer. Perdera a contagem das datas, desde o primeiro dia em que fora aprisionado, pois que ali, na sua tumba de morto-vivo, jamais penetrava a luz do dia... Mas eis que, em dado momento, começou a desentorpecer-se lenta e penosamente, invadido por sinistras angústias, crivado o seu miserável corpo pelas mesmas atrozes dores que desde muito o afligiam. E murmurou acabrunhado:

— Oh! Julguei que a morte viesse, finalmente, trazer-me o esquecimento de que tanto necessito...

Chorou copiosamente, desanimado e sofredor, notificando que sua situação se havia agravado: insuportável fétido de podridão humana juntara-se aos demais incômodos que o torturavam...

— Que fazer?... Ó, Deus, que fazer, se nunca mais vira o substituto do carcereiro, que se revelara amigo?...

Rumor insólito nas fechaduras da porta que o trancava despertou-lhe a atenção. Todas as suas faculdades, o seu poder de percepção e de compreensão, a sua vontade, a sua vida mental se concentraram naquela porta baixa, vigorosamente, eternamente fechada, que resistira a todas as suas forças e tentativas para se abrir e deixá-lo passar para a liberdade!

Alguém, do outro lado, voltava as fechaduras, suspendia as trancas... Céus! Abriam lentamente aquela porta!... Súbita claridade, um tanto baça, como a luz de um lustre de muitas velas através de um nevoeiro, penetrou naquela cova de horrores... Um varão entrou... Era um militar... E disse imperioso:

— És livre, Luís de Narbonne![49]

No primeiro instante, a surpresa e o contentamento, ao ouvir a ordem, tolheram-lhe a palavra e os movimentos. Conservou-se sentado, como quem sonhasse, sem acreditar no que ouvia e presenciava... Mas a voz generosa, a voz benigna e santa de alguém que o socorria ecoava ainda nos recessos de sua alma... e ele ouviu novamente a ordem salvadora:

— És livre, Luís de Narbonne! Retira-te!

Levantou-se cautelosamente, o corpo meio entorpecido e dolorido, atormentado de dores... E deixou a prisão...

Seu primeiro gesto foi procurar o salvador a fim de agradecer-lhe o concurso generoso, mas já havia desaparecido, não pôde encontrá-lo... Em seu lugar, porém, viu pedreiros, chefiados por um oficial, que muravam aquela porta... a mesma que acabava de se escancarar para lhe permitir passagem... Não compreendeu as ocorrências no seu justo aspecto e, impressionado, perquiriu de si mesmo:

— Que significa tudo isso?... Quem teria intercedido por mim?... Ter-me-ia Catarina mandado libertar?... Ou são amigos que me dão fuga?...

Dirigiu a palavra ao oficial presente, interrogando-o acerca do seu libertador, pedindo-lhe indicasse o local de saída. O oficial, porém, não lhe deu atenção. Parecia nem mesmo vê-lo. E pensou:

"Aqui está escuríssimo... A luz da lanterna mal alumia os pedreiros... Estou rouco, rouquíssimo... Decerto, não me ouviu..."

---

[49] N.E.: Série de imagens mentais, ou associações de ideias, fornecidas ao recém-desencarnado por meio de intuições, pelos seus assistentes espirituais, também podendo ser oriundas da vontade e da autossugestão do mesmo.

Uma vertigem acometeu-lhe a consciência atordoada e pávida. Súbito terror de se ver novamente enclausurado impeliu-o ao desejo de se afastar rapidamente, ao passo que débil rastilho de claridade, qual pálido raio de sol que penetrasse nas trevas, como que o chamava, atraindo-o, indicando-lhe a saída daquele sinistro labirinto, do qual efetivamente não sairia se alguém bastante amigo e complacente não o auxiliasse, dado o estado de perturbação em que se encontrava.

"Como apresentar-se em público, porém, naquele estado?... Maltrapilho, coberto de impurezas, os cabelos crescidos e desgrenhados, a pele maculada pelas imundícies da prisão, doente, esquálido, ele, o garboso oficial da Igreja, o jovem e belo cavaleiro geralmente admirado?..."

Todavia, Luís era enérgico, dono de vontade férrea. Dominou a revolta do próprio orgulho, suprimiu a vergonha de que se sentia possuído, verificando o próprio estado, a ele sobrepondo o sentimento do seu martírio, e saiu... E porque pensasse em Catarina e sua Corte, subiu escadas, atravessou salas, câmaras e galerias regurgitantes de cortesãos e pessoas reais. Mas não atentou em ninguém, sequer as viu ou desejou falar-lhes... Os braços cruzados à altura do estômago, recordando hábitos conventuais, passos pesados, apressados, regulares, tal a marcha do soldado, seguia a um fim determinado que o preocupava, a fisionomia carregada, o olhar duro e triste, a fronte ereta como desafiando inimigos, a alma dilacerada pelas intensas dores das injustiças sofridas e dos abomináveis complexos em que se vira enredado. Sentia-se pobre, miserável, destituído de tudo. O substituto de carcereiro dissera que sua fortuna revertera ao Estado. Não lamentou. Não se inquietou. Luís era desprendido das riquezas terrenas. E pensou:

"Para que me serviriam fortuna e poderio sem a mulher que amo?..."

E, reconhecendo-se pobre, desprovido até do próprio domicílio, também não desejou um cavalo que o levasse ao local visado... e caminhou a pé, atravessou ruas e bairros da cidade, não obstante sentir-se doente e muito fraco, esbarrando-se contra os transeuntes, desviando-se deste e daquele, arrastando altivamente a própria miséria, sem se diminuir, convencendo a si mesmo de que possuía valor moral bastante para se elevar acima do humilhante estado em que a prisão o atirara.

Eis, porém, que o vulto pesado da Igreja de Saint-Germain se desenhou nas tonalidades violáceas dessa tarde fria de inverno, sem que, no entanto, ele pudesse compreender que era inverno, senão pelo frio que lhe castigava a sensibilidade, pois ignorava a contagem do tempo, tendo-a perdido durante o estágio nas trevas do calabouço de Catarina.

Dirigiu-se, entretanto, para a Igreja, que se achava aberta, e entrou como o teria feito em outros tempos.

As primeiras luzes se acendiam nos altares para as celebrações da noite. Sem demora, encaminhou-se ao altar-mor, sem procurar o seu antigo genuflexório. Não mais a afetada devoção do fanático, as mesuras e solenes cumprimentos aos altares recendentes de perfumes e carregados de ouro... Caminhava pesadamente como se marchasse pelas lajes do seu quartel; e, aos pés do altar, prostrou-se de joelhos, ergueu para o alto as mãos cruzadas em desesperadora súplica, deixou que amarguradas lágrimas lhe banhassem as faces contraídas e, soluçante de dor intensa, orou... Mas orou acompanhando-se de vibrações revoltadas e doloridas, as quais se reproduziriam em altas vozes, se ainda fosse um homem; orou a prece blasfema daquele que, porventura se supondo outrora um justo, um crente agraciado pelos privilégios celestes, agora, passado para a vida de Além-túmulo, se encontrasse à beira do mais nefasto abismo que tragar pode uma consciência: o abismo da descrença e da negação, o negro báratro da revolta contra a Providência, no justo momento dos testemunhos que encaminham à redenção! Ele orou:

Deus, Ó Senhor Deus! Eu te amava, Senhor, e tudo fiz que me foi possível a fim de engrandecer a tua Igreja e o teu nome! No entanto, eis o que consentiste fizessem ao teu devotado servo os seus inimigos!

Por que não me defendeste dos meus cruéis algozes, por que, Senhor?... Se fui sincero e leal para com aqueles que me rodearam?... Agradeço-te, todavia, o me teres libertado do calabouço onde me atiraram... e agora, não obstante, venho rogar-te o derradeiro favor... pois que nada mais rogarei daqui por diante: Senhor! Ainda não pude verdadeiramente odiar meus inimigos! Tu, que és o terrível justiceiro, que punes os crimes dos pais nos filhos, na terceira e na quarta geração...[50] dá-me forças para odiá-los e vingar-me deles! Dá-me valor para esquecer ou odiar Ruth de La-Chapelle, a mulher que me desgraçou! Amo-a, Senhor! Amo-a com todas as forças do meu coração e não posso compreender a vida sem ela! Mas seria demasiadamente infamante que eu lhe perdoasse, continuando a querê-la... Dá-me, pois, valor bastante para encontrá-la e trucidá-la sob o meu ódio... Amém!

Em seguida, como a continuação dos hábitos terrenos arrasta, no Além-túmulo, os desencarnados a reviverem as rotinas passadas, lembrou-se ele, com saudades, do seu lar, o seu luxuoso palácio... E, assim sendo, levado pela força do pensamento, encaminhou-se para lá, meditando na necessidade de reparar a desordem do vestuário, reduzido à sordidez de trapos imundos, devido ao longo tempo passado na prisão.

Efetivamente, vagando em confusões, sem atinar ainda com a verdadeira causa da liberdade em que se reconhecia, isto é, ignorando que já não era homem, e sim um ser espiritual, e que seu corpo fora abandonado no fundo de um cárcere, obedecendo, por isso mesmo, todos os seus atos a um automatismo mental — recordações do seu estado de encarnado —, Luís relembrou os tempos em que seus dedicados servos o lavavam e vestiam, depois das refregas do dia, e, recordando, voltou em pensamento à realidade dos fatos, revivendo-os. E então se sentiu novamente lavado, penteado e ataviado. Assim, operou-se em suas susce-

---

[50] N.E.: Êxodo, 34:7. Enérgica exposição que traduz a expiação dos erros de determinadas pessoas, na terceira e na quarta geração da sua própria família, e que patenteia serem elas próprias que, reencarnadas no mesmo círculo familiar, reparam os próprios feitos maus do passado, por meio da dor.

tibilidades psíquicas, como geralmente acontece com as personalidades normais, uma poderosa reação mental, pois a vontade, a força heroica do pensamento, imprimindo em suas formas físico-psíquicas a imagem dos vestuários preferidos, com os quais outrora se ataviara, refletiu em si mesmo a aparência do que foi desejado, sentindo-se ele, então, envergando o seu belo fardamento de oficial das forças do Rei, pois que o corpo astral, ou perispírito, constituído de matérias sutis, de essências e fluidos multissensíveis, grandemente impressionáveis, se presta facilmente às transformações sugeridas pelo poder do pensamento e da vontade, desde que o volume das vibrações pessoais se encontre em grau necessário à delicada e sublime operação.

Uma vez preparado, seu primeiro cuidado foi atirar-se em busca daquela cujo amor o perdera. Um por um, ele visitou todos os compartimentos da antiga residência em que a seu lado passara as horas mais ditosas da sua vida, sem, no entanto, lograr encontrá-la. Procurou Rupert, desejoso de informações, esquecido de que, ainda na prisão, soubera que já nem mesmo um domicílio possuía, graças à loquacidade do substituto do carcereiro. Mas Rupert igualmente não foi encontrado. Indagou de outras personagens que iam e vinham pelas velhas dependências, sem que nenhuma delas se dignasse responder-lhe. E então, enervado, deixou o palácio, dirigindo-se em largas passadas para a Praça Rosada, na esperança de ali encontrar a esposa, emocionado e estuante de ânsias e saudades. Aí chegando, novo fenômeno mental, não destituído de grande e majestosa beleza, ocorreu nos meandros das suas sensibilidades, extravasando-se, por assim dizer, para os sentidos da visão, tão poderosamente, que fora como se ele, Luís, vivesse uma segunda vez toda a paisagem que já não vivia senão nas suas próprias recordações.

A nós outros, que estes fatos expomos, cumpre o dever de relatar os mesmos fenômenos, já que será da nossa atribuição estudar e penetrar os meandros da alma humana, a fim de compreendermos o Além-túmulo, suas sutilezas e intensidades, suas trevas e suas claridades, seus esplendores e suas misérias, tais como são, visto já ser tempo de os homens o reconhecerem isento de utopias e miragens.

* * *

As faculdades da alma são forças poderosas e tão variadas como variadas são as suas aspirações e vontades, e tão intensas e sutis como as próprias vibrações espalhadas pelo universo. Nas almas elevadas, essas faculdades, por muito trabalhadas, aprimoradas e adestradas à Lei divina, atingem a plenitude de um fastígio, de um esplendor vertiginoso, que o homem hodierno sentirá dificuldades de conceber, tornando-se, então, esse esplendor a glória da sua imortalidade, visto que lhes permite a plena comunhão de vibrações com a suprema Divindade, daí se derivando o seu estado paradisíaco ou celeste, a sua glória, o seu triunfo absoluto, fruto ou aquisição abendiçoada do seu próprio esforço e boa vontade através dos milênios. Chegada a esse pináculo, a alma colabora plena e extensivamente na obra da Criação, uma vez que já poderá refletir a imagem e semelhança do Criador. Tão gloriosa ela se sente, possuidora de tantos poderes, que deseja irradiar para mais além os valores das suas próprias conquistas imortais. Então se desdobra em múltiplas atividades, cooperando com o Todo-Poderoso no aprimoramento do universo, presidindo ao nascimento e crescimento de mundos e sistemas siderais sob o harmonioso império das leis supremas, expandindo-se em amor e auxílio aos seus irmãos de humanidade, imolando, muitas vezes, as alegrias da vida celeste que lhe são naturais, a fim de beneficiar povos e humanidades com o deslumbramento da sua presença em globos materiais onde estagiam almas irmãs em labores evolutivos, tal como Jesus, o Cristo de Deus, o fez entre os homens deste planeta. É próprio da natureza da alma que atingiu a glorificação da unidade com o Criador dilatar-se em abnegação por outrem, ou seja, pelas humanidades... Da mesma forma que é do feitio dos caracteres nobres encarnados na Terra dedicar-se lealmente ao ser amado, à família, ao ideal constituído no coração... Ela o faz, porém, sorridente e feliz, retirando inefáveis alegrias, pelo bem que pratica, dos próprios sacrifícios a que se entrega, sem que por isso se diminua ou sofra tal como entendem os homens o sofrimento sobre a Terra... Sim, porque a alma que plenamente conseguiu conjugar vibrações com o seu Criador torna-se a estruturação do próprio amor divino. Ela compreende o Amor divino, o Amor universal, e sabe amar! E quem ama harmonizando sentimentos com o amor divino não poderá padecer a inferioridade de um sofrimento, visto que o amor é fonte de delícias e, sendo a plenitude da felicidade eterna, não se mesclará nas amarguras que são a consequência de um estado inferior. O amor absorve-a, impregna-a das suas divinas vibrações, tornando-a radiosa de uma ventura imortal, ainda que se encontre envolvida em circunstâncias críticas, mesmo dolorosas, como foi a do nosso divino Mestre entre as peripécias da sua paixão na Terra. Mas os homens somente compreenderão com justeza tais sutilezas das faculdades da alma eleita, no dia em que, igualmente, também eles, que são almas encarnadas, souberem amar com aquele amor divino de que Jesus foi o esplendente modelo. As almas normais, como as medíocres, em marcha evolutiva, possuem da mesma forma faculdades que lhes fornecem poderes, sempre relativos, no entanto, ao grau de evolução que atingiram. Assim, também, as inferiores e criminosas, que dos seus poderes mentais se utilizam para a própria consciência nublarem com os feitos da delinquência.

É certo, portanto, que todos os homens, ou todas as almas, possuem em estado latente e relativo os esplendores que em grau supremo a Divindade criadora possui, cumprindo a elas, por isso mesmo, se esforçarem pelo progresso próprio, evoluírem, tocarem-se de glórias até refletirem em si mesmas a semelhança do Ser Todo-Poderoso que lhes forneceu a vida. Daí os complexos das humanidades, suas lutas, suas ânsias pelo ideal, seus desfalecimentos e vigores em busca de um bem que se dilata sempre mais à proporção que se elevam através dos progressos realizados, seu trabalho perpétuo para colher os triunfos imortais cujos germens estagiam dentro do seu próprio ser — partículas que são todas do supremo Ser divino. E, possuindo todos nós os mesmos princípios, as mesmas capacidades, somos suscetíveis de realizar os mesmos feitos, sejam psíquicos, no mundo espiritual, ou físicos, nos globos materiais, dependendo a boa ou má qualidade desses feitos, sua grandeza, sua eficácia e perfeição somente do progresso já realizado pelo nosso Espírito. Por isso, as incessantes advertências dos mestres espirituais no sentido de as criaturas procurarem conhecer a si mesmas, o valor que encerram, as energias e virtudes latentes de que são por natureza dotadas, a glória que carregam em si, reeducando-se sob os raios do sol da Verdade e do Amor, a fim de mais facilmente atingirem a finalidade, no estado celeste que não está aqui nem além, mas na intensidade das faculdades vibratórias de cada ser, de cada universo pessoal, pois será bom recordar que um Espírito é um pequeno, porém, sublime universo!

Assim, uma entidade espiritual presa às condições do nosso Luís de Narbonne poderá obter o seu paraíso relativo e nele permanecer o tempo que desejar, valendo-se apenas da faculdade de recordar o pretérito, se esse pretérito lhe foi propício ou caro. Tal fenômeno da mente desencarnada, vibrado pela vontade em sentido tenaz e positivo, trará visões, impressões, sensações e emoções tão reais como reais foram os fatos que as provocaram no passado. Unicamente, não trazendo soluções de continuidade, repetindo sempre as mesmas cenas já vividas e sentidas, acabam fatigando a mente que as recorda e entediando as aspirações gerais da própria alma, levando-a a desinteressar-se da manutenção do fenômeno, ou seja, das recordações que a este produz. O mesmo fenômeno realiza o homem encarnado ao recordar algo do próprio passado; apenas, aqui, a recordação não será objetivada, não passará de um reflexo imaginativo, cujas visões não chegarão a transbordar das comportas do pensamento, corporificadas qual a realidade, devido aos entraves oferecidos pela matéria, enquanto o desencarnado conseguirá fazê-lo, bastando uma ação forte da vontade, uma emoção fecunda, um transporte que lhe reacenda as chamas de atos significativos de sua vida, que jazem depositados nos refolhos do ser. No caso de reeducação de entidades endurecidas no mal, no ostracismo ou na ignorância, é usual, nos métodos educativos do mundo invisível, levar o paciente a rever o próprio passado em recordações — retrospectos mentais ou regressão da memória — impostos por processos magnéticos, o que obrigará o mesmo paciente a se examinar e rever minuciosamente, tal como se ateve numa ou em várias existências e até no próprio Espaço, pois poderá haver casos em que a individualidade interessada, cuja consciência se sobrecarregue de delitos, recalcitre ante a necessidade de reexaminar os próprios atos passados, os quais a envergonhariam e confundiriam sobremodo. Obrigam-na então ao melindroso estudo de si mesma os seus educadores espirituais, para fins úteis e sempre generosos para com ela própria. Além do mais, muitos criminosos desencarnados, cujas mentes se encontrem como que traumatizadas pelos remorsos, em condições vibratórias incontroláveis, desesperadoras, não se podem apartar das recordações dos crimes e erros cometidos: eles reveem tudo quanto de mau praticaram. Reveem suas vítimas, as cenas dos crimes se desenrolam à sua frente qual macabro retrospecto, e visões idênticas aos atos praticados se superpõem em suas alucinações, vigorosamente, tal se suas mentes fossem um grande livro em que páginas e páginas se voltassem no serviço angustioso das mais chocantes e incomodativas observações. Então, verdadeiros dramas, cenas trágicas e dilacerantes movimentam-se em torno deles, corporificadas pela ação vigorosa do pensamento despertado. E, desesperados, sofredores, vivem mergulhados num estado mental infernal, do qual nada sobre o mundo objetivo, ou terreno, poderá apresentar aproximada ideia. E até nas reuniões práticas de Espiritismo, nas quais o sagrado intercâmbio entre homens e Espíritos se processa, tais fenômenos costumam verificar-se, visto que os instrutores espirituais que educam os homens, nas operosidades da Terceira Revelação, desde muito lhes ensinaram o processo magnificente do exame retrospectivo do próprio "eu", na pessoa das entidades comunicantes rebeldes, a fim de fazê-las meditar ao choque sempre penoso das recordações visíveis do passado. No Além-túmulo, frequentemente os servos do bem esbarram com entidades desencarnadas atidas às lembranças e saudades da sua passada vida terrestre, por vezes no próprio local em que transcorreram seus dias e onde se desenrolaram os acontecimentos mais gratos; ou presos à ambientação por elas mesmas formada, à força de recordar e pensar, idêntica às que preferiram quando encarnadas, fruindo as mesmas delícias já fruídas, prisioneiras de uma rotina que, não podendo ser alterada, porquanto são os reflexos de uma realidade fotografada nas faculdades apropriadas da alma, tendem a cansá-las e a impeli-las a aquisições mais concordes com a intensidade das aspirações que lhes tumultuam no ser impregnado de forças divinas. Assim acontecendo, tratar-se-á antes de um defeito, um traço de inferioridade da individualidade espiritual que se detém debatendo-se nas sombras do pretérito. Todavia, a faculdade é preciosa e destinada a santos labores para o andamento do porvir. Mas como o exemplo será melhor lição do que a exposição simplesmente teórica, vejamos o fenômeno em apreço realizado pelas forças mentais pouco evolvidas da nossa personagem Luís de Narbonne. Acrescentaremos, ainda, que semelhantes operações mentais, sendo rigorosamente educadas e contornadas pela vontade soberana das almas evolvidas e eleitas, estas só recordam e veem o que desejarem, mas serão espontâneas e irreprimíveis nas entidades vulgares e inferiores, dado que nestas as forças mentais se encontram ainda deseducadas.

* * *

Acentuava-se o crepúsculo e a Praça Rosada, meio invadida pelas sombras, tocava-se de nostalgias, mergulhada em silêncio. Chovia, prenunciando novos nevoeiros que se abateriam pela cidade exatamente como acontecera cerca de dois anos antes, à chegada em Paris da suposta Otília de Louvigny. Luís de Narbonne — o seu Espírito já desencarnado, invisível aos circunstantes humanos, mas real para si próprio e aos seus irmãos do mundo invisível — entrou afoitamente na ponte de pedra que ligava a praça ao outro lado da rua, imediatamente avistando o gracioso palácio de pequenas ogivas de vitrais em motivos bíblicos, ou seja, o Palácio Raymond, onde ele próprio conhecera a mulher por quem se perdera de amor. À semiobscuridade da tarde, a pintura vermelho-escuro do garboso edifício apresentava algo de sugestivamente angustioso que ecoou nas sensibilidades aguçadas do ex-Capitão da Fé, produzindo-lhe forte emoção. Moderou as largas passadas ao avistar as sacadas em que se debruçara a loura menina do Reno, qual aparição celeste, e, já em frente às mesmas, postou-se contemplativo, os olhos fitos no alpendre de entrada onde a vira pela primeira vez... Penosa ansiedade, emoção pungente como uma saudade insopitável, dolorosa, extraiu lágrimas aflitivas dos seus pobres olhos espirituais... E um estado de superexcitação dos sentidos psíquico-sentimentais pouco a pouco o predispunha às mais audazes percepções do mundo invisível, acessíveis às suas vibrações...

Subitamente, dos refolhos do seu "eu" mental jorraram recordações em profusão, de envolta com as percepções psicométricas de cenas passadas no local, das quais guardaria ainda as vibrações e as imagens que o povoaram, e que ali se detiveram refletidas nas camadas vibratórias do éter, que a tudo envolve e enriquece. A imagem graciosa de Ruth, aliada àquela casa tão querida e sugestiva para ele, porque ali ela residira, dali ele a retirara, conduzindo-a ao altar do matrimônio, e depois ao seu próprio lar, desenhou-se, a princípio indecisamente, mais real em seguida, no balcão daquele alpendre, por intermédio do retrospecto da própria memória, e ele murmurou:

— Estou a vê-la tal como no primeiro dia... Longos vestidos de veludo azul forte... Manto negro, de golas de rendas brancas...

Então, perdeu-se ele pelo passado adentro, confuso e atordoado, sem se poder explicar que gênero de sortilégio o envolvia... Reviu-se e sentiu-se à frente da sua cavalaria, diante da jovem curvada em reverência à sua passagem... Novamente se abriu a janela, assomou ao balcão a dama dos cabelos de ouro, atirando-lhe um botão de rosa-rubra que Rupert, desmontando-se, levanta do chão molhado pela chuva... Ao encantamento de tão inefáveis recordações, ele obedece ao impulso que, cerca de dois anos antes, tivera o seu pensamento, presa do desejo de se dirigir à jovem desconhecida. Entrou no palácio, cujas portas lhe aparecem descerradas à imaginação e se dispõe a procurar aquela que tanto o atrai... Visita, uma a uma, as dependências da graciosa habitação, procurando-a cheio de ansiedade e confiança... Mas, de início, não logra encontrá-la e se decepciona, constrangendo-se... Descobre, porém, aqui, ali, peças de vestuário que lhe pertenceram e toda a sua sensibilidade se satura da personalidade da criatura amada... As recordações acodem em turbilhão, excitando-o, extasiando-o, emocionando-o de prazer e esperanças de reaver a felicidade perdida... Um grato panorama dos curtos dias de felicidade que o amor lhe concedeu desenrola-se à sua reminiscência espiritual. Luís vive e se delicia, sofre e se agita, comove-se e se arrebata uma segunda vez, à evocação das mesmas impressões que outrora o visitaram, com todos os detalhes do seu noivado e dos esponsais, das alegrias e felicidades aí vividas... Novamente ele detém a esposa de encontro ao coração... Ouve-a cantar as suaves melodias renanas. Percebe-lhe a voz terna e infantil, cobre de beijos suas mãos e seus cabelos e sorri aos seus encantos... "Otília" ali está com ele e junto dele por uma poderosa regressão do pensamento ao pretérito, tão visível, tão real, tão sua e tão encantadora que ele se esquecia de que tais cenas eram a reflexão do pretérito sobre as suas forças criadoras mentais, ecos sublimes ou dramáticos de vibrações retidas pela vontade, e que se perpetuam nos refolhos da sensibilidade anímica do homem ou do Espírito, sem jamais se destruírem!

Luís, porém, não tinha capacidade moral e mental para conseguir a fixação de um estado prolongado de reminiscências e revertê-la em um presente grato.[51] Nem a alma humana, ou seja, a mente, vivaz e consagrada por natureza a uma intensidade vibratória inconcebível, se subordinaria ao domínio de um círculo restrito de impressões, sempre as mesmas, porque seriam apenas um fenômeno de reminiscências... As cenas evocadas pela saudade experimentada, diante da residência sugestiva da mulher amada, cansaram-no... e ele desejou, então, maiores expansões... Seu pensamento reviu, então, as horas dolorosas, a traição, o engodo, a prisão... e agora ali estava, libertado da masmorra de Catarina, sem saber como, hóspede daquele palácio solitário, que

---

[51] N.E.: Mentalidades fortes, evolvidas, agrupadas homogeneamente no Além-túmulo, poderão criar ambientações fluídicas estáveis, inspiradas nas próprias recordações ou em altas expressões do belo espiritual, e aí fazerem pontos de reuniões para estudos, meditações etc. De forma idêntica são criadas as chamadas *esferas fluídicas*, cuja perfeição é inacessível à mente humana.

o atemorizava... Mas, em dado momento, novas faculdades, naturais na alma humana, independentes da elevação moral, simples dom que se manifesta como quaisquer dos cinco sentidos do homem, entraram a exercer suas atividades sobre ele, confundindo-o, surpreendendo-o, sem que na realidade ele pudesse compreender o que se passava. Luís ouviu, a princípio, soluços doloridos, de alguém que chorava e se lamentava amargamente... Tratava-se da voz aveludada e meio infantil da sua "Otília"... Outras vezes se juntavam, a esses soluços, vozes graves, conselheiras, como se outras personagens tentassem consolá-la... De envolta com tais rumores, insólitos e enternecedores, a doce voz salmodiando árias de motivos bíblicos, como se orasse cantando... Eram hinos sagrados da Reforma revivendo os melodiosos versos do rei Davi, com que os huguenotes gostavam de entoar louvores ao Criador... Eis, porém, que acorriam brados de revolta de alguém que execrasse e blasfemasse, prometendo terríveis vinditas contra ele próprio, Luís de Narbonne. Era a voz amada, que assim se expressava, numa tonalidade desconhecida para ele...

Procurou orientar-se dentro do solar imenso. De onde partiriam as vozes?... Dir-se-ia que volitavam por toda parte, aqui, além, acolá, pelo ar de cada dependência... Passo a passo, visitava salas e compartimentos, tentando descobrir onde se ocultava sua esposa, incapaz de compreender o fenômeno que presenciava, pois se tratava tão somente da repercussão de ocorrências passadas, detidas ainda nas vibrações ambientes e percebidas pelas suas sensibilidades predispostas ao caso.[52] Um gabinete forrado de veludo carmesim, com longos tapetes bordados a fios dourados, peça luxuosa que lembraria uma recâmara das *Mil e uma noites*, mobiliada com velhos aparadores góticos e espelhos de cristal, apresentou-se subitamente à sua vista, ao entreabrir de uma porta. Deteve-se surpreso e emocionado... Sentada em longa poltrona forrada de veludo igualmente carmesim, ali se encontrava "Otília", a mulher amada, indecisamente visível aos seus olhos qual imagem esmaecida pela neblina da

---

[52] N.E.: Fenômeno de *psicometria de ambiente*, perceptível também pelos médiuns sensíveis e bastante desenvolvidos.

manhã... A jovem chorava e falava, parecendo inconsolável. A seu lado Blandina d'Alembert, fazendo-lhe companhia, lia em voz alta trechos do Evangelho do Senhor, reconfortando-a ainda, de vez em quando, com maternais conselhos... E o intendente, aquele rotundo Gregório, de pé, cabeça baixa, parecendo consternado por presenciar a jovem ama desfeita em lágrimas...

Tentou falar à esposa, tomado de satisfação e receio a um mesmo tempo. As personagens, porém, não o ouviam, não o enxergavam e continuavam, absortas, o seu colóquio. A linda renana lamentava, como sempre, a morte da família, por ele, de Narbonne, trucidada. Chorava, inconsolável, a própria desgraça, acusando-o, cobrindo-o de maldições, jurando implacáveis desforras. Chamou-a, apesar disso, pelo nome que se habituara a dar-lhe: Otília! Suplicou-lhe tréguas, perdão para o seu ato impensado, pois já expiara duramente o crime inominável, sendo, como fora, atraiçoado por ela mesma, batido no seu sentimento e no seu brio de cavaleiro, atirado a um cárcere onde experimentara todas as angústias possíveis a um coração, a alma inconsolável pela suprema dor de um amor desgraçado... esquecido de que havia pouco orara em Saint-Germain, pedindo aos Céus forças para poder odiá-la...

No entanto, as imagens permaneciam sempre as mesmas, inalteráveis nas atitudes, alheadas dele... Não o viam, nem o ouviam... Dir-se-ia antes serem os reflexos longínquos de um espelho singular, que o exasperava de incertezas, confusões e suposições...

Deixou o gabinete sem compreender o que se passava, atordoado e impressionado. Ao acaso penetrou outros compartimentos. E em todos, aqui e ali, se lhe deparavam as mesmas personagens, reunidas à mesa, em palestras ou em orações... Por vezes, as imagens tumultuavam: confundiam-se umas contra as outras, em agrupamentos, como que se encravando em outras figuras que ele jurava não conhecer... E de todas as vezes as mesmas súplicas desesperadas, o mesmo apelo angustioso do coração desolado:

— "Otília", minha querida "Otília"! Por Deus, ouve-me! Amo-te ainda e sempre, não posso viver sem ti! Eu estava louco, minha querida! Estava cego, quando, julgando prestar um serviço a Deus e à pátria, ordenei o suplício de tua família! Ó, meu Deus, meu Deus! Hoje eu sinto que amo essa família... e que viveria de rastros a seus pés, se pudesse revivê-la a fim de me penitenciar, servindo-a! Socorre-me, "Otília", com o teu perdão! Compadece-te da minha desgraça! E dize o que precisarei tentar para merecer teu amor e tua confiança... pois não consigo odiar-te pelos males que me infligiste!...

Certa vez, em que assim imprecava às sombras, atirando aos ares tão ardorosos e torturados apelos, eis que a seu lado alguém respondeu, servindo-se, porém, não daquele timbre terno e encantador que tanto o enternecia, mas de uma tonalidade severa e dura, tal a vibração de alguém muito odioso que desejasse conter os próprios impulsos maus num supremo esforço:

— Eis-me aqui! Que me queres?... Por que tanto clamas por meu nome?... Que tenho eu de comum contigo, miserável teólogo?...

Voltou-se Luís surpreso e chocado por um súbito terror. A seu lado uma mulher jovem, mas esquálida e marmórea, traindo angústias superlativas em todo o seu impressionante aspecto, feições rancorosas e olhar cruel, toda envolvida em longos mantos negros, como se seus vestidos não passassem de panos flutuantes que a recobrissem, em vez de trajes femininos, fitava-o com ódio, irradiando, dos olhos penetrantes e ameaçadores, influenciações malevolentes, que o apavoravam. Era um ser pertencente, como ele, ao mundo invisível, cujos sentimentos, inferiores e revoltados, o detinham preso às ignomínias da Terra, sob depressivos sofrimentos, perambulando qual proscrito submerso na miséria extrema de uma situação sem consolações nem esperanças. Apavorado, mau grado seu, ante o aspecto deplorável daquela dama coberta de véus negros, o antigo cavaleiro de Catarina de Médici perquiriu, sem compreender, o que se passava:

— Quem és, e como ousaste penetrar neste recinto sagrado?...

Uma estridente gargalhada, acintosa e diabólica, ressoou inesperadamente pelos recantos do solitário palácio, que por momentos hospedava os dois entes desencarnados em litígios com a própria consciência... e Luís, acovardado ante a singular aparição, tentou afastar-se a fim de se furtar à sua incomodativa presença. A mulher, no entanto, deteve-o com um gesto, tomando-lhe do braço, enquanto o fitou zombeteira e cruel:

— Perguntas-me, pois, quem sou, senhor de Narbonne?... Oh! Desconheces-me, porventura?... Tu me tens amado tanto, e ignoras quem sou?... Pronuncias meu nome docemente, de momento a momento, chamas-me com devoção e ternura, e agora, que corro a atender aos teus apelos, pensas em deixar-me?... Quem sou?... Oh, quem sou?...

— Sim, quem és?... — balbuciou, tremente, o ex-Capitão da Fé.

— Sou a verdadeira Otília de Louvigny, irmã do teu amigo Artur... A verdadeira senhora deste palácio e da personalidade que tua Ruth Carolina usava para enganar-te e melhor se poder vingar de ti... Roubaste-me o homem amado, no trágico massacre... a ele, sim, a Carlos Filipe de La-Chapelle, que eu desposaria dentro de alguns dias, de todo o coração... Mataste-o e, com ele, até a minha própria crença em Deus, que se iniciava em minha alma por meio de uma esperança de felicidade, junto ao escolhido do meu coração, que se iluminava ao sol da Reforma Luterana... Agora, porém, vejo-me só e desamparada, reduzida a perambular por toda a parte, sem novas do meu Carlos, a quem perdi de vista... e, em vez dele... tu, Luís de Narbonne, miserável filho espúrio de um Rei tão miserável quanto a sua prole, tu, em meus caminhos, sempre tu! Odeio-te, Luís de Narbonne! Odeio-te com todas as forças da minha alma perdida pelo teu ódio! Não fora o teu zelo infame de lacaio de uma Rainha depravada, e ninguém se lembraria de que a família de La-Chapelle era huguenote, porque suas virtudes eram bastante conhecidas de todos, para protegê-la contra todas as denúncias! Todos os males do inferno recaiam sobre ti! Fui eu que instiguei Ruth a perder-te! Minha sombra, revoltada contra ti, fez de Ruth um fantoche, pois levei-a a perpetrar tudo quanto o meu ódio sugeria... Tu não a terás jamais, jamais! Ela é a esposa de um outro, venturoso e digno Príncipe, que a protegeu contra as garras de Catarina! Ela nada sofreu... e odeia-te tanto quanto eu... pois infiltrei nos meandros do seu coração a abominação que te voto e que nada neste mundo será capaz de aplacar...

— Mentes, desgraçada! Ruth é um anjo! No seu coração não caberá a peçonha que tua alma infernal destila... nem mesmo saberá odiar, conforme tu afirmas, o infeliz matador de sua família!...

Disse-o e fugiu desesperado e sofredor, confuso e enlouquecido de terror e angústia, sem atinar com a realidade do que se passava, presa de alucinações e pesadelos sob o embate deprimente de duas vidas — a terrena, que mal deixara, e a espiritual, que se insinuava —, as quais se impunham em penosa alternativa à sua qualidade de recém-desencarnado inconsciente do seu verdadeiro estado, toda a sua pobre alma obumbrada por inquietações incontroláveis, enquanto o coração dilacerado pela dor das incertezas bradava mais do que nunca pelo amparo de afeições amigas que o reanimassem na dolorosa marcha pelo futuro...

4

COMO NOS CONTOS DE FADAS...

No dia imediato à noite da fuga de Ruth de La-Chapelle, Catarina de Médici mantivera-se na expectativa de receber qualquer notícia da sua estranha serviçal, que prometera novas delações, entregando-lhe conspiradores que, afirmava, eram cúmplices de Luís de Narbonne para o projetado atentado à pessoa do Rei. A tarde, porém, declinou, caiu o crepúsculo, e porque Ruth não aparecesse, desincumbindo-se do prometido, a Rainha passou a perceber o que realmente se passara. Impossível seria, efetivamente, à jovem intrigante permanecer em Paris, quiçá na França, uma vez Luís de Narbonne desaparecido e desvendada a sua verdadeira identidade. Inspirada, então, numa curiosidade a mais — pois a Catarina interessava, com efeito, o desaparecimento de Ruth, fosse ele determinado pela morte, pela prisão ou pela fuga —, decidiu-se a enviar um mensageiro ao Palácio de Narbonne, à procura de sua dama, de cujos serviços, afirmava a ordem expedida, necessitava naquela noite.

Já eram decorridas, no entanto, 24 horas da captura de Luís e da fuga da jovem renana, e os acontecimentos ainda eram ignorados até mesmo por monsenhor de B., o qual, engodado pela Rainha, na véspera, recebera ordens de aguardar no seu castelo religioso as resoluções da mesma a respeito do caso do seu pupilo e da aventureira do Reno, não suspeitando ele sequer da acerba realidade, ao ser informado de que o Capitão da Fé não acorrera à solicitação da Rainha naquela noite, deixando de se apresentar no Louvre, acompanhado da esposa.

O mensageiro regressara da residência do jovem oficial do Rei, asseverando que o Sr. e a Sra. de Narbonne se haviam ausentado do palácio em trajes de penitentes desde a véspera, e que certamente estariam voluntariamente detidos em algum convento dos arrabaldes, entregues a piedosos cilícios e devoções. Catarina, então, não conservou mais dúvidas quanto ao que se passara. Uma vez culminada a missão que se impusera, Ruth de La-Chapelle deixara Paris, compreendendo a situação insustentável em que se encontraria com o desaparecimento de Luís e a sua falsa qualidade de Otília de Louvigny perante a Corte, pois que já era do domínio de duas personalidades a acintosa usurpação, sendo fácil prever o que os acontecimentos subsequentes teceriam em seu desfavor, se permanecesse na França. Todavia, não foi sem rancoroso despeito que a mãe de Carlos IX se reconheceu ludibriada, explorada por tão ingênua e insignificante criatura, que soubera aproveitar-se das ambições políticas e das paixões dela própria, Catarina, para servir aos seus interesses pessoais e, em seguida, furtar-se a quaisquer consequências danosas.

— Decididamente, a criatura é diabólica — monologava a Rainha enraivecida. — Ela vê fantasmas... Fala-lhes... Somente um ser protegido pelo inferno ludibriar-me-ia assim... Deixemo-la ir... Entregando-me de Narbonne tão discreta e sutilmente, prestou-me grande serviço... Será inofensiva... porque huguenote e usurpadora de nomes... Guardará, pois, o segredo... Se voltar a Paris, porém, estará perdida, porque vingarei a afronta...

Fez vir a sua escrivã particular e ditou a seguinte carta para monsenhor de B.:

"Os acontecimentos se complicam, monsenhor, a respeito dos sucessos que envolvem o nosso querido conde. Ambos, ele e sua esposa, estão desaparecidos! Que terá sido feito deles?... Fugiriam para o estrangeiro, temendo o que adviria para a execrada condessa, quanto ao desmascaramento inevitável que se seguiria?... Temeriam prisão para ela, visto que é uma huguenote?... Mandei ao Palácio de Narbonne, tratando de conduzi-los aqui para os esclarecimentos ontem combinados convosco. Informaram que ontem, à tarde, saíram de casa em trajes de penitentes, não regressando até o momento. Suspeitam no palácio que se tenham internado em algum convento de Paris, a fazerem penitências. Rogo vossa intervenção no sentido de auxiliar-me a encontrá-los."

A resposta a essa missiva foi a súbita visita de monsenhor de B. à Rainha, inquieto, e confessando-se presa de angustiantes pressentimentos. Passara, não obstante, primeiramente, pela residência do pupilo, a fim de colher informações. Rupert e os demais servidores nada mais acrescentaram ao que já a Rainha descrevera, pois ignoravam todos o paradeiro dos amos, somente se informando, pela guarda da noite anterior, de que os mesmos haviam saído ao anoitecer da véspera. Todavia, monsenhor conhecia Catarina mui de perto. Não ignorava que a dissimulada mulher desde muito deitava olhos maus em seu pupilo, pronta a estender-lhe as garras na primeira oportunidade. E suspeitava — ou o seu afetuoso coração lhe segredava à razão — que Luís caíra antes numa cilada sutil e discreta, das muitas que a soberana sabia preparar para quantos a preocupassem, e que tivera por cúmplice aquela de La-Chapelle que o desejava, efetivamente, perder. Não obstante, calava-se diante da infiel Majestade, com ela concertando amigavelmente meios para descobrirem, pelos conventos, abadias e ermidas, os dois desaparecidos. Procurou-os, com efeito, visto sua alta posição entre o clero facultar-lhe excelentes possibilidades. Nem uma só congregação religiosa de Paris e das imediações, presbitérios, casas paroquiais, igrejas etc. deixou de ser batida, visitada, esmiuçada, à procura de Luís e sua bela esposa. Tudo em vão! Monsenhor fizera mais: expedira súplicas aos bispos das dioceses provinciais, no sentido de informarem se o conde Luís de Narbonne, envergonhado e desgostoso ante o malogro do seu ridículo casamento, se ocultara em algum convento pobre e afastado, ou numa ermida, onde ninguém o iria descobrir, assim se furtando à vergonha que sobre seu nome e seu coração se abatera. Mas improfícuos também se apresentaram tais esforços! O Capitão da Fé não era encontrado em parte alguma da França! Por outro lado, amigos e admiradores de Luís, seus subalternos, que o amavam, pois o infeliz fidalgo se mostrava bondoso no trato para com seus humildes servidores, puseram-se a campo, atingindo até mesmo os países mais próximos, como a Espanha, a Itália, os Flandres e a Holanda, nos quais a Igreja imperava, sem que nenhuma nova surgisse, remediando-lhes a ansiedade. Lembrara alguém que possivelmente o casal de esposos, desesperado com a situação criada pela usurpação do nome de Louvigny, feita pela jovem renana, se tivesse, talvez, suicidado, mesmo porque o caso sentimental que viviam seria irremediável. Todavia, o suicídio de personagens desse vulto deixa vestígio, e o certo era que não existiam vestígios do infeliz conde, que parecia haver sido tragado pela própria terra! O noticiário a seu respeito findava na Igreja de Saint-Germain, com a exposição do capelão que o confessara na última noite e os depoimentos do noviço que lhe havia participado, depois da confissão, que a condessa deixara a Igreja, sem visitar o confessionário. No Louvre, não fora visto naquele dia... E as carruagens que serviam o trânsito naquela noite, à porta da Igreja, não se lembravam de haver conduzido algum fidalgo... O próprio Rei, assim como o senhor de Guise, pessoas da amizade pessoal de Luís, tomaram providências, interessando-se por sua descoberta, sem que tantos esforços reunidos lograssem quaisquer êxitos. Assim, desde o duque e monsenhor de B. até o último soldado da "Cavalaria Macabra", e o próprio Rei, estavam todos convencidos de que Luís de Narbonne e sua formosa esposa haviam sido aprisionados ou mortos por ordem de Catarina de Médici. Ninguém ignorava a versão corrente de que o belo cavaleiro seria bastardo de Henrique II; e, assim sendo, também sabiam que mais tarde ou mais cedo a decapitação por qualquer razão ou mesmo sem razão nenhuma, ou a prisão perpétua e ignorada rondavam-lhe os passos. Um ano depois de exaustivas e cruciantes *démarches*[53] a respeito do assunto, o próprio Rei, durante uma conferência com representantes

---

[53] N.E.: Ação realizada com empenho e diligência; esforço, providência.

do clero, que, acompanhados de monsenhor de B., lhe solicitavam maiores diligências para que o ilustre de Narbonne, pupilo da Igreja, fosse encontrado, respondeu-lhes irritado, como habitualmente se apresentava aquele enfermiço governante:

— Eu já vos declarei, senhores, que a Bastilha, o Templo, o Châtelet, a Bicêtre, todas as prisões de Paris foram devassadas por nossa ordem, vasculhados todos os seus cárceres secretos! Luís de Narbonne não se encontra em nenhuma delas... Que quereis que eu faça mais?... Quando isto acontece a algum nobre na França, é porque a Rainha-mãe não o trazia nas suas boas graças... Somente Sua Majestade, a rainha Catarina, saberá o que foi feito do pobre de Narbonne e da formosa aventureira usurpadora de nomes... Mas duvido que ela vos informe... se tiverdes a coragem de perguntar-lhe!... Quanto a mim, sabeis, senhores, que não disponho de coragem para tanto...

Fora o golpe mortal para o pobre velho. Desse dia em diante, a verdade terrível, que se delineara em suposições um tanto veladas pela esperança, impôs-se ao seu entendimento com toda a fereza da sua hediondez. Monsenhor de B., já bastante alquebrado pela idade e os achaques, adoeceu, e, dois meses depois, entregava a alma ao Criador, inconsolável pela desventura que se abatera sobre o infeliz menino a quem amara como a um próprio filho.

Entrementes, agentes secretos da Rainha-mãe haviam descoberto a pista da bela renana que acabava de desgraçar uma personagem como o Capitão da Fé e ludibriar o gênio da intriga na Europa, ou seja, Catarina de Médici, até por ocasião da sua fuga. Sigamos nós, portanto, a Ruth de La-Chapelle na ocasião em que, já em terras da Alemanha, fora hospedada por um pequeno nobre da Renânia alemã, antigo e fiel amigo de sua família, devotado luterano e servidor de Frederico de G.

Ruth Carolina dormia profundamente, dissemos. Havia já três dias que ingressara naquela herdade. Não despertara durante a primeira noite nem no dia seguinte. Avançara pela segunda noite, submersa numa letargia chocante, e rompera o dia e a tarde como que vencida por singular estado de coma. Dama Blandina e Raquel velavam atentas e fiéis, observando que pequenos delírios sobrevinham, durante os quais a pequena de La-Chapelle se debatia entre visões aterradoras, imprecando a Otília de Louvigny que a deixasse em paz, e acusando-a de haver-lhe causado grande mal ao instigá-la ao abominável ato de vingança contra o conde Luís de Narbonne. A este, no entanto, a quem parecia ver em sonhos, ou refletida a sua lembrança nas sensibilidades da própria consciência, suplicava perdão por entre ternas exclamações de amor, desfeita em lágrimas significativas. De vez em quando, Frederico chegava-se a Blandina em busca de informações do estado de sua antiga prometida. Postava-se à beira do leito em que jazia, contemplava-a com ternura e murmurava:

— Pobre criança! Despedaçou a possibilidade de ainda ser feliz com a sinistra aventura a que se atirou em busca de singular revanche! Tenhamos, no entanto, compaixão e paciência ante suas desgraças, que prevejo irremediáveis! Prometi a seus pais e ao pobre Carlos velar por ela e torná-la feliz, quando a ocasião me permitisse desposá-la... Cumprirei a palavra a despeito de tudo...

Frederico contava então 28 anos. Era esbelto e nobre, simples e comedido, culto e honrado. Fervoroso adepto da Reforma, cultivava o Evangelho nela refletido com desprendimentos e solicitudes dignos de um fiel cristão, seguindo os exemplos edificantes do próprio Carlos Filipe, de quem fora discípulo. Diziam-no simples e modesto até o admirável. E tanto quanto fora possível a um príncipe da época conduzir-se com benevolência e humildade, Frederico assim o fazia. E, portanto, Ruth, se perdera sua família inteira no massacre de São Bartolomeu, também encontrara em Frederico um amigo e defensor à altura da dignidade social e moral daqueles de quem descendia. Ele amava-a, aliás, desde os dias da juventude, quando, discípulo de Carlos, com este se instruía em assuntos da nascente Teologia reformista e na ciência do Evangelho, passando por isso mesmo longas temporadas no Castelo de La-Chapelle.

Daí datava sua afeição pela menina, quase fraterna, a quem estranho destino aguardava.

Ora, na tarde do sexto dia após a fuga, Ruth despertara do longo torpor, combalida e desolada, como se entrasse em convalescença de grave enfermidade. Blandina entregou-lhe então uma carta, que misterioso portador trouxera horas antes. Entregara-a este ao guarda-portão da herdade, recusando-se a declinar a sua identidade, como a do remetente do documento. A missiva, feita em papel comum, não trazia brasão nem quaisquer particularidades reveladoras da origem, senão sinetes de lacre vermelho e azul, selando-a hermeticamente. O velho serviçal entregou o documento a seus senhores, enquanto o portador do mesmo desapareceu numa curva da estrada, rumando para os lados do Reno, e Frederico e Blandina, respeitando os direitos da destinatária e supondo algo importante provindo da França, preocupados por se reconhecerem descobertos, entregaram-na a Ruth, sem mais delongas, uma vez esta desperta.

A jovem fugitiva abriu-a com indiferença e leu:

"Conviria provar-te, louca menina de La-Chapelle, que jamais alguém ludibriará a Rainha da França! Eu poderia fazer-te retornar ao Louvre e castigar-te como mereces. Todavia, prefiro desprezar-te, porque serias uma preocupação a mais em minha vida, e por julgar-te realmente inofensiva! O conde desapareceu para sempre e foste tu que o aniquilaste! Que sobre a tua consciência para sempre pese esse crime, essa traição que, sei, ele não mereceu. Era ele dos mais nobres e generosos cavaleiros da França, só comparável aos homens da tua raça, cujo nome não soubeste honrar! Que as dores que ele padecer e as lágrimas que chorar recaiam sobre o teu destino. A minha consciência está em paz! Eu apenas defendi o trono da França ameaçado por sua existência, como era de meu dever. Não regresses à França. Serás punida se o tentares."

Ela passou a carta a Frederico, sem uma palavra, e continuou a refeição interrompida...

Três dias depois, na pequena assembleia reformista da aldeia, com a assistência de vários fidalgos da redondeza e membros da família de G., que Frederico mandara avisar e convidar, e rodeados de aldeões que entoavam cânticos usuais nas cerimônias luteranas, um representante da Reforma unia em matrimônio a formosa de La-Chapelle e o príncipe Frederico de G., que sorria feliz e atencioso... E quando chegaram, finalmente, ao velho solar onde pretendiam residir, Ruth era, com efeito, a "Princesa dos cabelos de ouro", que apaixonara o desgraçado Luís de Narbonne, desaparecido para sempre nas trevas de um subterrâneo desconhecido do Louvre...

5

ALMAS SUPLICIADAS

A vida dos jovens desposados, nas terras de propriedade de Frederico, decorreu discreta e retirada, como conviria a luteranos que deveriam imprimir à própria crença religiosa o alto cunho das qualidades pessoais nela inspiradas. Frederico era o esposo afável e paciente, portador de bondades só comparáveis à sua própria honradez, que rodeava a infeliz esposa de todas as atenções e solicitudes possíveis a um coração de boa vontade, procurando levá-la a esquecer do passado precipitoso. Ruth amava-o e respeitava-o mui ternamente, reconhecendo-lhe a bondade inexcedível e, muitas vezes, dizia-lhe, durante as horas dulçorosas do aconchego familiar, diante da lareira, enquanto, crente sincero nos poderes divinos, ele relia em voz alta para ela, tentando uma educação religiosa que a edificasse, os admiráveis livros da *Bíblia*, como de uso entre as famílias protestantes da época e até mesmo de hoje:

— Em verdade, meu querido Fred, sei que não sou merecedora da generosidade com que me acatas... Não passo de miserável pecadora que ultrajou as recomendações do Decálogo no dia em que, diante da *Bíblia* exposta, jurou desgraçar um ser humano, para a satisfação de um insensato sentimento de ódio e vingança...

Frederico, porém, sereno e paciente, em vez de lhe prestar atenção aos angustiosos arrazoados, continuava a leitura em voz alta, tentando prendê-la ao encantamento das lições, enquanto o fogo vivo da lareira iluminava o livro precioso aberto sobre seus joelhos: "...Porque o Filho do homem veio buscar e salvar o que se havia perdido..."[54]

— Atraiçoei o Evangelho do Senhor, meu Fred, como atraiçoei um desgraçado filho de Deus, confiante sob minhas mãos, àquele mesmo renegando, ao Evangelho, quando hipocritamente me permitia atos de um ritual religioso que não era o meu, a fim de melhor enganar o meu próximo... Traí a honra da minha fé, quando falsamente jurei a Deus, diante de um altar, receber e respeitar como marido um homem que eu odiava e a quem pretendia desgraçar, servindo-me da confiança conjugal por mim profanada...

No entanto, a suavizar tão intensa amargura, ela ouvia da boca do esposo o sussurro de melodioso cântico que estendia suas doces notas como o bálsamo generoso que buscasse apaziguar as ardências do infortúnio de corações atribulados: "Eu sou a luz do mundo; quem me segue não andará em trevas, mas terá a luz da vida..."; "Vinde a mim, vós que sofreis e estais sobrecarregados, e Eu vos aliviarei..."[55]

A formosa de La-Chapelle, no entanto, parecendo não acatar os sublimes e enternecidos convites, fitando sempre a dança vivaz das chamas no braseiro, como alguém que se deixa resvalar para a auto-obsessão, continuava como que falando à própria consciência, enquanto o vento das nevadas assoviava por entre as réguas das persianas fechadas ou a chuva batia tamborilando nos vidros da vidraça:

— Traí ao próprio Ser Todo-Poderoso, meu Fred, a honra dos meus antepassados, cumulando de ignomínia o respeitável nome da minha raça... Traí meu próprio coração e a minha honra pessoal, no dia em

---

[54] N.E.: Lucas, 19:10.
[55] N.E.: João, 8:12 e Mateus, 11:28.

que, nos braços de Luís de Narbonne, o fiz acreditar que era sua legítima esposa, para melhor aviltá-lo e destruí-lo...

— "...Em que emenda o jovem seu caminho?... Guardando, ó Deus, os vossos mandamentos..."[56] — continuava Frederico, esforçando-se por não lhe dar atenção.

— Porventura eu estaria louca, Fred, quando prometi a Otília ultrajar os próprios ensinamentos contidos no livro santo dos huguenotes?...

— Ainda é tempo de perdoar e de amar para apaziguar a consciência, minha Ruth... É sempre tempo de recordar aquela inefável passagem do Sermão da Montanha: "Amai a vossos inimigos, fazei bem aos que vos têm ódio, e orai pelos que vos perseguem e caluniam..."[57]

— ...E afrontei a casa de Deus... quando, jurando ter renegado a Reforma, eu me curvei a adorar altares e idólatras que insultavam a fé, massacrando aqueles que defendiam a moral do Cristianismo dos abusos e paixões que sobre ela pesavam... E precipitei-me no inferno ao entregar à Rainha cruel um homem que me amava acima de tudo e cujos crimes os evangelhos me aconselhavam a perdoar e esquecer, porque nem mesmo o divino Mestre condenou alguém, visto que somente o Todo-Poderoso, legislador supremo, poderá corrigir seus filhos transviados das leis por Ele traçadas...

Todavia, a suave expressão de um príncipe da Terra, recordando a sublime expressão do Príncipe dos Céus, antepôs, à confidência atroz desse drama íntimo, a esperança reanimadora da lição diante de uma pecadora: "...E então Jesus respondeu à adúltera: 'Vai, e não peques mais...'"[58]

---

[56] N.E.: Salmos, 119:9.
[57] N.E.: Mateus, 5:44.
[58] N.E.: João, 8:11.

A consciência dela, porém, verdugo implacável que lhe não permitia quartel, apenas atendia aos irreconciliáveis complexos em que se enredava, permanecendo indiferente aos convites celestes que Jesus lhe fazia, por meio das palavras inspiradas e sensatas do esposo, no intuito de suavizar-lhe as íntimas inquietações, para norteá-la a rumos salvadores. Então, prosseguia desfiando seu longo rosário de amarguras, que se deveria estender por períodos seculares de lutas reparadoras, à frente de sinistro enredamento de provações:

— Oh! Tu és bom e nobre, alma singela e cândida como a do meu Carlos, que foi teu e meu mestre... Por que consenti em desposar-te, tornando infeliz a tua vida, quando meu justo local seria a tumba sórdida em que a infiel Rainha certamente segregou do mundo o infeliz de Narbonne?...

No entanto, Frederico levantava para ela os olhos doces e sofredores e, num tom que bem poderia conter um queixume ou uma reprimenda, advertia:

— Tenho suplicado tanto, minha querida, que procures esquecer esse nome e esse passado... a fim de empreendermos vida nova, em tentativas justas para nos aproximarmos de Deus... Os evangelhos, as lições sublimes pelo Nazareno legadas, e transmitidas por seus Apóstolos até nossos dias, cicatrizarão as chagas de tua alma, se concordares em te confiares aos seus princípios com boa vontade e confiança... Ele, o Mestre Nazareno, não veio ao mundo para ofuscar os justos com a sua grandeza de Príncipe celeste... mas para converter os pecadores à prática das boas obras, com as virtudes exemplificadas e a exposição da sua doutrina de amor e redenção... e saberá, portanto, estender-te os braços, reerguendo tua consciência para a posse de uma tranquilidade que com Ele será eterna... Lembra-te das suas pregações aos pecadores da Galileia... foste criada ouvindo suas ternas parábolas como cânticos maviosos que te adormeciam no berço...

— Sim... E por isso mesmo mais pecadora eu me sinto, porque desrespeitei os ensinos do nosso Mestre, que eu conhecia, perjurei a minha fé e conspurquei o evangelho...

— Pedro negou-o três vezes... mas depois ressurgiu das próprias fraquezas e foi o maior dentre todos os Apóstolos...

— Mas Pedro não traiu e não matou!... Eu menti, traí e matei um filho de Deus!...

— Oremos ao Senhor, minha querida, e a inspiração do Céu descerá sobre nós, guiando-nos os labores para a tua recuperação moral... Recitemos juntos os belos *Salmos* do rei Davi... São também orações inefáveis que penetram os arcanos do coração... e temos urgência de nos elevarmos pelo pensamento às excelsas alturas onde colheremos forças para dominar nossas paixões ruins e reeducarmos nossas pobres almas frágeis, abatidas pelas torpezas que cultivamos...

— Oh! Mas sinto que nunca mais poderei orar, Fred! Nunca mais pude orar... desde que sobre o Livro Santo jurei praticar um crime... Renegada por mim mesma, somente me restará permanecer nas trevas, junto dos meus cúmplices, isto é, dos réprobos, como eu...

Então se atirava nos braços do marido trêmula e apavorada, desfazendo-se em prantos violentos, jurando aos Céus que o espectro implacável de Otília de Louvigny a induzira a tudo quanto praticara, e que agora ainda a atormentava até a odiosidade, participando-a, entre gargalhadas diabólicas, dos padecimentos de Luís nos subterrâneos do Louvre; afirmava, presa de crises de terror impressionantes, que Otília a levava a contemplar o desgraçado senhor de Narbonne, atirado num túmulo infamante, exausto e choroso, vivo ainda para maior desgraça, torturado e agonizante sob os ferros do cativeiro ignóbil, que ela, Ruth de La-Chapelle, lhe escancarara!

E crises nervosas, prolongadas, seguiam-se então, como se possessa de um obsessor que se divertisse em apoquentá-la, ou se acionada pelos remorsos que lhe desvirtuavam a mente, produzindo ataques de nervos que a tornavam semilouca. E o infeliz esposo, apavorado ante as decepcionantes realidades contempladas no íntimo daquela a quem conhecera feliz e angelical, mas que agora deixava extravasar as mais deprimentes impressões, assistia a cenas patéticas, durante as quais sua mulher suplicava perdão a Luís de Narbonne, sob desorientadores paradoxos, confessando, tremente, suas ânsias de saudades por aquele a quem afirmava odiar, exprobrando-se, ao mesmo tempo, pelo crime de também amá-lo, a ele, o massacrador de sua família, o responsável perseguidor que sobre todos fizera desencadear irremediável avalanche de males... Depois... exausta, entregava-se a letargias profundas, a desmaios que se prolongavam por longas horas e até dias, inquietantes e inexplicáveis...

Frederico sofria desolado, sem abandonar a cabeceira da esposa. E dama Blandina, desfeita em lágrimas, confessava a Gregório, alarmada:

— Também eu fui cúmplice, mestre Gregório... e não mais consigo paz para meditar sobre o doce Sermão da Montanha... Profanei os santos mandamentos do Senhor no dia em que acompanhei *mademoiselle* a Paris, auxiliando-a a preparar a cilada em que, finalmente, ela própria, e não somente o seu desafeto, sucumbiu... Ele errou, julgando servir a Deus por meio da sua fé... Mas nós erramos também, porque conscientemente infringíamos a Lei divina... Que vai ser da minha alma?...

E Gregório, baixando a fronte e empalidecendo:

— Também eu... Imiscuí-me, sim, no crime! Afetando bons conselhos, rejubilava-me com o mal que ela premeditava contra ele, de Narbonne! Somos todos réprobos... Conhecíamos os ensinamentos... Juntos expiaremos, decerto, a terrível infração...

* * *

Entrementes, perseguido pelo fantasma obsessor de Otília de Louvigny, o Espírito já desencarnado do antigo Capitão da Fé abandonara o Palácio Raymond, tentando furtar-se às suas inquietantes insídias. Mil absurdas confusões se entrechocavam em sua mente enfraquecida pelo longo estágio numa prisão solitária, em choques com sofrimentos irreparáveis, e por isso mesmo sinistrada pela condensação de complexos que se entrecruzaram em sua vida, tal a mosca desprevenida que se deixou arrastar pelas armadilhas de perigosa teia. Todo o seu ser, suas recordações mais gratas, suas ânsias de amoroso, as mágoas do coração ludibriado, batido por torpes decepções, e ainda suas revoltas e humilhações, bradavam pela necessidade de uma reparação à altura da situação. E reconhecendo, sob essa indomável persuasão, que nada seria viável em seu favor, sem a presença daquela a quem continuava considerando esposa, procurava-a, alucinado, por toda a parte... Todavia, Ruth se lhe mostrara pálida e indecisamente, por todos os recantos do Palácio Raymond, que acabara de visitar, qual se deixasse refletir a própria imagem pelo prisma de um grande bloco de cristal, sem contudo parecer real a sua presença... Perturbado, sem poder compreender o que se passava sobre suas faculdades, retornou à sua antiga residência, sem saber para onde mais se atirar ou o que lá iria tentar, inteiramente desajustado da sua antiga vida social e da espiritual, o pensamento turbilhonando ideias disparatadas, tal o montão de folhas mortas que uma nortada levanta pelo ar. Mas Otília com ele também ali entrara, dirigindo-lhe chacotas e malvadas insinuações, como de uso entre perseguidores do Invisível. Pôs-se então em correrias atormentadas, apavorado, buscando socorro e consolo pelos conventos, igrejas e abadias, crente de que lhe seriam locais seguros. Não obstante, ainda ali o perseguiam os seus inconsoláveis pesares, bem assim a obsessora terrível, acusando-o sempre, ora entre zombarias, ora sucumbida em choros e lamentações, responsabilizando-o pela fragorosa ruína do seu sonho de amor:

— Foste tu, foste tu a nossa desgraça! Catarina esquecera os de La-Chapelle! Artur intercedeu por eles, a meu pedido! O decreto abrangia a coletividade... Mas tu foste descobrir os infelizes de La-Chapelle no seu retiro pacífico...

E até pelo Louvre ele vagou, batido como a fera que não encontra um pouso, abandonado por amigos, por subalternos, pelos servos...

Por vezes dir-se-ia que aniquilantes rubores de vergonha lhe fustigavam a personalidade, reduzindo-o a um conceito vil, a respeito de si mesmo. Eram os remorsos que, sob os fogos das acusações da sua perseguidora, iniciavam rebates alarmantes em sua consciência. Então ressoava aos seus ouvidos o impetuoso fragor do assalto ao Castelo de La-Chapelle: o tilintar das espadas e das esporas dos seus homens feria-lhe a audição, perturbando-o até o terror! O alarme da sineta pacífica emocionava-o até a angústia! A algazarra da soldadesca, avançando sob suas ordens, trazia-lhe demência e alucinações... E, após o massacre no salão de orações, a perseguição fanática por meio das escadarias, dos corredores, das eiras cultivadas, o sangue quente e generoso de pobres homens pacíficos, que encharcava tapetes e assoalhos, o choro das mulheres e das crianças, que invadiam, agora, sua alma, sua mente, sua personalidade inteira, estigmatizando-a, desonrando-a implacavelmente à frente de si mesma!

Suas gritas e lamentações atingiam então o inconcebível pináculo daqueles dramas comuns no mundo invisível, os quais, mercê de Deus, os homens esquecem no estado de encarnação, para que possíveis lhes sejam as tentativas de reabilitação! Procurava ocultar-se, talvez de si mesmo, em qualquer parte, tentando forrar-se ao dissabor daquelas paisagens que supunha espetáculos externos, mas que em verdade existiam ao vivo dentro das suas forças mentais, eram o eco apavorante dos próprios remorsos em truculências vibratórias nos refolhos da sua alma desarmonizada consigo mesma, com as leis do dever e do Criador! Era então que se refugiava nos recintos das Igrejas, como outrora, prosternando-se tremente, tentando a oração. Mas os altares frios e mudos, diante dos quais se detinha o seu Espírito em violentas emoções, nem o compreendiam nem se faziam complacentes e virtuosos bastante para aplacarem as desordens que efervesciam nos abismos do seu ser... incapazes, agora, de o protegerem contra as consequências dos excessos praticados à sua sombra...

Um dia, porém, surpreendeu-se caminhando pela áspera estrada que conduzia ao nordeste do país, em direção ao baixo Reno. Sentia-se para lá arrastado como se poderoso ímã o atraísse sob os imperativos da pessoa inesquecível da desaparecida esposa, a quem não pudera jamais odiar. Reconhecia-se fatigado e excessivamente desanimado, carente de consolo e esperanças, aturdido e humilhado ante a ausência das criaturas a quem amara. Em verdade, ele não quisera afetuosamente, verdadeiramente, senão a Ruth de La-Chapelle e a monsenhor de B. O certo, porém, era que — refletia ele mesmo enquanto caminhava — passara pela vida sem dedicações nem afetos... Durante a infância e a adolescência, estimara aquele Artur de Louvigny, como ele criado num convento, mas arrebatado pela Igreja e o governo para missões fora do país... e amara a Igreja, apaixonando-se pelos seus feitos heroicos, pelo seu grandioso passado, pelo seu poderio julgado invencível... mas de quem um terno sorriso de mulher irremediavelmente o separara... E agora ali estava, caminhando para o Reno, cheio de dor e de saudades, impulsionado pela esperança de encontrar, finalmente, a sua esposa, por entre as ruínas do Castelo do seu berço... Revia a sua angelical imagem coroada de rosas como durante o baile da Corte, os cabelos louros desnastrados, cantando ao som da harpa, debilmente desenhada a cores por entre os véus de neblina fria que se espalhavam pela atmosfera, atraindo-o e guiando-o para uma finalidade certa, tal a aparição da cruz sacrossanta mostrando a Constantino, imperador, o sinal augusto com o qual venceria nas lutas!

E caminhava, caminhava... pela mesma estrada solitária e agreste, que alguns anos antes percorrera como fiscal religioso, à frente da sua cavalaria famosa, indebitamente em demanda do Castelo de La-Chapelle, para o massacre sacrílego, o qual agora lhe fustigava a consciência com as desesperadoras reprovações dos remorsos! Por isso mesmo que evocou o passado, e por um fenômeno comum às individualidades desencarnadas, que retornam facilmente a determinada época da existência que deixaram, ou mesmo às mais remotas, valendo-se do recurso de uma recordação forte — ou um choque emocional —,[59] reviu-se envergando sua bela e flexível armadura de Cavaleiro da Fé, à frente dos soldados cavalgando o seu normando branco, espada em riste e armas e arreios tilintando ao compasso ritmado da andadura, a indagar, daqui e dali, pelas granjas e herdades que encontrava, das vertentes e dos vales que levariam mais rapidamente ao solar dos huguenotes a quem buscava...

Subitamente, ao dobrar de uma colina, apresentou-se-lhe à frente a perseguidora implacável. Apavorou-se como sempre, tolhido e tremente, enquanto ela, acusando crescente agitação, à proporção que avançavam pela estrada, apostrofou odiosa:

— Verdugo e assassino da minha felicidade! Que vens buscar aqui?... Vens, porventura, contemplar as desoladas ruínas do Castelo que tuas mãos malditas destruíram?... Oh, não! Não consentirei que ultrajes com tua presença estes escombros sagrados! Este é o meu templo, o altar, único bastante santo, onde me prosterno... não para orar, porquanto me convenci da inexistência do Ser divino, com que me iludiram a infância, mas para chorar o meu Carlos, morto por ti, e recordar os poucos dias felizes passados em sua companhia, durante nosso melancólico noivado...

Efetivamente, acolá, na linha azulada do horizonte, desenhava-se a área extensa em que outrora se levantava o solar próspero e sempre álacre da família de La-Chapelle. Ambos os fantasmas, isto é, os Espíritos Otília e Luís, quedaram-se extáticos, a contemplá-lo. Para ela, a antiga prometida do herdeiro de La-Chapelle, Espírito odioso, ímpio, que

---

[59] N.E.: Fenômeno de regressão da memória dentro do tempo.

diante do amargor de uma expiação não se soubera conduzir à altura da honra do Evangelho, o qual afirmara professar, e que, por isso mesmo, se entregara às sombrias sugestões do ódio exacerbado, quando fora necessário perdoar e esquecer; Otília, cujo coração diabólico e blasfemo se valera de torpezas e meios desonrosos do mundo invisível para a prática de represálias criminosas, cujas consequências pelo futuro afora seriam imprevisíveis; para ela, a perseguidora oculta de duas infelizes criaturas, as quais desgraçava desgraçando a si própria, e que conspurcara as Leis do Criador, sobre seus códigos prometendo o extermínio de um ser que, como ela própria, era criação dele, e que, por isso mesmo, mereceria a fraterna solicitude do perdão — o Solar de Brethencourt de La-Chapelle seria a devastação desolada e sombria por onde vagava inconsolável, chorosa e alquebrada, porque desarmonizada com a sublimidade das leis eternas, a bradar pelo ser amado por entre gritas de revoltas e blasfêmias de demente. Ela virou-se para Luís de Narbonne, que se quedava fitando o horizonte como que surpreso e deslumbrado, contemplando algo indescritível, e continuou desfeita em amaro pranto:

— ...Era tudo como um paraíso... A alegria, a paz, o trabalho abençoado, a vida e a prosperidade, para felicidade de todos... A beneficência espraiando-se em proteção aos fracos... O encantamento e o amor para o meu coração... Mas um dia... tu e teu Deus, ignóbeis e traiçoeiros, aqui chegastes empunhando lanças, machadas e archotes ao lado de estandartes de fé... Matastes homens, mulheres, crianças, e devastastes searas e jardins... E o meu Deus, aquele em quem eu cria, a quem eu diariamente suplicava proteção e bênçãos para o meu Carlos, deixou que tu vencesses e meu amado sucumbisse, tripudiando, tu, sobre nossa desgraça! Eis aí o que resta da minha esperança, da alegria que acalentava meu coração, do amor que alimentava minha fé: ruínas, desolação, túmulos fechados e impenetráveis, lágrimas eternas, meu coração crucificado para sempre!

Para ele, porém, que, criminoso embora, não odiara nem mesmo aqueles que o haviam aniquilado com a vingança; para ele, coração leal, embora mal orientado pelas circunstâncias; que infringira os ditames das

Sagradas Leis, é certo, mas estribado em sinceras intenções, convencido de que esse seria o seu dever diante do Eterno, a quem julgava amar piedosamente; para Luís de Narbonne, o militar fiel ao seu dever, o súdito submisso ao seu rei, o crente fanático, de coração simples; para ele, o desgraçado ludibriado na sua fé pelos alvitres e imposições de uma rainha pérfida e ambiciosa, traído no amor devotado e tão nobre; para o infeliz abandonado pela própria mãe ainda no berço, o criminoso sinceramente arrependido, o réu que se voltava para o Céu em súplicas de perdão, que não reconhecia em si mesmo forças para odiar alguém, inebriado sempre numa saudade de amor, o que se erguia além, ante seus olhos de Espírito libertado da carne, estava bem longe de se assemelhar às derrocadas descritas pela infeliz Otília de Louvigny!

Os olhos fitos no horizonte por ela apontado, a fisionomia espiritual iluminada de florescentes esperanças, atento ante induções alentadoras que incidiam no seu raciocínio como o bálsamo recompensador depois de um martírio heroicamente suportado, Luís de Narbonne voltou-se para Otília e, corajoso, retrucou:

— Por quem sois, senhora? Detende-vos nas acusações que fazeis! Não, já não há ruínas!... Fixai a atenção por entre a neblina que rocia o ar azulado desta região... e contemplai o Castelo! Creio que o desespero conturba vossa razão, impedindo-vos distinguir a realidade que distingo neste momento... Vede! O Solar de La-Chapelle foi cuidadosamente reconstruído! Vede que o reergueram mais belo e mais nobre do que o foi outrora!... Oh! que suave reconforto para mim, ó grande e misericordioso Deus, reconhecer que as ruínas foram corrigidas... que a lavoura replantada promete colheitas felizes! Ouvi, senhora! Os pastores cantam as doces melodias do Reno... Ladram festivamente os cães... Os pombos esvoaçam, enfeitando os ares... Mugem os bois e balem as ovelhinhas, enquanto as trombetas dos pegureiros avisam umas às outras que se acham vigilantes... E do Castelo cânticos sublimes sobem para os Céus, aos sons de um instrumento flébil, harmonioso... Meu Deus! Meu Deus! É a voz de Ruth a cantar hinos de respeito e adoração, acompanhando-se da harpa... E nem sei se ora ao Deus da Reforma ou se canta para mim, como outrora, nos felizes dias de nossos esponsais... Sei que canta, sim! Canta ali, no Castelo! Encontrei-a, finalmente! Querida e pobre menina, a quem tanto fiz sofrer! Retornou ao lar paterno!... Arrojar-me-ei aos pés da generosa família de minha Ruth, pedir-lhe-ei perdão! E quanto a vós, senhora, por Deus, perdoai-me, também vós! Não me ultrajeis assim... Tende compaixão dos meus padecimentos, que são profundos e inconsoláveis!...

Todavia, surpresa, a odiosa entidade voltou-se irritada:

— Enlouqueceste, porventura, desgraçado?... Não vês que os de La-Chapelle morreram todos e que tu mesmo os trucidaste?... Como pretendes implorar o seu perdão?... Onde vês tu o solar reconstruído?... Não vês que chacais tripudiam onde outrora existiam galináceos e que urzes se alastram onde recendiam roseiras?...

Falou e, num gesto rijo e atormentado, esgueirou-se em direção às ruínas, emitindo brados de revolta e dor, como se de seu coração raivoso e torturado não mais se pudessem desprender as doces manifestações da saudade, senão apenas as gritas blasfemas do desespero incontrolável...

Quarta Parte

A família espiritual

[...] De fato, essa luz é tanto mais terrível, horrorosa, quando ela o penetra completamente e lhe devassa os pensamentos mais recônditos. Aí está uma das circunstâncias mais rudes de tal castigo espiritual. [...]

(Comunicação do Espírito Erasto)[60]

---

[60] KARDEC, Allan. *O céu e o inferno*, Segunda Parte, cap. VII.

1

A FAMÍLIA ESPIRITUAL

Dez longos anos transcorreram desde o dia em que o Espírito desencarnado de Luís de Narbonne entrara a vagar pela cidade de Paris, presa de ominosa confusão inerente à mente pouco evoluída para as preocupações espirituais. Muitas vezes, durante os dias cruciais desse espaço de tempo, sentindo-se destituído de quaisquer consolações, abandonado de todos, falto de ânimo e esperanças, o infeliz lembrava-se de que fora um crente em Deus. Então, as singelas atitudes da infância emergiam das suas faculdades retroativas e ele se revia pequenino a orar nos altares do convento, as mãozinhas unidas, os olhos rasos de lágrimas, ressentindo-se da ausência do afago maternal que lhe não fora dado conhecer, atemorizado por se ver, impressionável e delicado, rodeado de monges de olhar severo, que o despediam rudemente se porventura tentasse aproximar-se. Voltavam assim, novamente, aos seus pensamentos de Espírito sofredor, as suavizantes orações que proferia então, e não só as repetia como se apresentava, agora, carinhoso para com a sua antiga fé, como fora na infância:

— Sim, Deus Pai! Concedei-me, por misericórdia, o carinho maternal que não conheci, para que me proteja agora, quando mais do que nunca eu me vejo infeliz e desgraçado! Mandai-me amigos, Senhor! Uma família, um lar que nunca tive!... Porquanto um lar só poderá ser fundamentado no amor... e eu nunca me senti amado! Senhor! Dai-me a minha mãe... Dai-me o meu pai! Onde se encontrarão eles?... Dai-me, Senhor, a minha família, reflexo da vossa paternidade na Terra...

Tais súplicas possuíam o almo condão de lhe minorar as ânsias da incerteza. E ele as repetia, às vezes, diante de altares de pedra, pelos templos em que costumava procurar o antigo estímulo para o coração, nos dias esplendentes de poder. Com a continuação, porém, a frieza dos nichos suntuosos, com suas imagens mudas que lhe não correspondiam às necessidades de protetoras inspirações, fizera-o desinteressar-se dos templos, e ele passou a repetir suas queixas, de quando em quando, mesmo pelas ruas, pelos parques e jardins de algum palácio ou pelos campos e estradas por onde comumente vagava, sem pouso e sem destino, mendigo sedento de consolações e afetos...

É sempre certo que a prece, por singela e pequenina que se irradie de um coração sincero, adquire potências grandiosas, capazes de se espraiarem pelo infinito até alcançar o seio amantíssimo do Eterno. Uma corrente suntuosa de valores psíquicos se estabelece então entre o ser que ora e as entidades celestes incumbidas da assistência espiritual aos homens terrenos e aos Espíritos vacilantes e inferiores. Positiva-se a telepatia, que mais não é que a conversação mental de um ser com outro ser, atravessando abismos siderais, vencendo dificuldades cruciantes, porque vencendo, naquele mesmo que a exerce, as barreiras de materialidade que interceptam ou retardam as vibrações, para finalmente chegar, impelida pelo sentimento legítimo, ao pináculo da sua possibilidade. Afigura-se então a súplica, a oração, a uma visita do ser que ora aos planos espirituais superiores. Pode o infeliz que ora obter em si próprio progresso suficiente para se tornar afim com aqueles planos. Sua personalidade, levada pela força das vibrações que sua mente emite, desenha-se à compreensão da entidade vigilante, a qual o atende, e torna-se por esta contemplada tal como é, seja a oração partida de um ser encarnado ou de um desencarnado.

É certo que seus amigos do Invisível superior conhecem de há muito suas necessidades reais, mas será necessário que a alma, encarnada ou não, que permanece em trabalhos de arrependimento e resgates, testemunhe a Deus o valor da sua fé, da sua perseverança no propósito da emenda das ruins paixões, da paciência nas provações, da boa disposição para o progresso, da sinceridade dos projetos novos que começa a conceber, da vontade, enfim, de se afinar com a suprema Vontade! É o trabalho da evolução moral e consciencial do ser, que será necessário se processe lenta, natural, mas seguramente, para que novos desfalecimentos não o venham comprometer ainda, depois da responsabilidade de haver recebido do Ser superior a concessão das dádivas da misericórdia suplicada. Então, no sentido de auxiliá-lo no intenso prélio, desce a inspiração santa da esperança, segredando-lhe encorajamento ao coração, sussurrando-lhe aos ouvidos novas energias, enquanto bafejos de um divino refrigério o acalentam e estimulam, para que não sucumba enquanto espera. E a alma, assim reconfortada, continua a exercitar as potências latentes das faculdades que lhe são naturais, em busca do foco divino distribuidor de benefícios, e, enquanto exercita, progride mais, inspira-se, resigna-se, persevera, abrilhanta-se nas qualidades morais, porque recebe os santificantes conselhos das intuições que a prece atraiu... chegando, finalmente, a conseguir o necessário mérito para ser agraciada com a grande bênção de uma concessão de Deus, a qual, prevista pela Lei como ação de uma rigorosa justiça, nem por isso estará fora do círculo amoroso em que o Criador envolve suas criaturas.

Foi o que se passou com o sofredor Espírito conde de Narbonne.

Em dez anos de padecimentos morais, durante os quais sofrera todos os impositivos mais rigorosos da dor que pode estorcer um coração sensível e sedento de compreensão e de paz, Luís experimentara também consideráveis melhoras no seu estado geral. À revolta sucedera a resignação, adquirida à força de circunstâncias inelutáveis. À impiedade da descrença que absorvera a sua antiga pretensa fé, nos primeiros tempos da decepção aniquiladora que lhe apresentara o destino, sobrepusera-se temeroso respeito por um Ser supremo — desconhecido até então para ele —, mas que começava a revelar-se nas profundidades de sua alma por meio de ilações poderosas que surgiam dos próprios infortúnios contra que se debatia. À desesperadora ânsia de amor humano, interpusera-se a doce certeza de que seu coração a outro se prendera por eternos laços de um sentimento indestrutível, alicerçado em bases espirituais. E o orgulho da estirpe nobre de que provinha, foi substituído pela delicada compreensão de que somente serão eternos e infalíveis os valores do caráter, ou qualidades morais. Quando, pois, diante do panorama encantador do Castelo de La-Chapelle reconstituído, dignificado por uma beleza e majestade ideais, desconhecidas até então às suas apreciações, ele se prosternou de joelhos no chão poeirento da estrada, pedindo à odiosa Otília lhe perdoasse o passado crime, lágrimas abundantes desceram de seus olhos espirituais. Otília, porém, incapaz de um gesto nobre a favor do próximo, afastara-se... e ele, então, supondo-se, apesar de tudo, ainda de posse da sua vida carnal, montou novamente o cavalo de que se supunha servir,[61] e dirigiu-se, resoluto, para a formosa estância que, em cores delicadas e resplandecentes, cintilava ao longe, como se, refeita com as augustas propriedades de um arco-íris celeste — símbolo da pacificação —, se visse também envolvida em neblinas diáfanas, reluzentes.

E pensou consigo mesmo:

— Ruth de La-Chapelle refugiou-se aqui! Fizeste bem, pobre menina! O lar paterno é o sacrossanto asilo onde gostaríamos todos de nos refazer das amarguras que nos excruciam a existência... A mim, porém, jamais será concedido o supremo reconforto do lar paterno!... Entrei pela vida, desde o berço, relegado por um pai que via em mim um perigo para a nação... e por uma mãe para quem eu encarnava a própria desonra!... Minha Ruth será, portanto, a minha família... Arrojar-me-ei a seus pés, pedir-lhe-ei perdão... Submeter-me-ei a todos os trabalhos,

---

[61] N.E.: Vide *A gênese*, Allan Kardec, cap. XIV.

Deus meu, para expiar meu crime... Estou exausto, Senhor, não posso mais!... Apiedai-vos de mim!...

Os portões abertos de par em par, sem guardas pelos pátios, facilitavam a entrada. Singular timidez, porém, detinha-o, a ele, o ousado comandante da antiga Cavalaria Macabra. Luís fora um cavaleiro, personalidade de alto trato social. Procurou alguém que o conduzisse à presença de *mademoiselle* de La-Chapelle, mas, não conseguindo encontrar quem quer que fosse, agitou fortemente a sineta, enquanto monologou:

— Oh, quantas dolorosas recordações! Dir-se-ia ter sido ontem mesmo, meu Deus, hoje ainda, neste momento!... Invadi este pátio, encontrando as entradas assim desguarnecidas, para trucidar os castelões... Eu estava louco, Deus meu! Perdão, Senhor, perdão!... Que hei de tentar a fim de aplacar o remorso que oprime esta ultrajada consciência?... Querida Ruth! Querida Ruth! Contentar-me-ei em ser o último dos teus servos...

No entanto, ninguém acudiu aos reiterados toques da sineta...

Entrementes, ouvia a voz suave, muito doce, que aos seus ouvidos se afigurava a voz da linda menina, cantando à sua harpa, enquanto mavioso coro de um hino sacro a acompanhava, enternecendo-lhe a alma. Atraído pela música, a mente fixada na pessoa de Ruth, atravessou o pátio, penetrou o vestíbulo e começou a galgar as escadarias... A música irradiava-se de um segundo andar, que se mantinha brilhantemente iluminado nas sombras pesadas do crepúsculo, projetando jatos de luz argêntea pelos campos cultivados, recamados de flores... E ele subia, subia... guiado pelos cânticos, certo de que Ruth ali estava... Mas subia as mesmas escadarias que o haviam conduzido, doze anos antes, acompanhado da sua centúria de cavaleiros, para a exterminação dos huguenotes...

Emoção insólita, cruciante, como se venábulos torturantes se entrecruzassem, dilacerando suas fibras mais sensíveis, suplício somente compreendido pela alma já vergastada pelas aflições do arrependimento sincero, apossava-se dele gradativamente, a cada passo que trocava, reconhecendo o caminho percorrido... E um vago terror, desconhecido de suas faculdades excitadas pela angústia, precipitava-lhe violentamente o coração...

"Tende misericórdia de mim, Senhor, miserável pecador que sou..." — sussurrou nas profundidades do pensamento. — "Tende misericórdia... Tende misericórdia..."

Encontrava-se agora diante da porta — velha arcada gótica — que deitava para o salão de pregações onde encontrara os pobres huguenotes reunidos doze anos antes. Essa porta estava aberta, tal como as demais por onde ingressara, tal como doze anos antes... Apenas um longo, pesado reposteiro se interpunha entre ele e a sala... Reconheceu o local e murmurou tremente:

— Que Deus me perdoe o hediondo crime... Eu estava louco, meu Deus! O mundo enlouqueceu-me! Ruth! Vou ver-te finalmente, bem-amada!... É aqui o recital...

Mansamente, tímido como um menino que se julga indiscreto, levantou o reposteiro e se insinuou pelo aposento...

A princípio sentiu-se cegar, pois a claridade do salão, feericamente iluminado por luzeiros jamais vistos sequer nos salões do Louvre, ofuscou-lhe a vista. Levou a mão aos olhos, num instinto muito humano de protegê-los, suavizando o choque visual... e avançou alguns passos pelo recinto, cambaleante, meio cego...

Então, o que se lhe deparou à visão, pouco a pouco, o assombro que experimentou o seu Espírito, atingiu as raias de indescritível terror, e uma surpresa intraduzível, aniquiladora, tolheu-lhe os passos, os movimentos, a palavra, até mesmo o pensamento! Quedou-se extático, pregado no local em que se detivera — só, em meio do vasto salão —, a circunvagar para um e outro lado o olhar alucinado, sem mais indagar se ali encontraria Ruth.

É que, ali, à sua frente, achava-se reunida toda a família de Brethencourt de La-Chapelle, exceto Ruth, a mesma família trucidada por seus cavaleiros no massacre de São Bartolomeu! À tribuna, Carlos Filipe de La-Chapelle, o Evangelho do Senhor aberto à frente, sobre uma estante de mesa, recordava o Sermão da Montanha, e repetia enternecido, em voz cariciosa, os olhos marejados de lágrimas, o divino convite do Mestre Nazareno, sempre novo, apesar dos séculos, convite inteiramente desconhecido ainda pelas massas no século XVI e por aquele pecador que, educado num convento, desorientado entre hipócritas, ambiciosos e guerreiros, jamais prestara verdadeira atenção à sua grandiosa significação! E ouvia-o naquele instante, o divino convite, pela primeira vez, por meio da palavra daquele pregador renano, adepto de Lutero, cujo corpo carnal fora abatido por sua ordem, na tragédia de São Bartolomeu: "Vinde a mim, vós que sofreis e estais sobrecarregados, e Eu vos aliviarei. Aprendei comigo, que sou humilde e manso de coração, e encontrareis descanso para as vossas almas, porque o meu peso é suave e o meu jugo é leve..."

Sim, era bem ele! Carlos, o irmão que Ruth adorava! Aquele, cujo coração fora trespassado por uma espada, sob o seu comando! A seu lado o pai, o velho conde Filipe... e os demais irmãos de Ruth, suas cunhadas, os sobrinhos que ela tanto amava, crianças formosas e louçãs como flores na primavera e raios do sol no estio... E mais acima, sobre o estrado, ao lado da tribuna, uma pequena harpa dourada sobre os joelhos, a condessa Carolina, a mãe de Ruth, a mãe de Carlos, venerada rainha daquela mansão de paz! Céus! Que linda madona era, digna do pincel excelso de Rafael!...[62] E como se parecia com a sua pequena Ruth!

---

[62] N.E.: Rafael Sanzio (1483-1520), pintor, escultor e arquiteto italiano. O seu gênio reunia todas as qualidades: perfeição do desenho, vivacidade dos movimentos, harmonia das linhas, delicadeza do colorido. Deixou grande número de obras-primas. É considerado *o poeta da Pintura*, como Ovídio foi considerado *o músico da Poesia* e como Chopin é considerado *o poeta da Música*.

Era ela, a condessa Carolina, quem cantava!... Mas vendo-o, ela se deteve... Levantou-se, acenou-lhe com a mão, e abriu para ele os braços, como desejando agasalhá-lo...

— Oh, a mãe de Ruth!... A mãe de Ruth! Céus! Que linda madona! — repetia, atraído, confuso, quase aterrorizado...

Tolhido, atônito, fitava uma a uma aquelas personagens sem nada compreender, o pensamento açoitado por turbilhões de suposições audazes, a mente atordoada no exaustivo labor de levantar dos abismos conscienciais as recordações de antigas existências corpóreas, durante as quais vivera no seio daquela mesma família, como filho e irmão dileto! E interrogava-se, entre as penumbras efervescentes do pensamento chocado, enquanto continuava de pé, no meio do salão iluminado, tal o réu no tribunal, à frente dos juízes:

— Quê... Como assim?!... Não os matara, então, por ordem de Catarina, obedecendo a um decreto do governo?... Não os vira, então, ali mesmo, naquela sala, tombar sob os ferros dos seus cavaleiros?... E aquelas crianças?... Como estavam sorridentes, se presenciara os estertores da sua agonia, ao sucumbirem sobre os corpos das próprias mães?... Como estavam, pois, ali?... Ressuscitadas?... Houvera, portanto, o dia do juízo final, sem que ele o soubesse?... Ou seriam também feiticeiros, aqueles huguenotes?... Por que o enlouqueciam assim os seus pensamentos, com aquelas visões?... Que insólito pesadelo esse, dando-lhe a apreciar quadro tão encantador com aquela família reunida entre cânticos sagrados?... Por que o não odiavam, o não insultavam, não atacavam, vingando-se agora, que o viam só, sem a equipagem dos seus cavaleiros, miserável, abandonado, desgraçado?... Por que o não torturavam, atirando-o aos calabouços do Castelo, como Ruth o atirara nos calabouços do Louvre, de entendimentos com a Rainha da França?... Ao revés, sorriam-lhe benevolamente, como se desejassem dirigir-lhe frases amigas... E nenhum desses huguenotes trazia sombras de censuras no olhar límpido e sedutor, semelhante ao saudoso olhar de

Ruth, com o qual o fitavam todos! Seriam porventura santos?... Então! Poderia haver santidade fora da Igreja que ele tanto amara?... Não seriam todos os huguenotes, então, odiosos como Otília de Louvigny e traiçoeiros como a linda Ruth?...

Mas, tal como sucedera doze anos antes, Carlos Filipe descera da tribuna e caminhava ao seu encontro, o livro sagrado do Senhor suspenso nas mãos... Chegara até ele e dissera, estendendo-lhe fraternalmente a destra:

— Vem, Luís... Há quanto tempo nós te esperávamos, irmão querido! Então... Não nos reconheces?...

Sim! Ele reconheceu finalmente, ao contato daquela vontade vigorosa, cujos eflúvios penetrara os arquivos das suas recordações... Reconheceu, mas horrorizou-se! Não correspondeu ao gesto fraterno de Carlos, que lhe estendera generosamente a mão, porque também indigno de tão alto favor se reconheceu! Voltou-se então, alucinado, sobre os próprios passos, com um brado apavorante de dor moral e de angustiosa surpresa, e, correndo qual o louco furioso acossado pelas iras devastadoras do remorso e da vergonha implacável, desceu as escadarias, atravessou os pátios, o rosto oculto entre as mãos como o teria feito Caim errando nas trevas sob o eco das inquirições da palavra divina, apoucado, humilhado diante de si mesmo, da própria natureza e do próprio Deus, e deixou o Castelo... Embrenhou-se pelos campos, sufocado no choro violento e inconsolável do réprobo, a quem nada satisfaz! E pelos ares, e por meio das vibrações do éter infinito, nas ondas ilibadas que aos Céus elevam o eclodir da dor dos desgraçados sinceramente arrependidos dos próprios erros, um único soluço repercutiu naqueles momentos em procura do seio misericordioso do Todo-Poderoso, para a súplica verdadeira, suprema:

— Perdoai, Deus! Meu Deus! Perdoai-me!... Massacrei aqueles mesmos que meu coração tem amado através dos tempos!... A família que não tive! A *minha família*, cujo amor vivia sepultado nos refolhos do meu coração, como saudade incompreensível e torturante!... Perdão, meu Deus! Perdão, eterno Deus!

Compreender a intensidade de tais lágrimas, derramadas pela dor incomensurável de um coração ferido por si próprio, será trabalho impossível à fragilidade da mente comprimida pelas barreiras carnais, a qual desconhece expressões com que traduzir a espécie de martírio moral de um Espírito atormentado pelos remorsos! Luís já não pensava em Ruth, já não a procurava, tal era a dor que aniquilava suas faculdades. Pensava, sim, naquela mãe cuja ausência de sua vida tanto o infelicitara, compreendendo, porém, que o amor materno, pelo qual seu coração ansiara, não seria, certamente, o daquela que o abandonara ainda no berço... mas o amor da formosa madona que acabara de encontrar e em quem reconhecera *a sua verdadeira mãe* — porque aquela que, espiritualmente, o amava maternalmente — e cuja ausência o amargurara sempre, da qual sentia que era filho, que fora seu filho em existências mais antigas, e a quem, no estado espiritual, amava filialmente. Pensava naquela família reunida, na qual reconhecia *a sua família espiritual*... e a quem, cego pelo orgulho e pelo fanatismo sectarista, não reconhecera nem mesmo pela vaga atração sentimental que na Terra se estabelece, tornando-nos afins e amigos leais daqueles a quem amamos em encarnações passadas! No entanto, os corpos carnais que aqueles amados Espíritos acabavam de ocupar numa existência apartada dele próprio, foram trucidados sob suas ordens no grande morticínio de São Bartolomeu! E então, desolado e sofredor, agora vagava em torno do Castelo, embrenhando-se pelos bosques em correrias desabaladas, voltando aos portões sempre abertos, à sua espera, em alternativas cruciantes, considerando-se, porém, indigno de transpor-lhes os umbrais, rondando as muralhas, luminosas como se sóis benditos nelas projetassem jorros de ouro, contemplando suas janelas feericamente iluminadas, que esplendiam para os bosques e os campos claridades santas que o atraíam e fascinavam como que o convidando a voltar, a penetrar o recinto amoroso onde todos o receberiam de braços abertos e corações saudosos... Ouvia os doces cânticos, enamorado e atento, mas desencorajado de retornar a ouvi-los de mais perto, desesperado, chorando convulsivamente o pranto inconsolável do pecador que se arrepende...

E pelas imediações onde doze anos antes se erguia o Solar de La-Chapelle, os camponeses que passavam eram unânimes em asseverar que as ruínas do Castelo se haviam tornado temerosas desde que começara a ser notada a alma sofredora e atribulada de um ex-cavaleiro da Guarda Real, trazendo no peito a cruz branca do dia de São Bartolomeu, de sinistra memória, chorando em gritas atrozes qual um réprobo inconsolável, rondando o triste local, apavorado, alucinado...

2

GLÓRIA AO AMOR!

[...] Sobre os elementos materiais disseminados por todos os pontos do espaço, na vossa atmosfera, têm os Espíritos um poder que estais longe de suspeitar. Podem, pois, eles concentrar à sua vontade esses elementos e dar-lhes a forma aparente que corresponda à dos objetos materiais.[63]

---

[63] N.E.: KARDEC, Allan. *O livro do médiuns*, cap VIII, it. 128. Ainda Allan Kardec, no volume *A gênese*, capítulo XIV, "Os fluidos", entre outras interessantes explanações sobre o assunto, vemos as seguintes: "Ação dos Espíritos sobre os fluidos. Criações fluídicas. Fotografia do pensamento. – Os fluidos espirituais, que constituem um dos estados do fluido cósmico universal, são, a bem dizer, a atmosfera dos seres espirituais; o elemento donde eles tiram os materiais sobre que operam; o meio onde ocorrem os fenômenos especiais, perceptíveis à visão e à audição do Espírito, mas que escapam aos sentidos carnais, impressionáveis somente à matéria tangível; o meio onde se forma a luz peculiar ao mundo espiritual, diferente, pela causa e pelos efeitos da luz ordinária; finalmente, o veículo do pensamento, como o ar o é do som.
Os Espíritos atuam sobre os fluidos espirituais, não manipulando-os como os homens manipulam os gases, mas empregando o pensamento e a vontade. Para os Espíritos, o pensamento e a vontade são o que é a mão para o homem. Pelo pensamento, eles imprimem àqueles fluidos tal ou qual direção, os aglomeram, combinam ou dispersam, organizam com eles conjuntos que apresentam uma aparência, uma forma, uma coloração determinadas; mudam-lhes as propriedades, como um químico muda a dos gases ou de outros corpos, combinando-os segundo certas leis. É a grande oficina ou laboratório da vida espiritual." (it. 13 e 14.)
No item 3, leremos: "No estado de eterização, o fluido cósmico não é uniforme; sem deixar de ser etéreo, sofre modificações tão variadas em gênero e mais numerosas talvez do que no estado de matéria tangível. Essas modificações constituem fluidos distintos que, embora procedentes do mesmo princípio, são dotados de propriedades especiais e dão lugar aos fenômenos peculiares ao mundo invisível. Dentro da relatividade de tudo, esses fluidos têm para os Espíritos, que também são fluídicos, uma aparência tão material, quanto a dos objetos tangíveis para os encarnados, e são, para eles, o que são para nós as substâncias do mundo terrestre. Eles os elaboram e combinam para produzirem determinados efeitos, como fazem os homens com os seus materiais, ainda que por processos diferentes."

Será tempo de o leitor se inteirar do que realmente se passava com o Espírito do antigo Capitão da Fé.

Ele revia, efetivamente, o Solar de La-Chapelle reconstituído em condições aprimoradas de grande beleza. Não obstante, para olhos humanos como para as percepções inferiores do Espírito obsessor Otília de Louvigny, no mesmo local nada mais existiria senão ruínas abandonadas, campos agrestes, silvas lembrando ainda as depredações que destruíram as antigas searas.

Luís de Narbonne estava longe de ter sido personalidade humana má ou perversa quando encarnado. De hábitos severos, bondoso no trato com os semelhantes, modesto e leal, temperante e honesto, apenas o fanatismo religioso, o preconceito exacerbado de uma paixão sectarista levara-o a aquiescer ao desejo de Catarina de Médici, que o induzira a participar do atentado do dia de São Bartolomeu. Ele o fizera, porém, consoante já o asseveramos, convencido de que cumpria sagrado dever religioso, certo de que a Reforma seria um insulto às leis da Igreja, as quais, por sua vez, considerava reflexo das leis do próprio Cristianismo, e a este igualmente supunha amar e respeitar, quando todo se consagrara àquelas violências. Espiritualmente, tão complexa personagem pertencia à família de La-Chapelle, essas almas afins e amorosas em cujo seio ele havia reencarnado durante várias existências passadas, a quem amava singularmente... mas da qual, no século XVI, por uma dessas experiências decisivas, usuais na marcha de um Espírito através dos testemunhos, ou provas do progresso, se havia temporariamente separado, intentando, como Espírito, medir o próprio valor pessoal, longe da vigilância terna de seres que, por muito o amarem, poderiam até mesmo, com as suas reiteradas solicitudes, retardar a ação do seu livre-arbítrio na conquista de uma ascensão meritória. O orgulho religioso, no entanto, as malévolas insídias de uma política opressora e intolerante, influindo poderosamente no seu caráter ainda frágil e irresoluto, que nessa época, desde o berço, por circunstâncias melindrosas, se prestava ao comodismo de uma cega subserviência; o jugo farisaico de um domínio sectarista que se mascarava de piedade religiosa para melhor sugar os valores do mundo, haviam-no desviado do cumprimento do dever, no momento exato dos mais importantes testemunhos... e ele cedera ao extermínio sacrílego do próximo, comprometendo o próprio futuro espiritual por períodos seculares e cavando superlativas dores morais para si próprio, em cujo abismo haveria de receber rijas lições, experiências redentoras que lapidassem de vez as tortuosidades de seu feitio pessoal. Fizera-o, porém, contra aqueles a quem espiritualmente idolatrava, aqueles dos quais se separara na existência em apreço, o que o tornara insatisfeito e infeliz, um triste que se dera sem restrições à ortodoxia de uma crença religiosa, em vez de cultivar o amor pelos semelhantes — conforme recomendações do excelso Mestre do Cristianismo — fanatismo que o amor ao próximo teria corrigido, equilibrando-lhe a razão e o coração, à falta da família que não conseguira possuir, como também evitaria que mais tarde, já habitando o mundo invisível, passasse pelo vergonhoso desespero de constatar que, por não ter sabido devidamente respeitar e amar a pessoa do próximo, ferira de morte aqueles por quem, contrariamente, teria dado a própria vida!

Ora, a família de La-Chapelle, reunida na ocasião por uma concessão feita pelos altos poderes espirituais, em virtude dos méritos pessoais conquistados por todos os seus representantes, amava profundamente, no estado espiritual, o pobre Luís de Narbonne. Tratava-se de Espíritos sinceramente afeitos às virtudes do Cristianismo, com exceção de Ruth, os quais, desde o terceiro século do advento da excelsa Doutrina, vinham apresentando testemunhos dignos dos verdadeiros discípulos do bem. Durante a permanência na erraticidade, desejando acelerar o próprio progresso, pediram e obtiveram o martírio pela grandeza do nome do Senhor, desde que daí adviessem exemplos regeneradores para a pessoa do seu próximo. E, assim sendo, já devidamente trabalhados para o feito glorioso, no século XVI, integrados no seio da Reforma para a defesa do evangelho, a mais generosa e sublime ideia que na época se poderia contrapor aos abusos oriundos da falsa prática do Cristianismo, sucumbiram a um desumano atentado, o que para todos eles constituiu a mais augusta vitória![64]

Uma vez no Além-túmulo, esclarecida e feliz ante o dever cumprido e o triunfo conquistado pelo amor à sublime causa do Mestre divino, uma única preocupação toldava as alegrias da família de La-Chapelle: a situação moral, perante as leis eternas, de Luís de Narbonne, de Ruth e de Otília. Propuseram-se então aos labores de auxílio à recuperação de tão queridos Espíritos ainda embaraçados entre as armadilhas das próprias inferioridades. Dentre os três, entretanto, era de Narbonne, apesar de tudo, o que apresentava índices maiores para recuperação mais rápida, visto que nem no seu coração e tampouco em sua mente se desenvolviam as sombras do ódio destruidor. E por isso, desde o início procuraram auxiliá-lo em quanto estivesse ao alcance das suas possibilidades, não obstante o estado vibratório do antigo cavaleiro lhes não permitir recursos tão eficientes quanto os que desejariam oferecer. Assim, sugerido fora à atribulada entidade a visita às antigas terras de La-Chapelle, no intuito de afastá-la do ambiente mórbido e deletério, retentor de impressões chocantes, da cidade de Paris, e visto que a ideia de tal visita, em busca de Ruth, seria o ponto de apoio com que contavam para o despertar do pobre pecador, na vida de Além-túmulo, o choque consciencial e sentimental mais eficiente para encaminhá-lo ao estudo da própria situação e atingir a alvorada do progresso.

No Além-túmulo, já bastante conhecida se tornou esta exposição: a mente espiritual cria com facilidade, por um ato da própria vontade, que tanto pode ser raciocinado e, portanto, provocado, meticuloso, perfeito,

---

[64] N.E.: Nem todos os massacrados durante os dias terríveis de São Bartolomeu seriam Espíritos abnegados e heroicos que voluntariamente se deram ao martírio por amor ao Evangelho. Muitos outros — e foram a maioria — sofreram a expiação e o resgate de perseguições que, por sua vez, infligiram ao próximo, em épocas diferentes. A tragédia de São Bartolomeu constituiu calamidade social que se prolongou no Além-túmulo e cujas consequências ainda hoje perduram, porque repercutem na sociedade terrena atual, sob dolorosos resgates e reabilitação daqueles que nela tiveram participação, e dos que, vítimas que não souberam perdoar, dos algozes de ontem se vingaram através das reencarnações, criando climas dramáticos para suicídios, obsessões, desastres etc., amarguras profundas e insolúveis pelas forças humanas, para cada um em particular e para as sociedades da Terra e do Invisível. Alguns desses delinquentes, integrados hoje nas claridades da Terceira Revelação, como reencarnados, reconstroem o que naquela época destruíram.

como espontâneo e involuntário, os próprios cenários ou ambientes em que preferirá viver. Será sinistro e trevoso esse cenário, belo e artístico, suntuoso ou modesto, consoante forem as possibilidades e méritos de cada um para executá-lo, o poder da sua vontade e do seu progresso, seu desenvolvimento moral-intelectual, sua simplicidade e seu desprendimento ou suas necessidades. Frequentemente, as entidades portadoras de maior adiantamento ou méritos edificam para si o ambiente que melhor lhes fala ao coração e às necessidades; e, sob o cinzel caprichoso da própria vontade, servindo-se de essências e fluidos cósmicos que o poder da Criação disseminou pelo universo, como origem fecunda e infinita de tudo quanto existe e existirá, criam para si mesmas, como para outrem por quem se interessem, sozinhos ou reunidos em grupos afins, as paisagens e os cenários que desejarem.

Assim foi, portanto, que a família de La-Chapelle, no intuito de se reunir de quando em quando para docemente recordar o passado terreno que tão grato lhe fora, resolvera edificar, valendo-se do poder mental vigoroso que possuía, nas imediações atmosféricas do local onde outrora se erguia a sua residência terrena, uma reconstituição fluídica da mesma. Nesse auspicioso asilo espiritual continuava Carlos Filipe a evangelização de almas frágeis e simplórias, recém-desencarnadas, sedentas de luz e reconforto, desconhecedoras ainda dos verdadeiros ensinamentos cristãos, e até mesmo de criaturas ainda presas à existência corporal, cujos Espíritos para lá eram atraídos durante o sono do envoltório carnal, assim recebendo elucidação evangélica, enquanto dormiam.

Tratando-se de pequena falange de individualidades espirituais dotadas de pronunciados méritos, porque devotadas à legítima causa do bem, além de que também eram intelectuais e artistas de grande sensibilidade, a reconstituição fluídica do solar apresentou-se como um cenáculo de belezas indescritíveis, joia de arquitetura estruturada em raios de luzes multicores, em neblinas e gases cintilantes, cuja visão arrebatava. Tal como a muitos outros Espíritos necessitados vinham fazendo, no afã abendiçoado de auxiliar e consolar incansavelmente, para ali mesmo esperavam atrair a infeliz ovelha transviada, isto é, Luís de Narbonne, num afetuoso trabalho de proteção, visando ao seu reajustamento moral-espiritual. E assim foi que, enquanto o sofredor Espírito Luís se debatia contra os próprios prejuízos, ali permaneciam, pacientes e vigilantes, em orações e súplicas para que este se animasse a procurá-los. Não lhes seria lícito, perante as leis morais que regem a evolução das criaturas, partirem em busca do protegido, com ele instando para que se encorajasse a retornar ao Castelo, reunindo-se à família, o que seria o mesmo que forçá-lo a progredir. A lei da vontade livre exigia que o trabalho de arrependimento elaborasse na individualidade do pecador o sincero desejo, espontâneo e decisivo, de se reunir à família, o que também seria um largo passo para a reabilitação que se tornava necessária. Haviam feito o que lhes fora possível, assim que nele descobriram aspirações a um melhor estado de consciência: atraí-lo até ali, furtá-lo ao ambiente angustiante da cidade dos Valois-Angoulême, levá-lo a recordar os indestrutíveis laços que espiritualmente o ligavam aos de La-Chapelle, e que foram esquecidos pelo orgulho e a paixão sectarista durante a encarnação; favorecer-lhe a possibilidade de um severo exame de consciência com a visão deslumbradora de toda a família — a sua família —, amorosamente reunida à sua espera. E permaneciam atentos ao primeiro impulso do bem-amado rebelde: luzeiros projetados sobre ele, convidando-o a orientar-se, a examinar-se nas trevas dos próprios padecimentos, para que de vez se decidisse a resoluções heroicas.

Quanto tempo levara o condenado vagando em torno do Castelo cintilante e lindo, ardendo em desejos de para lá também entrar e atirar-se nos braços daquelas criaturas amadas em outras vidas, mas considerando-se, a si mesmo, indigno de tal felicidade?... Quantas vezes investiu até aqueles portões solenes, transpôs os pátios e depois voltou desencorajado, desfeito em lágrimas?...

Ele próprio não poderia medir o tempo que tal suplício moral havia vergastado a sua alma! Para a entidade vergada a tal martírio, os minutos se afiguram séculos, as horas serão intensas como os milênios... e, soçobrados na própria dor, perdem a noção do tempo para se julgarem para sempre submersos no horror que cavaram no próprio ser, horror que, no Além-túmulo, é o inferno da alma delinquente e endurecida...

Todavia, um dia raiou para o infeliz de Narbonne a aurora de resoluções heroicas.

Sentia-se exausto. Um impulso afetivo irreprimível, uma saudade impetuosa daquela família que ele sabia além, reunida à sua espera, levou-o novamente até os pátios, que se diriam igualmente iluminados por auroras irisadas. Em prantos penetrou, correndo, os batentes sempre desimpedidos... Subiu, louco de ansiedades e impressões atordoantes, as escadarias imensas, que longos tapetes recobriam, e onde dançavam raios sutis e policrômicos de um Sol desconhecido, incomparável.[65] Venceu o primeiro andar e encaminhou-se para o segundo, onde sabia reunida a assembleia... Guiava-o, como sempre, a doce melodia ao som da harpa... e agora só havia o reposteiro...

Num impulso rude, tal como da primeira vez, ele rompeu a frágil barreira, penetrou na sala e orientou-se...

Sim, ali estavam todos...

A condessa Carolina levantou-se pela segunda vez, estendendo-lhe os braços... Levantaram-se os demais, graves, solenes, enquanto as crianças sorriram satisfeitas... À tribuna, Carlos Filipe, o pregador do Evangelho do Senhor, virava uma página do Livro Sagrado, ainda posto sobre a estante de mesa, à sua frente... E a melodia evangélica penetrou, comovida e edificante, no recesso da alma daquela ovelha que retornava ao aprisco, por intermédio da leitura expressiva do versículo 7 de *Lucas*, no cap. 15: "...Digo-vos que, assim, haverá mais júbilo nos Céus por um pecador que se arrepender do que pela entrada nele de noventa e nove justos que não necessitem de arrependimento."

---

[65] N.E.: Vide *A gênese*, de Allan Kardec, Cap. XIV – "Os fluidos".

Então um choro convulsivo ecoou pela sala qual um brado solene de triunfo. Luís de Narbonne, sufocado pelas próprias lágrimas, atirou-se aos pés da condessa Carolina, a sua mãe de outras etapas reencarnatórias, cuja saudade se conservava latente, inapagável, em toda a trajetória da existência que acabava de deixar... Cobria de beijos fervorosos as suas mãos delicadas e translúcidas e as dobras dos seus vestidos vaporosos como as neblinas iluminadas de Sol, enquanto bradava inconsolável:

— Perdoa, mãe querida e inesquecível, perdoa, por Deus! Perdoai-me todos vós... eu vos suplico de rastos... Perdão, meu Deus! Perdão, meu Deus!...

Aproximara-se o velho conde. Chegara Carlos Filipe, o primogênito, que se diria o preceptor espiritual da pequena falange, como também o fora durante o estágio terreno... E toda a família, cada um por sua vez, depôs na fronte humilhada do culpado o ósculo santo do amor espiritual.

Carolina tomou-o nos braços, aconchegando-o de mansinho de encontro ao coração, como somente as mães o sabem fazer, e, após seu beijo materno naquela fronte torturada e arrependida, sussurrou docemente, para que só ele e o Todo-Poderoso pudessem ouvir:

— Dorme, meu filho, sobre o coração de tua mãe...

E Luís de Narbonne, finalmente, adormeceu nos braços maternos...

3

O ANTIGO PACTO

A primeira impressão que de Narbonne sentiu, ao despertar, foi de vergonha, em face da família espiritual reunida para recebê-lo na vida do Invisível. Tristeza infinita se patenteava em sua individualidade espiritual. Encontrava-se ainda na mesma sala, agora, porém, sentado sobre grande almofada como de pelúcia, que as pequenitas lhe ofereceram, no estrado em que se deixara ficar a condessa. Rodeavam-no todos os filhos do antigo casal, suas esposas e as cinco crianças, em atitude amiga, reconfortadora. Ele contemplou-os um por um e depois circunvagou o olhar interrogativo pelos recantos do salão, perquirindo por mais alguém, que se não encontrava presente. Calou-se no entanto, fiel à antiga disciplina conventual, que proibia indagações de quaisquer naturezas diante de superiores, pois Luís de Narbonne reconhecia a própria inferioridade diante da família de La-Chapelle. Mas, de súbito, exclamava num longo suspiro, enquanto osculava as mãos protetoras daquela a quem considerava sua verdadeira mãe:

— ...E dizer-se que vossa generosidade me recebe ainda como filho e irmão... ligado a vós outros por indestrutíveis laços espirituais...

— Assim é, querido filho — respondeu o velho conde Filipe –, mais de uma existência planetária nos há visto unidos no mesmo círculo familiar, tu inclusive... Espiritualmente jamais estaremos separados, ainda que experiências importantes para o progresso individual às vezes nos obriguem a uma ou outra reencarnação fora do círculo afim, como acaba de suceder contigo...

— Fali, bem sei, nessa dura experiência que me foi necessária... Não passo de um réprobo diante daqueles a quem mais amo... Que digo eu?... Diante de mim mesmo e do próprio Deus...

— Nem tanto assim será... Mais tarde examinarás melhor a situação em que te encontras — cortou a condessa, desejando não vê-lo afligir-se inutilmente. — Por agora, agradeçamos ao Senhor pela satisfação da grande vitória de vermos Luís voltar voluntariamente aos nossos braços...

Ele, porém, circunvagou o olhar pelos recantos do salão pela segunda vez, à procura de alguém que continuava ausente. Viram que profundo suspiro se exalava do seu peito sofredor, e compreenderam todos a um mesmo tempo:

— Procura a nossa pobre Ruth...

Oraram fervorosos e submissos, no culto sincero ao Altíssimo. A prece, feita em comum com os entes amados, reconfortou-o poderosamente. Dir-se-ia que bálsamos vitalizantes acenderam energias novas em sua alma. As crianças rodearam-no, simples e sorridentes, fitando-o com interesse. Acariciou-as benévolo... e reparou longamente em três delas, como se precioso trabalho de reminiscências se operasse em sua consciência... Abraçou-as finalmente, com efusão e carinho, enquanto derramou copiosas lágrimas, sussurrando em queixumes entrecortados, tremente e apavorado:

— Deus do Céu! Meus filhos! Foram meus filhos, Senhor!

— Sim, Luís, foram teus filhos estes pequenitos, numa existência anterior a essa que deixaste — confirmou a condessa Carolina.

As recordações das migrações terrenas, anteriores à que se findara nos subterrâneos do Louvre, então acudiram, em atropelo, fazendo-o sofrer, pois compreendia agora, tardiamente, o erro terrível em que incidira, vitimando aqueles mesmos a quem mais havia amado, no passado remoto do seu destino.

Carlos Filipe, porém, após as mãos diáfanas sobre sua fronte, em compassivo gesto de solicitude, e advertiu grave e comovido:

— Sim, foram teus filhos, a quem muito amaste em passadas vidas, a quem continuas amando ternamente, como Espírito... Para evitar situações dolorosas como a tua, no mundo espiritual, meu pobre Luís, deu-nos o Criador o código supremo da sua lei, que prescreve o mandamento máximo do "Amar a Deus sobre todas as coisas e ao próximo como a si mesmo" — pois aquele que devidamente respeita a Deus e ama o seu próximo, incapaz será de uma ação ofensiva contra quem quer que seja... incapaz será, mesmo em migrações terrenas em que os interesses espirituais o obrigarem a reencarnar desacompanhado dos seus entes queridos, de feri-los de forma irremediável, como lamentavelmente acabas de fazer para tua própria desventura... Vê, Luís, que a Lei suprema protege a evolução da criatura, para ela traçando felizes roteiros, conducentes à paz de consciência, que é também a plenitude da observância dos seus postulados... e que a própria criatura, invigilante e impulsiva, deles se desviando, presa às suas paixões, é que para si própria escancara os abismos da dor, dos quais se não erguerá enquanto sua consciência permanecer desarmonizada consigo mesma... Não lamentes excessivamente esse passado em que acabas de sucumbir à tentação do poder arbitrário, do fanatismo sectarista... Cogita antes de adquirir forças para a reabilitação que se impõe... e tem esperança e ânimo forte, que o Senhor saberá prover o de que necessitares para poderes vencer...

* * *

Entrementes, Ruth, a formosa renana, a quem o Espírito atribulado do Capitão da Fé procurava com ansiedade na reunião espiritual em que tomava parte, vivia ainda sua existência terrena, razão pela qual não se poderia encontrar ali entre os seus — ainda que possuísse méritos para tanto. Continuava ao lado do esposo, amargando, porém, presa a um leito de dores, os derradeiros dias da sua desventurada existência. Nos primeiros tempos após o matrimônio, lograra dias menos tormentosos, graças à paciência e docilidade do marido, verdadeiramente fraternais. Mas, com o decorrer do tempo, agravando-se seu singular estado de apreensões e remorsos pelo drama que criara para o homem que, embora culpado, tanto a havia amado, não mais conseguira um só dia de paz, convertendo-se em legítimo inferno a vida que arrastava. Frederico repartia-se em dedicações edificantes, pois que amava a esposa. Adepto fervoroso da Reforma, tentara atraí-la para o culto devotado do Evangelho, certo de que daí lhe adviriam inestimáveis benefícios para a recuperação moral. No entanto, Ruth, que confessava haver traído o Evangelho ao se vingar de de Narbonne, negava-se a atendê-lo, declarando não se julgar digna sequer de tocar aquele com os olhos. Em vão Frederico requisitara para junto dela os melhores médicos do país e tentara distraí-la com festividades e viagens. Depressa, a jovem renana fatigou-se, declarando preferir conservar-se alheia ao mundo, vivendo antes com as próprias recordações. Frederico era jovem e poderoso. Conquanto se conservasse dignamente no seu posto de príncipe e de esposo, pouco a pouco se resignou à indiferença de uma esposa que, embora confessando amá-lo, não encobria que também muito queria à recordação de outro homem... e, assim, sentindo o coração despedaçar-se, procurou libertar-se das torturas das apreensões entre as alegrias e burburinhos da sociedade...

Ruth então se contemplou frequentemente só entre as sombras do imenso Castelo de seu generoso esposo. Um estado acentuado de neurastenia dominou seus nervos, e durante horas e dias inteiros entregava-se a tristezas pungentes, presa a uma janela, fitando o horizonte que indicava a França ou sucumbindo a continuado pranto, indo e vindo pelas salas e corredores da grande residência, descendo e subindo escadarias, até tombar fatigada, exangue, agora pronunciando o nome de Luís de Narbonne ternamente, a rogar-lhe perdão pela traição inominável; depois, bradando por sua mãe e seu inesquecível Carlos, suplicando socorro contra o espectro de Otília de Louvigny, que a torturava, afirmando-lhe que ela própria, Ruth, não cumprira o juramento outrora prestado, pois Luís, que fora preso, encontrava-se agora em liberdade, transitando pelas ruas de Paris e até pelos campos de La-Chapelle.

O fato era, porém, que, realmente, o Espírito odioso Otília, detido em sua pecaminosa inferioridade de obsessor de Luís, voltava-se agora contra a própria Ruth, com maior ascendência do que nunca, porquanto, deparando com o Espírito já liberto do infeliz conde de Narbonne, e não possuindo clareza de raciocínio para compreender que o desgraçado sucumbira na prisão, libertando-se desta, graças à morte do próprio corpo carnal, supunha-o evadido, pois sua amiga de infância, por ele certamente se apaixonando, ludibriara-a, favorecendo-lhe a fuga e, assim, deixando de cumprir o juramento prestado sobre as páginas da *Bíblia*, de desgraçá-lo para vingar a morte de Carlos Filipe. Operava-se então o gravoso enredamento psíquico, assaz comum em Além-túmulo entre cúmplices de um mesmo crime: enraivecida contra a infeliz jovem e plenamente com esta identificada pelos sentimentos bastardos dos quais resultara o pacto demoníaco — elo de trevas que as atava ao âmbito de vibrações análogas —, voltava-se para Ruth, exercendo possessão mental definitiva, como antes exercera a sugestão. Era a obsessão formal, irremediável, tão comum em todos os tempos entre aqueles que se desviam do cumprimento das leis do dever! E isto seria para a desventurada Ruth Carolina o resultado justo do sacrílego desrespeito às normas evangélicas que, como adepta da Reforma, não poderia desconhecer!

Frequentemente Frederico ou dama Blandina, compreendendo-a excitada, presa de angustiosas depressões, estado tão comum às criaturas que se deixam obsidiar pelos Espíritos inferiores, convidavam-na à prece, instando para que acedesse em compartilhar do culto diário, como de uso entre os reformados. Porém, a resposta fria, desoladora como o próprio drama que entenebrecera a sua vida, anulava os bons propósitos daqueles amigos que seriam como guias compassivos que lhe apontassem o único recurso possível para remediar tantos infortúnios:

— Não posso, não posso! Vivo submersa em trevas! Não sou digna das luzes do Evangelho... Sobre ele tripudiei, desobedecendo aos seus mandamentos... Sou renegada... irremediavelmente perdida...

— Ruth, minha pobre amiga — insistia Frederico angustiado, mas convicto —, o Senhor veio a este mundo por amor aos pecadores... Arrepende-te do teu crime... Ora em segredo a nosso Pai e Criador, rogando a sua complacência... Pratica obras meritórias de amor ao bem... e verás que bálsamos celestes aplacarão as agitações da tua consciência...

Todavia, a resposta tornava, na sua isocronia irritante, intransigente e gelada como a própria desolação que a aniquilara:

— Não posso, não posso! Não há perdão para mim nas leis do Eterno!

Nessa infernal disposição, sem haver logrado um único dia de verdadeira felicidade e tornando infelizes quantos a rodeavam, Ruth vencera doze longos anos! Tentara obter notícias de Luís de Narbonne, na esperança de que seriam exatas as exprobrações do fantasma de Otília, que a acusava e perseguia por julgá-la infiel, favorecendo a fuga daquele. Para tanto, convencera o marido a enviar um agente secreto a Paris, a fim de investigar o paradeiro do infeliz Capitão da Fé. Durante o tempo de espera, sentiu-se reanimar, na expectativa de que seria provável que este, possuindo tantas relações entre a nobreza, lograsse escapar à armadilha que ela e Catarina haviam preparado, o que a eximiria dos remorsos que a vergastavam. Mas, escoados que foram três meses de angustiosa expectativa, retornara o serviçal, asseverando que, a despeito dos esforços empreendidos, somente conseguira obter a versão de que o conde desaparecera inexplicavelmente da noite para o dia, sem que jamais se soubesse do seu paradeiro... constando, porém, que a Rainha-mãe o teria mantido prisioneiro, em alguma masmorra secreta...

Então recaiu ela nas fráguas consumidoras do seu inferno, enquanto, por sua vez, Otília, revoltada, a torturava, pedindo-lhe contas do inimigo a quem quisera desgraçar, ao qual acabara de perder de vista...

Agora, gravemente enferma, sucumbida sob a devastação de áspera doença de peito, era esperado a todo momento o seu desenlace. Bondosos amigos por ela velavam, fiéis à consideração pelo respeitável titular que lhe dera o nome, enquanto este, esposo dedicado até o fim, e apoiado em generosa conduta evangélica, lia e relia à cabeceira da agonizante consoladoras passagens bíblicas, como desejando criar, para a infeliz descendente dos nobres de La-Chapelle, a possibilidade de apaziguamento consciencial para a hora solene do seu trespasse.

Havia já algumas horas que a formosa Ruth Carolina entrara em agonia. De pé, diante do leito, bendizendo a Deus por haver permitido cessassem os cruciantes sofrimentos daquela linda jovem, que se muito errara também muito padecera e expiara, Frederico de G. enxugava discretas lágrimas, acompanhado de parentes e amigos. Em dado momento, a agonizante abriu desmesuradamente os olhos, como se a vida desejasse retornar ao já enfraquecido organismo. O deslumbramento de consoladora surpresa como que transfigurou suas faces já atingidas pela maceração da morte... e um doce sorriso aflorou naqueles lábios que desde muitos anos haviam esquecido o contato das alegrias do mundo. Ela soergueu a pobre cabeça, num gesto imprevisto, e estendeu os braços para o vácuo, exclamando debilmente, causando assombro entre os presentes:

— Minha mãe! Meu pai! Luís de Narbonne! Ó, Luís! Até que enfim, viestes todos ao meu encontro!...

Caiu desfalecida sobre as almofadas... e naquela mesma noite Frederico de G. lhe cerrou os olhos, piedosamente...

Conclusão

A magna carta

O homem sofre sempre a consequência de suas faltas; não há uma só infração à Lei de Deus que fique sem a correspondente punição.

A severidade do castigo é proporcionada à gravidade da falta.

Indeterminada é a duração do castigo, para qualquer falta: fica subordinada ao arrependimento do culpado e ao seu retorno à senda do bem; a pena dura tanto quanto a obstinação no mal; seria perpétua, se perpétua fosse a obstinação; dura pouco, se pronto é o arrependimento.[66]

Esta história, leitor, não tem, por enquanto, um verdadeiro desfecho. Será ela antes o drama coletivo de uma humanidade em choques consigo mesma, recalcitrante contra a urgência de se reerguer para a finalidade gloriosa que a espera no seio da verdadeira vida — a espiritual. Não obstante, nos dias modernos se desenrola, sobre os planos terrestres, o epílogo desse drama brutal que acabamos de expor, para se iniciar nova fase de progresso para os vultos que nele se movimentaram. Não ditamos uma ficção. Por meio da leve fantasia do romance — sempre agradável

---

[66] KARDEC, Allan. *O evangelho segundo o espiritismo*, cap. XXVII, it. 21.

aos corações sensíveis e simples, para os quais gostamos de escrever —, citamos fatos que realmente se verificaram entre personagens aqui disfarçadas, sob outros nomes.

Muitos dos dolorosos acontecimentos que agitam as sociedades terrenas tiveram origem nos dias sombrios das perseguições religiosas da Europa, as quais se estenderam durante séculos no seio das Igrejas organizadas e aliadas aos poderes civis. Oprimidos que não souberam esquecer e perdoar opressões, e opressores hoje atingidos pela dor do verdadeiro arrependimento, agora se dedicam — nas últimas etapas para a prestação de contas às leis governadoras do progresso da humanidade — à própria reabilitação, penosamente realizando, dentro ou fora do Consolador, tarefas remissoras à luz do Evangelho do Cristo, que unifica os corações sem jamais decepcioná-los. Dramas, lágrimas, trajetórias dolorosas, mortes desastrosas ou ignominiosas, indicadoras de inadiáveis e terríveis expiações, e até mesmo suicídios por obsessão, que hoje ferem as criaturas de um lado a outro da Terra, muitas vezes criaram sua origem naqueles malsinados dias de São Bartolomeu e demais perseguições, cujas repercussões ainda toldam muitas consciências! Assim sendo, as personagens desta história, mais diretamente ligadas àqueles acontecimentos, vivem presentemente na Terra as suas derradeiras etapas expiatórias, a fim de merecerem atingir os planos normais do aprendizado redentor. Vemo-los, a Luís de Narbonne e Ruth de La-Chapelle, dedicados e submissos, unidos por laços indestrutíveis do amor espiritual, afeitos ao labor da seara divina nas hostes construtivas e imortais do Consolador, ambos a se ignorarem, mas espiritualmente se buscando por meio da efervescência das vibrações afins, enquanto empregam todas as suas melhores energias e vontades a prol do engrandecimento do Evangelho, sobre o qual outrora tripudiaram. E, sob o patrocínio fraterno daquele amorável Carlos Filipe, que do Além protege seus passos e inspira suas tarefas acerca do dever, fortalecendo-os em momentos críticos ou angustiosos, enaltecendo-os para a aquisição de méritos dignificadores, será de esperar que, para o advento esperançoso do Terceiro Milênio, que se avizinha, quando tantas transformações morais se operarão no planeta, ambos consigam lugar destacado na falange de Espíritos que continuarão a reencarnar na Terra para merecerem servir junto do Mestre e Senhor, dentro de atribuições gloriosas: "Bem-aventurados os mansos, porque possuirão a Terra..."[67]

* * *

Uma vez libertada das formas carnais, Ruth de La-Chapelle, após o período de perturbações comuns ao desprendimento do Espírito do seu túmulo carnal, viu-se, por assim dizer, reunida a Luís de Narbonne e àqueles que foram seus pais terrenos, isto é, a condessa Carolina e o conde Filipe. Não obstante, não lograra possibilidade para retornar à convivência com seu irmão Carlos Filipe e os demais seres amados. Por uma concessão misericordiosa dos planos espirituais superiores, suplicada pela mesma condessa Carolina, fora permitido a Ruth, agora desencarnada, a presença dessa mãe amorosa e dedicada, que entrara a esforçar-se por um trabalho de reeducação no Espírito da filha, cujo caráter revel se prestara a uma ação criminosa que contrariara os códigos da fraternidade recomendada pela lei máxima da Criação. Luís de Narbonne, no entanto, fiel ao seu imenso amor, poderia permanecer ao seu lado o tempo que desejasse, e ele o fazia com grande desprendimento de si mesmo, preferindo com ela permanecer nas regiões inferiores da própria Terra, a seu lado suportando prejuízos inerentes à situação que já lhe não era pertinente, a abandoná-la para atingir melhor condição a que seus grandes sofrimentos, heroicamente suportados, e seu muito sincero arrependimento haviam feito jus. Ele, porém, estaria, quando bem o desejasse, entre aquela família amada, ouvindo-lhe os conselhos, fruindo a satisfação de um aprendizado cristão sob o cuidado de Carlos Filipe, que o cumulava de atenções e imenso carinho. Mas era sempre ao lado de Ruth que preferia demorar-se, o que, se por um lado lhe concedia méritos, uma vez que demonstrava a elevação do coração que soubera esquecer ofensas

---

[67] N.E.: Mateus, 5:5.

e ultrajes, por outro lhe retardava o progresso pessoal, tolhendo-lhe as tentativas de reparações urgentes do passado pecaminoso. Para Ruth, a presença daquele a quem tanto mentira e atraiçoara, na Terra, traduzia suplício permanente, fonte de pesares e desapontamentos insuportáveis. A vergonha de se ver por ele reconhecida em toda a sua indigna atuação de intrigante e hipócrita, a humilhação de ser desmascarada, agora, diante dele, como cúmplice de Catarina de Médici, para sua perda; o desgosto de reconhecer o quanto ele sofrera sob a sua vingança, e que, no momento, era ele recebido e acatado no seio daquela generosa família que sucumbira a um extermínio sob seu comando, ao passo que ela, Ruth, era exilada do grupo afim, justamente porque pretendera nele vingar o destroçamento inominável — e não poder fugir dele e ocultar-se, porque ele a buscaria e a encontraria em qualquer parte para onde se exilasse, constituía um castigo para a sua consciência, que naquele vulto tristonho e sofredor era obrigada a reconhecer um amigo dela própria, cuja devoção só se compararia à que Carlos Filipe lhe tributava.

Certamente que já não o odiava. Liberta do assédio de Otília de Louvigny, pela intervenção de Carolina, Ruth sentia reviver no coração espiritual aquela singular atração que a impelira para ele, num paradoxo que outrora a aterrava. Os remorsos, que infelicitavam sua vida ao lado de Frederico, com ela transplantados para o além, continuavam a não lhe permitirem tréguas. E o pesar de ver Luís praticamente reabilitado perante sua família, ao passo que a ela não seria possível senão entrever seus venerandos pais, constituía o inferno em que se submergia sua individualidade, negando-lhe qualquer possibilidade de tranquilidade e paz. Ademais, no decurso das tentativas de sua mãe, para a instrução a ambos no esboço das reabilitações, fora-lhes facultada a possibilidade de reerguerem dos arcanos da alma as lembranças do pretérito, em antigas existências. E assim sendo, reconheceram-se ligados por laços afetivos desde épocas remotas, tendo sido esposos numa etapa mais recente, quando, então, fora ele filho dessa família generosa, e ela a mãe dos seus filhos queridos... até que, separado, ele, Luís, dela e da família para novas experiências reencarnatórias, necessárias ao carreiro de um Espírito, haviam ambos fracassado, desmerecendo de tornarem a partilhar da glória de junto dela continuarem a reencarnar, enquanto não se elevarem à altura da dignidade espiritual da mesma família.

* * *

Tornara-se insustentável a situação de Luís e sua amada Ruth no Além-túmulo. O âmbito em que se movimentavam, restrito e inferior, não lhes permitia possibilidades satisfatórias de progresso. Ambos, desolados pelas quedas do pretérito, almas tristes e compungidas, apoucadas pelas humilhantes recordações dos antigos erros, não logravam horas de satisfação em parte alguma, senão eterno luto a lhes envolver o coração apavorado ante as consequências dos próprios desatinos. Luís, todavia, mostrava-se arrependido, disposto a tudo suportar, fosse no Espaço ou em nova reencarnação terrestre, a fim de libertar a consciência das sombras ultrajantes do orgulho religioso que o fizera aliar-se a Catarina de Médici para perseguir indefensos filhos de Deus, cujo único crime era pensar de forma diversa dele mesmo, em matéria religiosa. Mas Ruth, se não mais o poderia odiar como o fizera outrora, conservava-se revoltada e inconsolável ante a impossibilidade da convivência com os seus, e muitas vezes, jugulada sob crises de depressões cruciantes, voltava às blasfêmias e às exasperações, e entregava-se a prantos furiosos que lembravam o ranger de dentes da parábola cristã, enquanto vociferava em imprecações desrespeitosas, para que entidades tão pecadoras quanto ela a ouvissem e com ela se impressionassem até a lamentações idênticas, com suas gritas produzindo aterrorizadores coros:

— Onde a justiça decantada daquele Deus de quem outrora me falavam?... Existirá sequer, porventura?... Se existe, por que me abandona a padecer assim?... Como se conciliará essa propalada justiça com as incompreensíveis desgraças que me atingiram?... Então?... Vejo minha família tão amada dizimada por uma coorte de miseráveis... Um miserável, que a comanda, mais carregado de infâmias que os demais, irrompe, um dia, pelo meu lar adentro, até então risonho e feliz... assassina cruamente os meus entes mais caros... eu fico só no mundo, desamparada e desgraçada aos 18 anos... vingo-me do odiento assassino... e ao findar o balanço das responsabilidades, o desgraçado destruidor de vidas pode gozar da convivência de minha família — a mesma por ele trucidada, porque também é a dele mesmo, desde vidas passadas —; meu Carlos protege-o, educa-o, consola-o... enquanto eu sequer poderei entrevê-lo, a ele, Carlos?... Pratico um ato de justiça, entregando-o à prisão, para que jamais torne a desgraçar alguém, e agora sou atormentada por visões macabras, dos mais atrozes remorsos?... E ainda reconheço nas profundidades de minha alma confusa e condenada que amo esse desgraçado?... Estarei porventura louca na imensidão dos infernos?... Por que o amo tanto?... Que efervescências diabólicas tecem em minha alma ciladas assim incompreensíveis e absurdas, para que eu me debata no horror de amar o assassino daqueles a quem mais amei?... Que paradoxo esse, de amá-lo e odiá-lo a um mesmo tempo?... Amo-o! Odeio-o! Quero-o e repilo-o! Se se aproxima, apavoro-me e desejo fugir! Se se ausenta, sofro e me desfaço em lágrimas, ferida pela dor da saudade que me causa a ausência da afetuosa bondade com que, na minha desgraça, me sabe dispensar! Estarei porventura fixada no inferno eterno, de que trata a *Bíblia*?... Não conviverei, então, jamais, com o meu Carlos e com aqueles a quem amei?... pois sei que, certamente, estarão habitando o paraíso?... Mas... Como estarei no inferno se Luís vem até mim e depois regressa ao paraíso, isto é, ao Solar de La-Chapelle?...

Tão grave situação de ambas as entidades implicadas, em claudicações assim contumazes, era insolúvel no mundo espiritual. A necessidade de um retorno à Terra, em vestiduras carnais, a fim de esquecerem o flagelo das paixões cujas consequências morais, acirradas pela intensidade do estado espiritual, os desorientava, urgia para tentativas em prol da própria melhoria. Compreendendo, penalizado, o estado deplorável dos dois delinquentes, Carlos Filipe e seus familiares entraram a aconselhar Luís a se animar a uma vida nova sobre a Terra, de labores construtivos e expiatórios, onde às leis eternas testemunhasse o próprio arrependimento pelos despautérios cometidos em nome da fé, enquanto com ele oraram rogando às forças inspiradoras do Alto o que melhor lhe conviesse. Durante esse período de preparação, indispensável, porém, Carlos instruía-o nas leis do vero Cristianismo, por ele desconhecidas até então, não obstante seus longos estudos teológicos à sombra de um credo mesclado de prejuízos humanos, leis sublimes e redentoras que lentamente contornavam sua alma para a possibilidade de empreendimentos futuros, cujas perspectivas o impressionavam e comoviam. Seu apego a Ruth, inquietando-o poderosamente, impossibilitava a serenidade necessária para o magno feito, visto não ignorar que a reencarnação em vista se efetivaria com a separação temporária entre ambos, a fim de que maior tranquilidade presidisse os testemunhos a apresentar.

Todavia, a reencarnação é lei que se impõe ao Espírito revel, destituído de méritos, cuja consciência pesada antes se afina com as sombras terrenas do que com as claridades espirituais, quanto a morte carnal é lei que se impõe ao homem. Não raro, quando grandemente inferior é o seu caráter, é ele arrastado a novo corpo pela ordem natural e irresistível do progresso espiritual, e a ela se entrega então quase que totalmente desconhecedor do que se passa em torno de si... como alguém que desencarnasse repentinamente, sem absolutamente prever o desenlace que o espreitava num acidente, no teatro ou num passeio. A Luís não era estranha a necessidade de uma reparação construtiva, à vista dos desatinos cometidos. Aceitava-a de boa mente, queria-a, desde que daí resultasse a reabilitação da própria consciência. Mas não lograva forças suficientes para a renúncia a Ruth, embora temporária... e por isso recalcitrava ante a separação que se impunha em seu próprio benefício. Quanto à endurecida entidade Ruth, engolfada nas sombras de si mesma, nada mais pedia senão que a pusessem ao lado de Carlos Filipe, fazendo-a retornar ao lar que tanto amava. Penalizados, obreiros espirituais portadores da divina caridade, desejosos de facultarem ensejos de alívio aos seus cruciantes sofrimentos, ordenaram a Carolina de La-Chapelle, única entidade radiosa que, como mãe que fora, estaria em condições vibratórias para se fazer compreender e obedecer pela infeliz descrente, que a preparasse para o retorno à reencarnação, única medida eficiente para a sua reeducação à base de testemunhos e provações redentoras.

Fiel ao dever, como ao desempenho maternal, a condessa Carolina, certo dia, tomou nos braços a filha, como sempre desfeita em revoltadas lágrimas. Embalou-a docemente de encontro ao coração, como nos dias da sua infância, e falou-lhe com a persuasão que somente as boas mães conseguem em horas solenes:

— Sim! Há um meio, minha filha, de poderes reconquistar o direito de te reunires ao teu Carlos, assim como a todos os que te amam. Um Deus Criador e Todo-Poderoso existe cujas leis perfeitas, imutáveis, eternas, que tu repeles porque ainda não as pudeste compreender, prescreve a supremacia do amor governando o destino das criaturas... Se, pois, amamos a esse Deus e ao nosso próximo como a nós mesmos — tal como recomendam aqueles dispositivos —, estaremos harmonizados com a Lei suprema e tudo sorrirá ao redor dos nossos passos, as flores de uma doce e íntima alegria nos perfumarão a vida, as claridades de esperanças sempre mais arrebatadoras traçarão roteiros de luz para nossas almas... Mas se odiarmos, se renegarmos nosso próximo e o infelicitarmos deste ou daquele modo, se faltarmos com o respeito e a obediência às mesmas leis, nossas almas, nossas vidas e nossos destinos inclinar-se-ão para o desequilíbrio e a desarmonia, e as trevas de atros desesperos se avultarão, interceptando nossa marcha para os estados felizes de consciência... Então, tudo será amargura, dor, desencanto, decepções, desesperações...

"Traíste a suprema Lei de Deus... Odeias, quando a lição é amor! Tu te revoltas, quando o conselho é a mansidão da paciência! Descrês, quando o universo todo nos atrai, convidando-nos à marcha nobilitante dos testemunhos de submissão ao seu Criador! Vingaste ofensas, quando o dever manda perdoar e esquecer as dores sofridas pelas consolações do amor de Deus! Tripudiaste sobre os ensinamentos expostos pelo emissário do Eterno, quando a situação impunha que neles obtivesses forças e coragem a fim de enfrentar e dominar as crises do irremediável! Traíste a tua fé, quando nela poderias encontrar a virtude necessária para viveres em paz, exalçando o nome do Senhor na prática das boas obras, que ela, a tua fé, te inspiraria!

"Nem tudo, porém, está perdido para a tua alma. És imortal! Jamais te anularás no seio da Criação! Por isso mesmo, a ti muito convirá te harmonizares novamente com as leis supremas que infringiste, reparando os delitos que praticaste, corrigindo-os, e, assim, nobilitando-te perante ti mesma e as mesmas leis...

"O Ser supremo, a quem desrespeitaste com os atos pecaminosos praticados contra o teu próximo — Luís de Narbonne —, oferece-te por intermédio de suas leis uma possibilidade de reabilitação. Tal possibilidade é penosa, é dura, é amarga, mas será a única que lograrás obter... Aceita-a, pois, por amor de Carlos Filipe, que te idolatra, por amor de todos nós, que sofremos por tua ausência do nosso círculo familiar... porquanto será esse o único recurso que te fará voltar novamente aos nossos braços..."

A atribulada entidade, muito atenta, fitando o semblante puro daquela que fora sua mãe carnal, e que agora, no Além-túmulo, se tornava a sua conselheira e vigilante espiritual, emocionava-se a cada nova ponderação assimilada... e, compreendendo que houvera uma pausa na importante exposição, atreveu-se a perguntar:

— E essa possibilidade... de obter novamente a dignidade de voltar para vós... estará porventura ao alcance de minhas forças?...

— Depende de ti unicamente...

— Aceito-a, seja qual for...

— Antes mesmo de te inteirares do que se trata?...

— Vós, que me amais, não me aconselharíeis senão algo muito digno e elevado...

Carolina osculou-lhe a fronte e, comovida, prosseguiu:

— Trata-se de renascer outra vez sobre a Terra, para um estágio não muito longo, porém, trabalhoso, rigoroso, no qual expiarás o crime atroz contra Luís de Narbonne... a traição ao Evangelho... o descaso pela própria honra pessoal... a infidelidade a todos os princípios do bem...

Ruth prorrompeu em copioso pranto, exclamando por entre amargurosas convulsões:

— Oh! Foi por amor de vós que pretendi castigar Luís...

— Por amor de nós, minha filha, por amor a nosso Criador Todo-Poderoso, deverias ter-lhe perdoado, e não castigado, pois que somente nosso Deus e Pai estará à altura de nos oferecer corrigenda... Vingando-te dele, castigando-o, foi a ti mesma a quem mais feriste, visto que ficaste com a responsabilidade de infringir o supremo mandamento da Lei eterna... E nem poderás alegar ignorância dessa Lei, pois desde tua infância ouvias que teu nobre irmão nos ensinava a todos — que o Evangelho do Senhor recomendava perdoar as ofensas não até sete vezes, mas até setenta vezes sete...

— Eu sofria, minha mãe, via-me desesperada e só...

— Mas sabias que o convite supremo aos sofredores e desesperados é permanentemente lançado por Jesus, por meio das páginas do seu Evangelho: "Vinde a mim, vós que sofreis, e Eu vos aliviarei..."

— Era tão jovem, querida mãe!... E depois de vossa morte não houve quem me aconselhasse...

— Deus jamais nos deixa órfãos, a sós, minha querida filha! Sua misericórdia se utiliza daqueles que nos cercam para nos auxiliar nas horas difíceis: Gregório e Blandina, não obstante serem humildes servos, eram inspirados pelos Céus para te aconselharem em nossa ausência, a fim de que te detivesses no declive em que voluntariamente te precipitaste... E monsenhor de B., no momento supremo, foi o eco de nossas vozes que te aconselhavam a partir antes de concluíres a traição...

— Desorientei-me, minha mãe! Meu coração sofria a falta das verdadeiras afeições! Todos que me amavam haviam partido para o mundo das sombras...

— Deixáramos um compromisso matrimonial para ti, com um homem probo, um coração leal que sinceramente te queria... O próprio de Narbonne amava-te acima de tudo...

— O fantasma de Otília perseguia-me, induzindo-me ao crime, sem jamais me conceder tréguas, a fim de serenamente raciocinar...

— O fantasma de Otília só te perseguia porque teus desejos, teus pensamentos e inclinações se afinavam com os dela... As lições do Cristo, respeitadas e amadas, e a prece extraída do coração libertar-te-iam facilmente do jugo obsessor de tua infeliz amiga...

Vencida, reconhecendo-se irremediavelmente culpada, Ruth atirou-se nos braços de sua mãe e, chorando convulsivamente, bradou resoluta e corajosa:

— Mandai, minha mãe, e obedecerei! Dizei o que será necessário fazer e me prontificarei! Que meu pai e meu Carlos perdoem os erros que pratiquei em desobediência às Leis de Deus, que desejo acatar para o futuro...

Carolina introduziu-lhe entre os dedos, sorridente, um pequenino volume. Surpresa, a sofredora entidade deteve-se, examinando-o. Tratava-se de uma pequena missiva, uma carta. Abriu-a precipitadamente, reconhecendo a caligrafia graúda e forte do irmão bem-amado... E leu emocionada e palpitante, por momentos ansiosa e comovida até as lágrimas, de outras vezes esperançosa e confiante até a satisfação e a alegria:

"...Sim, minha Ruth! Será necessário, indispensável, mesmo urgente, o teu retorno a uma existência nova, na sociedade terrena, a fim de reparares as afrontas que tuas inconsequências fizeram a ti mesma, à tua consciência de descendente do Ser divino e criador, que rege o universo sem-fim... Volta à Terra, minha Ruth... Renasce em outro corpo... em berço triste, rodeado de solidão e saudades, entre vozes que parecerão hostis à tua alma... e não por aquelas que, por entre beijos e afagos, te ensinavam o balbucio das primeiras orações a Deus, no solar saudoso e amigo de La-Chapelle, onde foste adorada como os querubins nos Céus... Paga, às leis eternas e incorruptíveis da Criação, o tributo das infrações em que incorreste quando atraiçoavas os postulados do amor, da fé, da moral, da honra, da lealdade, da fraternidade... das virtudes pessoais, enfim, os quais, nós, a quem tu amas, te lecionávamos em nome do Senhor, por entre afetos e carinhos, com paciência e exemplos bons, desde os dias de tua infância e pelos albores da juventude! Renasce em ambiente diverso daquele que te foi tão grato... em ambiente hostil, que te leve a sentir a felicidade que perdeste ao atraiçoares os princípios honestos em que iniciaste tua marcha progressiva para Deus... e, já que não soubeste honrar o Evangelho, que te guiaria suavemente os passos para a redenção do teu Espírito, falindo ante o primeiro testemunho que Ele te pediu, após existências tumultuosas por ti vividas entre paixões e erros, suporta uma existência entre disciplinas austeras e irremediáveis, num *retiro religioso* onde aprenderás a domar o orgulho que te perdeu, onde as humilhações impostas pelo regime conventual extraiam do teu coração a voluntariedade que te levou à inconformação com as peripécias da existência e à revolta contra Deus!... Sofre, chora, trabalha, luta, serve, obedece, ama, renuncia! Mas reergue dos escombros das tuas desilusões a fé que deixaste se aniquilasse em tua alma! Reergue a esperança que não soubeste conservar para reanimar teu coração, nas horas de angústia... e cultiva o amor pelo teu próximo, que, tanto como aqueles a quem mais amas, é merecedor de toda a tua solicitude e complacência... porque, assim sendo, tal exílio será breve, passageiro e compensador... e será também o recurso que te facultará o voltares para os braços daqueles que te amam... Não sofrerás sozinha, minha Ruth, ainda que escasseiem amigos e afetos em teus trajetos... Embora invisível aos teus olhos de criatura encarnada, eu, apenas suspeitado pelo teu coração por intuições consoladoras, eu me debruçarei sobre o teu novo berço, como ainda ontem, nos muitos gratos dias de La-Chapelle, velando por teu sono e pelo teu triunfo sobre as trevas dos teus pecados... Aconselhar-te-ei nas horas de indecisão, sugerindo-te esperanças, quando as amarguras, por muito intensas, ameaçarem vencer a coragem de que necessitares para as situações que enfrentarás, idênticas às mesmas que criaste, por tua própria vontade, para um teu irmão perante as leis eternas... Enxugarei as tuas lágrimas de mil formas que as circunstâncias me permitirem... Far-te-ei companhia, por ti velando e, possivelmente, deixando-me ver por tua visão carnal, até mesmo na treva da fria masmorra que te aguarda no futuro, fruto do ato impiedoso que tiveste, atirando em um subterrâneo aquele que, por amor do supliciado do Calvário, deverias perdoar de boa mente... E te esperarei aqui mesmo... até que, redimida de tantos desatinos, voltes aos meus braços para a fruição de uma felicidade sem ocasos... abendiçoada pelo Sempiterno, porque harmonizada com as sublimes leis do amor divino e da fraternidade universal! Vai, minha Ruth: este será o recurso único com que poderás contar para venceres o abismo que no momento te afasta dos caminhos ditosos que te conduzirão a Deus... Vai... Não procures outro recurso, porque não o encontrarás... Não terás outro! Não haverá outro!..."

* * *

Ruth de La-Chapelle curvou-se às prudentes exortações do irmão bem-amado. Renasceu para os serviços dolorosos de uma série de expiações e resgates, na esperança de, assim, por meio de lágrimas e sacrifícios, aplacar a consciência ultrajada e reconquistar o paraíso que perdera, o aconchego daquela eminente família espiritual. Luís de Narbonne, perdendo-a de vista, graças à reencarnação e por um ato de complacência da sábia Providência, que lhe permitiu tão necessário ensejo de serenidade, pôs em prática os conselhos dos ternos amigos que tão generosamente lhe souberam perdoar: voltou à Terra em reencarnação igualmente reparadora, para expiar, como judeu espanhol, o ultraje da perseguição religiosa, ao mesmo tempo que em si mesmo era combatido o terrível preconceito católico-romano, o desmedido orgulho sectarista que tantas desgraças há causado entre os povos... enquanto Otília de Louvigny era retida em rigoroso reformatório de Além-túmulo, antes de se submeter às experiências convenientes ao crime de obsessão e vingança, experiências que, dado o seu caráter rancoroso e obstinado, perduram até o presente momento...

...E ainda hoje Carlos Filipe, Carolina, o velho conde, venerando chefe da amorável família de La-Chapelle, guiam, do mundo invisível, os vultos tristes de Ruth, de Luís e de Otília, nas derradeiras etapas reparadoras e evolutivas em que se demoram há quatro séculos, amando-os, protegendo-os quais tutelares dedicados e amorosos, conduzindo-os pacientemente pela verdadeira trilha do amor a Deus e ao próximo... não mais sob os auspícios da Reforma... mas sob as sublimes expressões da verdade eterna, enfeixadas nos redentores códigos da Terceira Revelação...

FIM

Referências

KARDEC, Allan. *A gênese*. Tradução de Evandro Noleto Bezerra. Rio de Janeiro: FEB, 2009.

_____. *O céu e o inferno*. Tradução de Evandro Noleto Bezerra. Rio de Janeiro: FEB, 2008.

_____. *O evangelho segundo o espiritismo*. Tradução de Evandro Noleto Bezerra. Rio de Janeiro: FEB, 2010.

_____. *O livro dos espíritos*. Tradução de Evandro Noleto Bezerra. Rio de Janeiro: FEB, 2011

O EVANGELHO NO LAR

Quando o ensinamento do Mestre vibra entre quatro paredes de um templo doméstico, os pequeninos sacrifícios tecem a felicidade comum.[1]

Quando entendemos a importância do estudo do Evangelho de Jesus, como diretriz ao aprimoramento moral, compreendemos que o primeiro local para esse estudo e vivência de seus ensinos é o próprio lar.

É no reduto doméstico, assim como fazia Jesus, no lar que o acolhia, a casa de Pedro, que as primeiras lições do Evangelho devem ser lidas, sentidas e vivenciadas.

O espírita compreende que sua missão no mundo principia no reduto doméstico, em sua casa, por meio do estudo do Evangelho de Jesus no Lar.

Então, como fazer?

Converse com todos que residem com você sobre a importância desse estudo, para que, em família, possam compreender melhor os ensinamentos cristãos, a partir de um momento de união fraterna, que se desenvolverá de maneira harmônica e respeitosa. Explique que as reflexões conjuntas acerca do Evangelho permitirão manter o ambiente da casa espiritualmente saneado, por meio de sentimentos e pensamentos elevados, favorecendo a presença e a influência de Mensageiros do Bem; explique, também, que esse momento facilitará, em sua residência, a recepção do amparo espiritual, já que auxilia na manutenção de elevado padrão vibratório no ambiente e em cada um que ali vive.

Convide sua família, quem mora com você, para participar. Se mora sozinho, defina para você esse momento precioso de estudo e reflexões. Lembre-se de que, espiritualmente, sempre estamos acompanhados.

Escolha, na semana, um dia e horário em que todos possam estar presentes.

O tempo médio para a realização do Evangelho no Lar costuma ser de trinta minutos.

---

[1] XAVIER, Francisco Cândido. *Luz no lar*. Por Espíritos diversos. 12. ed., 7. imp. Brasília: FEB, 2018. Cap. 1.

As crianças são bem-vindas e, se houver visitantes em casa, eles também podem ser convidados a participar. Se não forem espíritas, apenas explique a eles a finalidade e importância daquele momento.

O seguinte roteiro pode ser utilizado como sugestão:

1. Preparação: Leitura de mensagem breve, sem comentários;
2. Início: Prece simples e espontânea;
3. Leitura: *O evangelho segundo o espiritismo* (um ou dois itens, por estudo, desde o prefácio);
4. Comentários: breves, com a participação dos presentes, evidenciando o ensino moral aplicado às situações do dia a dia;
5. Vibrações: pela fraternidade, paz e pelo equilíbrio entre os povos; pelos governantes; pela vivência do Evangelho de Jesus em todos os lares; pelo próprio lar...
6. Pedidos: por amigos, parentes, pessoas que estão necessitando de ajuda...
7. Encerramento: prece simples, sincera, agradecendo a Deus, a Jesus, aos amigos espirituais.

As seguintes obras podem ser utilizadas nesse momento tão especial:

- *O evangelho segundo o espiritismo, como obra básica;*
- *Caminho, verdade e vida; Pão nosso; Vinha de luz; Fonte viva; Agenda cristã.*

Esse momento no lar não se trata de reunião mediúnica e, portanto, qualquer ideia advinda pela via da intuição deve permanecer como comentário geral, a ser dito de maneira simples, no momento oportuno.

No estudo do Evangelho de Jesus no Lar, a fé e a perseverança são diretrizes ao aprimoramento moral de todos os envolvidos.

O LIVRO ESPÍRITA

Cada livro edificante é porta libertadora.

O livro espírita, entretanto, emancipa a alma nos fundamentos da vida.

O livro científico livra da incultura; o livro espírita livra da crueldade, para que os louros intelectuais não se desregrem na delinquência.

O livro filosófico livra do preconceito; o livro espírita livra da divagação delirante, a fim de que a elucidação não se converta em palavras inúteis.

O livro piedoso livra do desespero; o livro espírita livra da superstição, para que a fé não se abastarde em fanatismo.

O livro jurídico livra da injustiça; o livro espírita livra da parcialidade, a fim de que o direito não se faça instrumento da opressão.

O livro técnico livra da insipiência; o livro espírita livra da vaidade, para que a especialização não seja manejada em prejuízo dos outros.

O livro de agricultura livra do primitivismo; o livro espírita livra da ambição desvairada, a fim de que o trabalho da gleba não se envileça.

O livro de regras sociais livra da rudeza de trato; o livro espírita livra da irresponsabilidade que, muitas vezes, transfigura o lar em atormentado reduto de sofrimento.

O livro de consolo livra da aflição; o livro espírita livra do êxtase inerte, para que o reconforto não se acomode em preguiça.

O livro de informações livra do atraso; o livro espírita livra do tempo perdido, a fim de que a hora vazia não nos arraste à queda em dívidas escabrosas.

Amparemos o livro respeitável, que é luz de hoje; no entanto, auxiliemos e divulguemos, quanto nos seja possível, o livro espírita, que é luz de hoje, amanhã e sempre.

O livro nobre livra da ignorância, mas o livro espírita livra da ignorância e livra do mal.

Emmanuel[1]

---

[1] Página recebida pelo médium Francisco Cândido Xavier, em reunião pública da Comunhão Espírita Cristã, na noite de 25 de fevereiro de 1963, em Uberaba (MG), e transcrita em *Reformador*, abr. 1963, p. 9.

Edições
NAS VORAGENS DO PECADO

EDIÇÃO	IMPRESSÃO	ANO	TIRAGEM	FORMATO
1	1	1960	10.000	13x18
2	1	1974	10.200	13x18
3	1	1978	5.100	13x18
4	1	1980	10.200	13x18
5	1	1984	10.200	13x18
6	1	1987	10.200	13x18
7	1	1989	15.000	13x18
8	1	1993	20.000	13x18
9	1	2000	5.000	12,5x17,5
10	1	2003	3.000	12,5x17,5
11	1	2003	2.000	14x21
11	2	2006	1.500	14x21
11	3	2010	3.000	14x21
11	4	2011	2.000	14x21
12	1	2013	2.000	16x23
12	2	2014	3.000	16x23
12	3	2015	2.000	16x23
12	4	2017	2.000	16x23
12	5	2018	1.900	16x23
12	6	2018	4.500	16x23
12	7	2018	1.000	16x23
12	8	2019	500	16x23
12	9	2019	1.500	16x23
12	10	2021	1.000	16x23
12	IPT*	2022	300	15,5x23
12	IPT	2023	500	15,5x23
12	13	2023	5.000	15,5x23
12	IPT	2024	IPT	15,5x23
12	15	2024	2.500	15,5x23

* Impressão pequenas tiragens

FEB editora
Livro espírita para um novo mundo
www.febeditora.com.br
@febeditoraoficial
@febeditora

Conselho Editorial:
Jorge Godinho Barreto Nery – Presidente
Geraldo Campetti Sobrinho – Coord. Editorial
Cirne Ferreira de Araújo
Evandro Noleto Bezerra
Maria de Lourdes Pereira de Oliveira
Marta Antunes de Oliveira de Moura
Miriam Lúcia Herrera Masotti Dusi

Produção Editorial:
Elizabete de Jesus Moreira

Revisão:
Elizabete de Jesus Moreira
Neryanne Paiva

Capa e Projeto Gráfico:
Ingrid Saori Furuta

Diagramação:
Rones José Silvano de Lima – instagram.com/bookebooks_designer

Foto de Capa:
istockphoto.com | selimaksan

Normalização Técnica:
Biblioteca de Obras Raras e Documentos Patrimoniais do Livro

Esta edição foi impressa pela Corprint Gráfica e Editora Ltda., Mogi das Cruzes, SP, com tiragem de 2,5 mil exemplares, todos em formato fechado de 155x230 mm e com mancha de 116,4x179,9 mm. Os papéis utilizados foram o Off White bulk 58 g/m² para o miolo e o Cartão 250 g/m² para a capa. O texto principal foi composto em fonte Minion Pro 11,5/15,2 e os títulos em Filosofia Grand Caps 24/25. Impresso no Brasil. *Presita en Brazilo.*